Cómo criar a un NIÑO

de voluntad firme

NUEVA EDICIÓN

La supervivencia desde el
nacimiento hasta la adolescencia

Dr. James
DOBSON

AUTOR DE SUPERVENTAS SEGÚN EL *NEW YORK TIMES*

Unilit

Publicado por
Unilit
Medley, FL 33166

Primera edición 2005

© 2005 por Editorial Unilit (Spanish)
Traducido al español con permiso de Tyndale House Publishers.
(Translated into Spanish with permission of Tyndale House Publishers.)

© 2004 por Dr. James Dobson
Todos los derechos reservados.

Originalmente publicado en inglés con el título:
New Strong-Willed Child, The
por Tyndale House Publishers, Inc.
Wheaton, Illinois USA

New Strong-Willed Child, The (Spanish)
Copyright © 2004 by Dr. James Dobson
Spanish edition © 2005 by Editorial Unilit with permission of Tyndale
House, Inc.
All rights reserved.

Traducción: *Raquel Monsalve*
Revisión: *Enfoque a la Familia*
Diseno de la cubierta: *BGG Designs www.bggdesigns7.com*

Las citas bíblicas se tomaron de la Santa Biblia, *Nueva Versión Internacional*
© 1999 por la Sociedad Bíblica Internacional.
Usadas con permiso.

Producto 496784
ISBN 0-7899-1283-X
ISBN 978-0-7899-1283-1

Impreso en Colombia
Printed in Colombia

Categoría: Vida cristiana/Relaciones/Crianza de los hijos
Category: Christian Living/Relationships/Parenting

ESTE LIBRO ESTÁ DEDICADO CON TODO CARIÑO A MI PROPIA MADRE, quien ahora está con el Señor, y quien fue bendecida con una maravillosa capacidad para comprender a los niños y niñas. En forma intuitiva, ella captó el significado de la disciplina y me enseñó muchos de los principios que he descrito en las siguientes páginas. Y, por supuesto, ella hizo una tarea increíble en mi crianza, como todo el mundo puede verlo claramente hoy. Pero hay una inquietante pregunta que siempre me ha dejado perplejo: ¿Por qué mi madre se convirtió en una persona tan condescendiente en el instante en que la hicimos abuela?

ÍNDICE

PREFACIO

En el año 1978, cuando se publicó la primera edición de *Cómo criar a un niño de voluntad firme,* yo acababa de hacer un cambio dramático en mi carrera. Había renunciado a mi puesto en la facultad de la Escuela de Medicina de la Universidad del Sur de California, donde había ejercido el cargo de profesor clínico asociado de pediatría por varios años. Mi decisión de dejar este puesto tan satisfactorio fue el resultado de una preocupación cada vez mayor de que la institución de la familia se estaba deteriorando con mucha rapidez, y que yo debía hacer lo que pudiera al respecto. Así que dejé la seguridad de mi trabajo para crear una pequeña organización sin fines de lucro llamada Enfoque a la Familia, y comencé un programa radial que inicialmente se transmitía en treinta y cuatro emisoras. Con toda franqueza, me preguntaba si alguna vez nuestro teléfono iría a sonar.

Más de veinticinco años después, el programa radial y sus derivados son escuchados por 220 millones de personas todos los días en 7.300 estaciones de radio localizadas en 122 países alrededor del mundo. Nuestro personal asciende a 1.400 personas, quienes también están comprometidas a la conservación de la familia. Más de 200.000 radioescuchas nos escriben o nos llaman por teléfono todos los meses, muchos de los cuales formulan preguntas en cuanto a cómo criar hijos saludables y bien equilibrados. Hoy en día, cuando me encuentro con estos padres cuyas vidas hemos tocado a lo largo de los años, algunos de ellos sonríen y me cuentan historias sobre sus hijos, otros me dan un abrazo, y a algunos se les llenan los ojos de lágrimas. Muchos me dicen: «Gracias por ayudarme a criar a mis hijos». El poder ayudar a estas personas especiales a lo largo de los años de crianza de sus hijos ha sido una de las satisfacciones más grandes de mi vida, tanto en la esfera personal como en la profesional.

Uno de los primeros proyectos que realicé en el año 1977 después de dejar mi carrera, fue el de escribir la versión original del libro que usted tiene ahora en sus manos. Tal y como lo indica el título, éste se centraba en el temperamento básico de los niños y en lo que influye en ellos para hacer lo que hacen. Hay una característica que es de mi particular interés, y que yo llamo «la fuerza de la voluntad». Algunos niños parecen nacer con una naturaleza tranquila, complaciente, que hace que criarlos sea un gozo. No lloran mucho cuando son bebés; duermen toda la noche desde las dos semanas de vida; les gorjean a sus abuelos; sonríen mientras se les cambia el pañal; y son muy pacientes cuando la cena se atrasa. Y, por supuesto, nunca vomitan camino a la iglesia. Durante toda su niñez, les encanta mantener su dormitorio limpio y ordenado, y les gusta mucho hacer sus tareas escolares. Me temo que no hay muchos de esos niños tan dóciles, pero se sabe que existen en algunos hogares (aunque no los hubo en el nuestro).

De la misma manera en que algunos niños son dóciles, otros parecen ser desafiantes desde el instante en que salen del vientre. Entran al mundo como si fueran los dueños de él, quejándose a todo pulmón de la temperatura en la sala de partos y de la incompetencia del cuerpo de enfermeras y de cómo los doctores están manejando las cosas. Mucho antes de su nacimiento, las madres de los niños de voluntad firme saben que algo diferente está sucediendo dentro de ellas, porque sus bebés han estado tratando de grabar sus iniciales en las paredes de sus vientres. Durante la primera infancia, estos niños se ponen de punta cuando su biberón no está a tiempo y exigen que se les tenga en brazos durante todo el día. Su tiempo favorito de «jugar» es a las tres de la mañana. Más tarde, cuando comienzan a caminar, se resisten a toda clase de autoridad, y sus mayores placeres incluyen pintar la alfombra con el maquillaje de mamá y tratar de pasar al gato por el inodoro. Sus frustrados padres se preguntan qué es lo que han hecho mal y por qué su experiencia de criar a su hijo es tan diferente de lo que habían esperado. Necesitan desesperadamente un poco de ayuda en cuanto a qué hacer a continuación.

Ésa fue la premisa básica de mi libro en 1978. Pero los años han pasado con mucha rapidez desde aquel entonces, y los niños tan duros como la piedra de los que yo escribí ahora han crecido, y han realizado el viaje sin parar desde la etapa en que eran unos bebés hasta la adolescencia, y de allí, a la vida adulta. La mayor parte de ellos ahora tienen a sus propios hijos de voluntad firme, lo cual es casi gracioso de contemplar. Cuando eran niños sacaban a sus padres de sus casillas, pero ahora sus hijos los están haciendo pagar las consecuencias. Estos nuevos papás y mamás están recibiendo el pago justo, y merecen todo los que sus hijos les hacen para ponerles los nervios de punta. Es probable que sus padres, a quienes me dirigí en el libro original, ahora sean abuelos, y que se hayan convertido en consentidores para quienes todo está bien, al igual que mi maravillosa madre cuando la hicimos abuela. Y así continúa el ciclo de la vida, generación tras generación, con cada miembro de la familia desempeñando un papel predeterminado que se siente como algo totalmente nuevo, pero que en realidad tiene sus raíces en la antigüedad.

Por lo tanto, es con mucho placer que vuelvo a tratar este tema, el cual me ha fascinado toda la vida. Se han vendido casi tres millones de ejemplares del libro titulado *Cómo criar a un niño de voluntad firme* en docenas de idiomas, pero hace poco me di cuenta de que había llegado la hora de revisar y corregir el manuscrito. Una gran cantidad de información nueva ha salido a la luz desde que yo plasmara mis pensamientos en papel (sí, en papel, escribí el manuscrito original con lápiz usando libretas de páginas amarillas, dando como resultado hojas que eran unidas con cinta adhesiva para producir un rollo que algunas veces tenían más de 15 metros de largo. En forma inexplicable, no me metí en eso de las computadoras sino hasta que el siglo veinte ya casi había terminado).

Entonces, ¿por qué es necesario reorganizar este libro más de veinticinco años después de haber sido publicado? Sin duda, no se debe a que la naturaleza de los niños haya cambiado desde la década de los setenta. Los niños son niños y siempre lo serán. Más bien es porque la comprensión científica de los temperamentos innatos con que nacen los pequeñuelos es mucho mayor ahora de lo que fue dos o tres décadas atrás. Algunos de los aportes de datos más recientes se han obtenido a través de la investigación cuidadosa en el campo del desarrollo de la niñez, y en este libro voy a darle esas conclusiones. Por ejemplo, la investigación realizada en el trastorno por déficit de atención e hiperactividad (TDAH), o «hiperactividad» como se le llamaba antes, estaba en pañales cuando comencé a escribir el libro. Muy poco se sabía en cuanto a ese trastorno en aquellos días, y mucho menos en cuanto a cómo manejarlo. Debido a éste y a otros nuevos descubrimientos, ha llegado la hora de volver a considerar al niño de voluntad firme y cuál es la mejor manera de criarlo. Sin embargo, lejos de contradecir mi tesis básica, los años que han transcurrido han servido para validar los principios que describí cuando era un joven psicólogo y profesor.

La otra razón por la cual he decidido revisar y corregir *Cómo criar a un niño de voluntad firme* es porque ahora tengo muchos más años trabajando con familias y comparando los enfoques que tienen éxito con los que claramente no lo tienen. Esas experiencias han sido entretejidas en el material de esta edición, confiando en que van a ser de ayuda y de aliento a los padres de hoy y a las generaciones por venir. ¿Y quién sabe? Tal vez los niños y niñas irritables que desafían a sus padres hoy crecerán para leer estas palabras en un futuro distante, buscando con desesperación algún consejo para hallar la forma de manejar a sus propios hijos. Espero que lo hagan.

Comencemos reconociendo que criar hijos puede ser una tarea difícil, especialmente hoy cuando la cultura está batallando con fuerza contra los padres queriendo ganar el corazón y las mentes de sus hijos. Criarlos en forma apropiada requiere de la sabiduría de Salomón y de la determinación de un campeón olímpico. Admitamos que la tarea parece mucho más simple de lo que en realidad es. Los padres y madres demasiado confiados, en particular aquellos que son nuevos en la responsabilidad, me recuerdan a alguien que observa por primera vez cómo se juega al golf. Él piensa: *Esto va a ser fácil. Todo lo que se tiene que hacer es pegarle a esa pelotita blanca en dirección a la bandera.* Entonces se dirige al *tee*, saca su palo, y envía la «pelotita» unos tres metros hacia la izquierda. *Tal vez*, se dice, *debiera pegarle con más fuerza. Eso es lo que hace Tiger Woods.* Pero cuanto más fuerte le pega a la pelota, tanto más se adentra él en la maleza. Así sucede con la crianza de los hijos. Hay trampas de arena y obstáculos por todos lados para los padres que son bendecidos con hijos de voluntad firme. Lo que estos padres necesitan es un «plan de juego» bien diseñado para los inevitables desafíos que enfrentarán en el hogar. Sin ese plan, se van a encontrar desconcertados, tratando de arreglárselas a tientas.

Consideremos la experiencia de un amigo mío, quien era piloto aficionado cuando era más joven. En una ocasión, él voló su avión de un solo motor hacia su base ubicada en un pequeño aeropuerto en el campo. Lo malo fue que esperó demasiado para comenzar el vuelo de regreso y llegó a las cercanías del aeropuerto cuando el sol ya se ocultaba detrás de una montaña. Para cuando él maniobró el avión en la posición de aterrizaje, no podía ver la brumosa pista que se hallaba debajo. No había luces que lo guiaran ni nadie que estuviera de turno en el aeropuerto. Dio una vuelta al campo para hacer otro intento de aterrizaje, pero para entonces la oscuridad se había vuelto más impenetrable.

Durante dos horas llenas de desesperación, él voló su avión en círculos en la oscuridad de la noche, sabiendo que probablemente moriría cuando se le acabara el combustible. Entonces, a medida que un pánico mayor se apoderaba de él, ocurrió un milagro. Alguien abajo escuchó el continuo ruido del avión y se dio cuenta del aprieto en el que el piloto se encontraba. El compasivo hombre condujo su automóvil a lo largo de la pista, ida y vuelta, para mostrarle a mi amigo la ubicación de la pista de aterrizaje. Luego dejó que las luces de su automóvil brillaran desde el extremo de la pista mientras el avión aterrizaba.

Pienso en esa historia ahora que estoy descendiendo de noche en un avión comercial. Al mirar hacia delante, puedo ver las luces verdes a los lados de la pista que le dicen al capitán hacia dónde dirigir el avión. Si se mantiene dentro de esos límites alumbrados, todo estará bien. Pero el desastre se encuentra a la derecha y a la izquierda.

Lo mismo pasa con la desafiante tarea de criar hijos. Lo que los padres necesitan son luces para aterrizar, algunos indicadores confiables, que les iluminen la región segura que se encuentra entre los extremos. Dos de esos principios de guía son, simplemente, el amor y el control. Si los padres los entienden y los aplican en forma apropiada, es muy probable que la relación con sus hijos sea saludable, a pesar de los errores y de los defectos inevitables. Sin embargo, ¡cuidado! A menudo es muy difícil equilibrar el amor y el control cuando se trata con un niño de voluntad firme. La tentación es inclinarse hacia uno de los dos principios: hacia el enojo frenético y la opresión, o hacia la condescendencia y la retirada. ¿Por qué? Porque las constantes batallas que estos niños obstinados precipitan pueden causar que un padre o una madre se vuelva un gritón y un tirano o uno que deja que los niños manden de una manera lamentable. Existe peligro para un niño a ambos lados de la «pista de aterrizaje». Si el avión de la crianza aterriza, ya sea antes de llegar a la pista o más allá de ésta, va a dar tumbos por el campo de maíz con consecuencias impredecibles. Hablaremos más sobre eso dentro de poco.

Entonces, el propósito de este libro, tanto la versión original como esta revisión, es ofrecer éstas y otras pautas que van a contribuir a una crianza competente de los hijos. En forma específica vamos a tratar el tema de la disciplina en la forma en que se relaciona con los niños independientes que son más difíciles de criar.

A estas alturas, basta con decir que las recompensas de hacer un buen trabajo en la crianza de los hijos valen toda la sangre, sudor y lágrimas que se inviertan en ella. Aunque mis hijos son ahora adultos, el resultado de lo que sus vidas han llegado a ser es el logro más satisfactorio de mi vida. Puede tener la seguridad de que voy a decir más sobre esto en las siguientes páginas.

Bueno, comencemos. Espero que esta disertación ayude a iluminar la pista de aterrizaje para aquellos padres que están tratando de pilotar a sus hijos a través de la oscuridad.

Dr. James C. Dobson

UNO

LA VOLUNTAD BULLICIOSA
Y POCO REFINADA

E N UNA ÉPOCA, el hogar de la familia Dobson estaba conformado por un papá y una mamá, un niño y una niña, un hámster, un loro, un solitario pececito dorado, y dos gatos totalmente neuróticos. Todos vivíamos juntos en relativa armonía con un mínimo de conflictos y luchas. Pero había otro miembro de nuestra familia que era menos amable y cooperador. Era un terco perro salchicha de seis kilos llamado Sigmund Freud (Siggie), quien con toda sinceridad creía ser el dueño del lugar. Me han dicho que todos los perros salchicha tienden a ser independientes, pero Siggie era un revolucionario empedernido. No era un perro malo ni bravo; simplemente quería manejar las cosas, y él y yo nos enfrascamos en una lucha por el poder que duró toda la vida de nuestro perro.

Siggie no sólo era testarudo, sino que no contribuía con su parte en la familia. No traía el periódico en las mañanas que hacía frío; rehusaba buscar la pelota que los niños le lanzaban; no mantenía nuestro jardín libre de ardillas de tierra; y no hacía ninguno de los trucos que hacen la mayoría de los perros de cría. Y lamentablemente, Siggie se negaba a participar en los programas de superación propia que yo iniciaba a su favor. Él se contentaba con pasar trotando por la vida, mojando y oliendo y ladrándole a todo lo que se moviera.

Sigmund no era siquiera un buen perro guardián. Este hecho fue confirmado la noche que nos visitó un merodeador que entró al patio de nuestra casa a las tres de la mañana. Me desperté de golpe de un profundo sueño, salí de la cama, y caminé a tientas por la casa sin encender las luces. Yo sabía que había alguien en el patio, y Siggie también lo sabía, ¡porque el cobarde estaba agazapado detrás de mí! Después de escuchar a mi corazón dando vuelcos por unos cuantos minutos, extendí mi mano para agarrar la perilla de la puerta que da al patio. En ese instante, el portón del jardín se abrió y se cerró si hacer ruido. Alguien había estado parado a un metro de distancia de mí, y ese alguien ahora estaba rebuscando en mi garaje. Siggie y yo tuvimos una pequeña conversación en la oscuridad y decidimos que él debía ser el que investigara el problema. Abrí la puerta de atrás y le ordené a mi perro: «¡Ataca!». ¡Pero Siggie ya había tenido un ataque! Él estaba allí sacudiéndose y temblando tanto que ni siquiera pude empujarlo para que saliera por la puerta de atrás. En medio del ruido y la confusión que siguieron, el intruso se escapó (lo que fue del agrado, tanto del hombre como del perro).

Por favor, no me malentiendan: Siggie era un miembro de nuestra familia, y nosotros lo amábamos mucho. Y a pesar de su naturaleza anarquista, finalmente le enseñé a obedecer unas cuantas órdenes sencillas. Sin embargo, tuvimos algunas batallas clásicas antes que él se rindiera de mala gana a mi autoridad. El mayor enfrentamiento ocurrió

cuando yo había estado en la ciudad de Miami para una conferencia de tres días. Cuando regresé me di con la sorpresa de que Siggie se había convertido en el jefe de la casa mientras yo estaba ausente. Pero no me di cuenta, sino hasta más tarde esa noche, cuán fuertes eran sus sentimientos en cuanto a su nueva posición de capitán.

A las once de aquella noche, le dije a Siggie que se fuera a su cama, la cual era un lugar cercado en la sala de estar. Durante seis años, yo le había dado esa orden a Siggie al final de cada día, y él la había obedecido. En aquella ocasión, sin embargo, rehusó cumplir. Él estaba en el baño, sentado cómodamente sobre la tapa del inodoro que estaba cubierta con un material suave. Ése era su lugar favorito en la casa, porque le permitía disfrutar del calor de un calentador eléctrico que estaba cerca. Por cierto, Siggie aprendió por experiencia propia que era muy importante que la tapa estuviera puesta antes de saltar. Nunca voy a olvidar la noche que aprendió esa lección. Él entró corriendo como un rayo del frío y se lanzó por los aires, y casi se ahoga antes que yo lo pudiera sacar de allí.

La noche de nuestra gran batalla, le dije a Sigmund que saliera de su asiento calentito y que se fuera a dormir. En lugar de hacerlo, agachó las orejas y con lentitud volvió su cabeza hacia mí. Él se afirmó en el lugar colocando una pata en el borde de la tapa del inodoro, luego encorvó los hombros, levantó los labios para mostrar las muelas a ambos lados de su boca, y emitió el gruñido más amenazador que pudo. Ésa era la forma de Siggie de decirme: «¡Lárgate!».

Ya había visto esta actitud desafiante antes, y sabía que tenía que enfrentarla. La única manera de hacer que Siggie obedeciera era amenazándolo con la destrucción. Ninguna otra cosa daba resultado. Me di vuelta y fui a mi armario a buscar un pequeño cinturón que me ayudara a «razonar» con el viejo Sig. Mi esposa, que estaba observando cómo se desarrollaba el drama, me dijo que tan pronto como salí, Siggie saltó al suelo desde su pedestal y miró por el pasillo para ver adónde había ido yo. Entonces se colocó detrás de ella y gruñó.

Cuando regresé, le mostré el cinturón y le dije al enojado perro que se fuera a su cama. Él no cedió terreno, así que le di con el cinturón en la parte trasera de su cuerpo, y él trató de morder el cinturón. Le apliqué el castigo de nuevo, y trató de morderme. Lo que siguió a continuación es imposible de describir. Ese perrito y yo tuvimos la peor pelea que se pueda imaginar entre hombre y bestia. Peleé con él hasta sacarme de quicio, y los dos arañábamos y gruñíamos. Todavía siento vergüenza cuando me acuerdo de esa escena. Centímetro a centímetro lo llevé hacia la sala de estar y a su cama. Como una maniobra final desesperada, Siggie saltó sobre el sofá y se puso en un rincón dando su protesta final con un gruñido. Finalmente lo pude meter en su cama, ¡sólo porque peso noventa y seis kilos más que él!

A la noche siguiente esperaba otra ronda de combate a la hora en que Siggie tenía que acostarse. Sin embargo, para sorpresa mía, él aceptó mi orden sin debatirla ni quejarse, y simplemente trotó hacia la sala de estar en perfecta sumisión. De hecho, nunca más Siggie y yo tuvimos un enfrentamiento «hasta las últimas consecuencias».

Ahora me queda claro que aquella primera noche, en su forma de actuar canina, Siggie me estaba diciendo: «No creo que seas lo suficientemente fuerte como para hacerme obedecer». Tal vez parezca que estoy humanizando el comportamiento de un perro, pero creo que no estoy haciendo eso. Los veterinarios confirman que algunas razas de perros, especialmente los perros salchicha y los pastores, no aceptarán el liderazgo de sus amos hasta que la autoridad humana haya pasado la prueba de fuego y haya demostrado ser digna de ejercer autoridad. Yo le hice entender eso a Siggie con un encuentro decisivo, y fuimos buenos amigos durante el resto de su vida.

Éste no es un libro acerca de la disciplina de los perros. Sin embargo, hay un aspecto importante en mi historia que es de gran relevancia para el mundo de los niños. Así como está claro que un perro a veces va a desafiar la autoridad de sus líderes, un niño tiene la inclinación de hacer lo mismo, pero con más frecuencia. Ésta no es una observación de poca importancia, por cuanto representa una característica de la naturaleza humana que se les ha escapado a muchos expertos que escriben libros sobre el tema de la disciplina. Cuando escribí este libro hace veinticinco años, casi no existía literatura para los padres o maestros que reconociera de manera adecuada la lucha (el enfrentamiento de las voluntades) que a los niños de voluntad firme parece encantarles. Muy rara vez estos niños aceptan el liderazgo adulto sin desafiarlo; debe ser probado y hallado digno antes de que se le respete. Éste es uno de los aspectos frustrantes en la crianza de los hijos que los padres y las madres deben descubrir por sí mismos.

LA JERARQUÍA DE LA FORTALEZA Y EL VALOR

¿Por qué algunos niños, especialmente los que son de voluntad firme, tienen un temperamento tan agresivo? Una de las respuestas simplistas (en el capítulo 3 hay una explicación más completa) es que refleja la admiración que los niños sienten por la fortaleza y el valor. En algunas ocasiones van a desobedecer la instrucción de sus padres con el propósito específico de probar la determinación de los que están a cargo. ¿Por qué? Porque el asunto de quién es el «más fuerte» tiene para ellos gran importancia. Esto ayuda a explicar la popularidad de los superhéroes, Robin Hood, Tarzán, el Hombre Araña y Supermán, en el folklore de los niños. También explica por qué a menudo se jactan: «¡Mi papá le puede pegar a tu papá!». (Un niño dijo en respuesta a esto: «Eso no es nada, ¡mi mamá también le puede pegar a mi papá!»).

4

Cuando un niño se muda a un nuevo vecindario o asiste a una nueva escuela, por lo general tiene que pelear (ya sea verbal o físicamente) para establecerse en la jerarquía en cuanto a fortaleza. Este respeto por el poder y el valor también hace que los niños quieran saber lo fuertes que son sus líderes. Así que, si usted es padre, abuelo, líder de una organización de Niños Exploradores, conductor de un autobús escolar o maestro de escuela, le puedo garantizar que tarde o temprano, uno de los niños bajo su autoridad va a apretar su pequeño puño y lo va a desafiar. Al igual que Siggie a la hora de acostarse, le va a decir a su manera: «No creo que seas lo suficientemente fuerte como para hacerme obedecer». Es mejor que esté preparado para probarle que está equivocado en ese momento, o el desafío va a darse una y otra vez.

Este juego desafiante, que yo llamo «Desafiar al Jefe», puede ser jugado con sorprendente destreza por niños muy pequeños. Un padre me contó de una vez que llevó a su hija de tres años a un partido de baloncesto. La niña, como es de esperar, estaba interesada en todo lo que había en el gimnasio menos en el evento atlético. El padre le permitió que anduviera por el lugar y que caminara por las gradas, pero le dio límites específicos en cuanto hasta dónde se podía apartar de él. La tomó de la mano y la llevó a un lugar pintado con una franja blanca en el piso del gimnasio. «Puedes jugar por todo el lugar, Juanita, pero no pases de esta raya», le ordenó. No estaba todavía sentado en su lugar cuando la pequeña salió disparada en dirección al territorio prohibido. Ella se detuvo en el borde de la línea por un momento, luego le lanzó una sonrisa rápida por encima del hombro a su padre, y deliberadamente puso un pie sobre la línea como diciendo: «¿Qué vas a hacer en cuanto a esto?». Prácticamente, a todos los padres del mundo les han hecho esa pregunta alguna vez.

El género humano en su totalidad sufre de la misma tendencia hacia la desobediencia voluntariosa que mostró esta niña de tres años. Su comportamiento en el gimnasio no es tan diferente del desatino de Adán y Eva en el huerto de Edén. Dios les había dicho que podían comer cualquier cosa en el huerto menos el fruto prohibido («no pases de esta línea»). Y sin embargo, ellos desafiaron la autoridad del Todopoderoso desobedeciendo en forma deliberada su mandamiento. Tal vez esta tendencia a la obstinación sea la esencia del pecado original que se ha infiltrado en la raza humana. Ciertamente explica por qué enfatizo tanto en la respuesta apropiada al desafío voluntarioso durante la niñez, porque esa rebelión puede plantar las semillas del desastre personal. La maleza que crece a partir de ella puede llegar a convertirse en un bosque enmarañado durante los turbulentos años de la adolescencia.

Cuando un padre rehúsa aceptar el desafío atrevido de su hijo, algo cambia en la relación entre ambos. El niño comienza a mirar a sus padres sin respeto; no son dignos de su lealtad. Lo que es más importante, el niño se pregunta por qué le permiten que haga cosas tan dañinas si en realidad lo aman. La paradoja más grande de la adolescencia es que los jóvenes quieren ser guiados por sus padres, pero insisten en que sus padres se ganen el derecho a hacerlo.

Para beneficio de aquellos lectores que nunca han experimentado tal enfrentamiento, permítanme describirles cómo normalmente se forma un niño o niña resuelto. Cuando nace, se ve aparentemente igual a su hermano o hermana más complaciente. Pesa tres kilos y medio y depende por completo de las personas que lo cuidan. De hecho, no podría sobrevivir más de un día o dos sin la atención de esas personas. Los bracitos y piernitas incapaces cuelgan sin rumbo en las cuatro direcciones, pareciendo ser una ocurrencia tardía de Dios. ¡Qué cuadro de vulnerabilidad e inocencia es este niño!

¿No es sorprendente, considerando este comienzo, lo que sucede en veinte cortos meses? El niño ahora pesa más de doce kilos y se muere por entrar en acción. Este niño que no podía sostener su propio biberón hace menos de dos años, ahora tiene el valor de mirar a su padre, que pesa noventa kilos, directamente a la cara y decirle que se vaya a freír espárragos. ¡Qué audacia! Es obvio que hay algo en lo profundo de su alma que anhela el control. Él se esforzará para obtenerlo por el resto de su vida.

Cuando nuestros hijos eran pequeños, vivíamos cerca de alguna de estas fierecitas. En aquel entonces tenía tres años y ya tenía a su madre perpleja y abrumada. La lucha de voluntades había terminado. Él había ganado. Sus palabras descaradas a su madre y a cualquier persona que se interponía en su camino eran legendarias en el vecindario. Entonces un día mi esposa lo vio montado en su triciclo yendo hacia la calle, lo cua¹ le dio pánico a su madre. Vivíamos en una curva y los automóviles daban la vuelta por allí a gran velocidad. La mujer salió corriendo de su casa y lo alcanzó cuando el niño pedaleaba por la calle. Ella tomó el manubrio del triciclo y le cambió la dirección, y el niño perdió el control.

«¡Quita tus manos cochinas de mi triciclo!», le gritó. Sus ojos echaban chispas de furia. Mientras Shirley observaba incrédula, esa mujer hizo lo que se le dijo que hiciera. La vida de su hijo estaba en peligro y, sin embargo, esta madre no tuvo el valor de hacer que su hijo la obedeciera. Él continuó andando por la calle, mientras ella corría detrás, esperando que no pasara una desgracia.

¿Cómo es posible que un niñito de tres años pudiera arremeter contra su madre de treinta años de esta manera? Era obvio que ella no tenía ni idea de cómo manejarlo. Simplemente, él era más duro que ella, y ambos lo sabían. Esta mujer de modales suaves había dado a luz un niño de voluntad de hierro que estaba dispuesto a pelear con cualquiera que tratara de ponerlo en vereda, y usted puede estar seguro que los recursos emocionales y físicos de esta madre se agotaban constantemente debido a las travesuras de su hijo. Perdimos contacto con esta familia, pero estoy seguro que los años de la adolescencia de este niño no fueron nada buenos.

UNA LECCIÓN EN EL SUPERMERCADO

Cuando pensé acerca de las características de los niños sumisos y los niños insolentes, busqué una ilustración para explicar los ímpetus tan diferentes en los temperamentos humanos. Encontré una analogía apropiada en un supermercado. Imagínese que está en un supermercado empujando un carrito por uno de los pasillos. Usted le da un empujoncito, y éste se mueve suavemente por lo menos unos tres metros hacia delante y luego se detiene poco a poco. Usted camina por su lado y alegremente lanza adentro las latas de sopa, la salsa de tomate y las hogazas de pan. Comprar la comida es una tarea tan fácil, porque aun cuando el carrito esté lleno de cosas, puede dirigírsele con un dedo.

Pero comprar la comida no siempre es un gran gozo. En otras ocasiones, usted escoge un carrito que siniestramente está esperando su llegada a la entrada del supermercado. Cuando empuja el tonto aparato hacia delante, éste se va hacia la izquierda y tira un montón de botellas que están apiladas. Rehusándose a ser vencido por la fuerza por un carrito vacío, lo empuja con todo su peso tomándolo de la manija, peleando con desesperación para mantenerlo en su curso. Parece tener voluntad propia cuando sale disparado hacia donde están los huevos y luego retrocede a toda velocidad en dirección a una abuela aterrorizada que usa zapatillas de tenis verdes. Usted está tratando de hacer la tarea de comprar los comestibles que hizo la semana pasada con toda facilidad, pero hoy la labor se parece más a un combate. Ha quedado exhausto para cuando arrea el rebelde carrito hacia la caja registradora.

¿Cuál es la diferencia entre los dos carritos? Obviamente, uno tiene las ruedas derechas y bien aceitadas que van a donde se las guía. El otro tiene ruedas torcidas que se niegan a ceder.

¿Capta la analogía? Es mejor que lo enfrentemos; ¡algunos niños tienen las ruedas torcidas! No quieren ir hacia donde se les guía, porque sus propias inclinaciones los llevan en otras direcciones. Además, el padre o la madre que empuja el carrito debe usar siete veces más energía para hacer que éste se mueva, comparado con el padre de un hijo con las ruedas derechas. (Sólo los padres de hijos de voluntad firme van a entender totalmente el significado de esta ilustración).

Entonces, ¿cómo se distribuye la fuerza de la voluntad entre los niños? Mi suposición original fue que este aspecto del temperamento humano está representado por una típica curva en forma de campana. En otras palabras, di por sentado que un número relativamente pequeño de niños muy sumisos aparecía en un extremo del gráfico, y que un número igualmente pequeño de niños desafiantes se representaba en el otro. Es probable que el resto, que comprendía la mayoría, caía en algún lugar cerca del medio de la distribución, de esta forma:

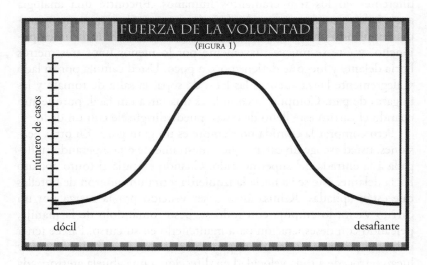

FUERZA DE LA VOLUNTAD
(FIGURA 1)

número de casos

dócil   desafiante

Sin embargo, después de haber hablado con por lo menos 100.000 padres agobiados, estoy convencido de que mi suposición estaba errada. Es probable que la verdadera distribución se vea de esta forma:

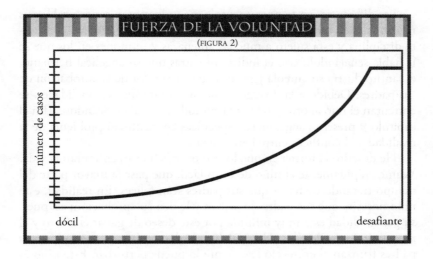

FUERZA DE LA VOLUNTAD
(FIGURA 2)

número de casos

dócil   desafiante

No tome esta observación en forma demasiado literal. Tal vez sólo parezca que la mayoría de los niños que comienzan a caminar son anarquistas declarados. Más aun, hay un fenómeno relacionado con respecto a las relaciones entre hermanos que nunca he podido explicar. Cuando hay dos niños en una familia, es probable que uno sea dócil y el otro desafiante. Quién sabe por qué es así. Helos allí, dos niños nacidos de los mismos padres, pero tan diferentes como si hubieran venido de planetas distintos. Uno se acurruca cuando usted lo abraza, y el otro le da un puntapié en el estómago. Uno es un verdadero amor, y el otro marcha por la vida como lava hirviendo. Uno sigue las órdenes, y el otro las da. Es bastante obvio que marchan al compás de músicas diferentes.

El ex presidente de los Estados Unidos, Franklin Roosevelt, claramente fue un niño de voluntad firme y creció para ser un hombre de voluntad muy firme. Cuando era niño, una vez ató una cuerda a lo ancho de la parte superior de las escaleras, donde no se podía ver. Como era de prever, su niñera pasó por allí llevando una bandeja con la cena y tropezó, cayendo en lo que debe haber sido una caída espectacular escaleras abajo. Los archivos no registran qué castigo sufrió por esta travesura malvada. Sin embargo, se nos dice que Franklin era muy mandón con sus compañeros y que le gustaba ganar en todo. Cuando una vez lo regañaron por la forma en que trataba a los otros niños, dijo: «Mamá, si no les diera órdenes, nada sucedería»[1]. Ése es un niño de voluntad firme.

Las diferencias en temperamento a menudo causan serios problemas relacionales en una familia. El niño de voluntad firme enfrenta constantemente disciplina y está sujeto a muchas amenazas y sermones en los que se le habla señalándolo con el índice, mientras que su angelical hermano, el santito, lustra su aureola y se sumerge en el calor de la aprobación de sus padres. Debido a la divergente naturaleza de sus personalidades, se enfrentan el uno al otro y tal vez vivan toda una vida peleándose. (En el capítulo 9 presento sugerencias específicas en cuanto al problema de la rivalidad y el conflicto entre hermanos).

He descrito la forma en que los niños más fuertes enfrentan la vida. Veamos rápidamente al niño de trato fácil, que pasa la mayor parte del tiempo tratando de hacer que sus padres sean felices. En realidad, este niño necesita que sus padres lo alaben y le den su aprobación; así pues, su personalidad está muy influida por este deseo de ganar el afecto y el reconocimiento de ellos. Una palabra de desaprobación o aun que sus padres frunzan el entrecejo levemente lo puede perturbar. Este niño es una persona que ama, no una que pelea.

Hace unos pocos años hablé con la madre de uno de estos niños agradables. Ella estaba preocupada por las dificultades que su hijo tenía en la guardería infantil. Cada día era acosado por los niños más agresivos, pero no estaba en él defenderse. Así que, todas las tardes, cuando su madre venía a buscarlo, el niño había sido golpeado y acosado por esos otros niños. Aun las niñas se estaban uniendo a esa diversión.

«Debes defenderte», le decía su madre una y otra vez. «¡Esos otros niños no van a dejar de pegarte hasta que los detengas!»

Todos los días ella instaba a su amoroso niño a que fuera más firme y enérgico, pero eso contradecía a su naturaleza. Finalmente, la frustración de este niño llegó a tal punto que comenzó a buscar el valor para seguir el consejo de su madre. Una mañana, mientras iban camino a la escuela, él dijo: «Mamá, si esos niños me molestan hoy otra vez, ¡les... les... les voy a pegar! Suavecito».

¿Cómo le pega uno a alguien «suavecito»? No lo sé, pero eso tuvo sentido para este niño dócil. Él no quería hacer uso de más fuerza que la que fuera absolutamente necesaria para sobrevivir. ¿Por qué? Porque la suya era una naturaleza que amaba la paz. Sus padres no le enseñaron eso, era algo que estaba muy arraigado en su psique.

Debo dejar bien claro que el niño dócil no es necesariamente un niño debilucho o sin carácter. Ese hecho es muy importante para que podamos entender su naturaleza y la forma en que se diferencia de su hermano o hermana de voluntad firme. La distinción entre los dos no es un asunto de confianza, de disposición a tomar riesgos, de personalidades brillantes o de otras características deseables. Más bien, el asunto que estamos considerando aquí se enfoca en la fuerza de la voluntad, en la inclinación de algunos niños a resistir la autoridad y a determinar su propio curso, en comparación a aquellos que están dispuestos a ser guiados. Mi suposición es que estos temperamentos están en los niños antes de su nacimiento y que no tienen que ser cultivados o alentados. Se darán a conocer bien pronto.

De paso, quiero decir que hay otra categoría de temperamentos en los niños que los padres van a reconocer instantáneamente. Estos niños no son en realidad de voluntad firme, por lo menos, su seguridad en sí mismos no se expresa de la misma manera. La distinción aquí no es de independencia y agresividad. Es un asunto de táctica. Rara vez desafían la autoridad de sus padres o de sus maestros en forma obstinada, pero aun así son voluntariosos. Yo los llamo «solapados». Los adultos creen que estos niños siguen el programa, pero por dentro hay subversión en marcha. Cuando nadie los ve, rompen las reglas y se salen de los límites. Cuando los pescan, como sucede inevitablemente, pueden mentir, o racionalizar o tratan de ocultar la evidencia. La manera apropiada de tratar a estos niños no es muy diferente de la de tratar a los niños de voluntad firme. Tarde o temprano, se puede esperar que su obstinación salga a la luz, por lo general durante los primeros años de la adolescencia. Es entonces cuando decimos: «¡Cuidado! Se acerca el peligro».

Voy a cerrar este capítulo de introducción ofreciendo dos observaciones más para los padres que están criando hijos de voluntad firme. En primer lugar, es muy común que estos padres sientan mucha culpa y que se condenen a sí mismos. Se están esforzando mucho en ser buenos padres, pero la lucha por el control que se desarrolla en el hogar día tras día los deja frustrados y cansados. Nadie les dijo que criar hijos sería tan difícil, y se culpan por la tensión que se levanta en el hogar. Habían planeado ser padres muy amorosos y eficientes, leyéndoles cuentos de hadas al lado de la chimenea a sus angelitos vestidos con pijamas, quienes después se irían felices a la cama. La diferencia entre la vida como es y la vida como debería ser es angustiante. Hablaremos más sobre esto dentro de poco.

En segundo lugar, he descubierto que los padres de los niños dóciles no entienden a sus amigos que tienen niños que los desafían. Intensifican el sentido de culpa y de vergüenza insinuando: «Si criaras a tus hijos de la forma que yo crío a los míos, no tendrías esos terribles problemas». Quiero decirles a ambos grupos que los niños de voluntad firme son difíciles de manejar aun cuando sus padres cumplen con sus responsabilidades con gran destreza y dedicación. Tal vez tome varios años traer a ese pequeño a un punto de obediencia y cooperación relativas dentro de la unidad familiar, y de hecho, un niño de voluntad firme va a ser una persona de voluntad firme toda su vida. Si bien a tal niño se le puede y se le debe enseñar a respetar la autoridad y a vivir en armonía con sus vecinos, siempre va a tener un temperamento fuerte y dinámico. Eso no es malo. Simplemente «es así». Durante los años de la niñez, es importante que los padres no se dejen llevar por el pánico. No trate, de la noche a la mañana, de «arreglar» a su hijo de carácter más fuerte. Trate a ese hijo con amor sincero y con dignidad, pero exíjale que siga su liderazgo. Escoja con cuidado los asuntos que valen la pena enfrentar, y luego acepte su desafío en esos asuntos y gane con decisión. Recompense cada gesto positivo o de cooperación que hace su hijo ofreciéndole su atención, afecto y palabras de alabanza. Luego tome dos aspirinas y llámeme en la mañana.

Bien, éste es el tema de nuestra discusión. En los siguientes capítulos vamos a explorar maneras de guiar a esos niños fuertes, enfoques para disciplinar en cada edad, y razones por las cuales su hijo o hija es como es, y muchos otros aspectos de la crianza de los hijos. Hay tanto que contar.

Sin embargo, antes de seguir adelante, permítame ponerlo al día en cuanto a nuestro pequeño perro salchicha, Siggie, sobre el cual las personas todavía me preguntan. Este agradable perro vivió diecisiete años y trajo mucha alegría a nuestra familia, a pesar de sus tendencias revolucionarias. Poco antes que muriera, unos adolescentes pasaron en su automóvil por nuestro vecindario a las tres de la madrugada y arrojaron a una desventurada cachorrita a la calle. Esta perrita se apareció a nuestra puerta de mañana, asustada, hambrienta y perdida. En ese momento no queríamos otro perro, aunque Siggie ya estaba muy viejo. No teníamos interés en ser dueños de una perra callejera que no era de ninguna raza definida. Sin embargo, no pudimos llevarla a la perrera. Mientras tratábamos de encontrarle otro hogar, todos nos enamoramos perdidamente de este animal gentil y vulnerable a quien nuestra hija llamó Mindy.

Mindy creció y se convirtió en el animal más hermoso y noble que jamás he tenido. Su voluntad era hacer lo que sus dueños querían. Tal vez debido a los horrores desconocidos que experimentó cuando era una cachorrita, no podía soportar ninguna expresión de desaprobación de mi parte. Si la regañaba, saltaba a mis rodillas y escondía los ojos en mis brazos. Lo único que deseaba era estar con sus compañeros humanos. Muchas veces, mientras estaba en mi escritorio leyendo o estudiando, Mindy venía sin hacer ruido y colocaba la cabeza sobre mis rodillas. Les digo que cualquier ser viviente con esa clase de necesidad es mi debilidad. Cuando tenía que estar afuera, Mindy se sentaba y nos miraba a través de la ventana de la sala de estar. Mi esposa se sentía incómoda con los ojos suplicantes color café de la perra que seguía cada uno de sus movimientos, así que cerraba las persianas. Entonces, exasperada, Shirley mascullaba: «Mindy, ¡encuentra algo que hacer!».

Varios años más tarde ocurrió un incidente que ilustra la naturaleza dulce de Mindy. Nuestra familia había salido para unas vacaciones de dos semanas y dejamos a Mindy sola en el patio. Un muchacho vecino venía a nuestra casa una vez por día para darle de comer y darle agua fresca. Así que sus necesidades físicas estaban siendo satisfechas, pero subestimamos la soledad que debió experimentar en esos catorce días. ¿Por qué entonces esta perra de veinte kilos de peso iría al garaje y buscaría en las cajas de los juguetes que nuestros hijos Danae y Ryan ya no usaban? Ella encontró los animales de peluche que hacía mucho tiempo habían sido descartados y los trajo uno por uno a su cama cerca de la casa. Cuando llegamos a casa, Mindy estaba acostada sobre su frazada con ocho de estos animales de peluche colocados frente a ella.

¡Lo sé, lo sé! Ningún perro merece el afecto que mi familia depositó en este animal, y tal vez algunos de mis lectores piensen que era una tontería. Sin embargo, yo creo que Dios diseñó a esta especie específicamente para que sean compañeros devotos del hombre. (¿Quién sabe por qué el Señor hizo a los gatos?) Sorprendentemente, se cree que la tasa de muertes de personas que han perdido a su cónyuge es quinientas veces menor durante el primer año para los que tienen un perro. Siga mi consejo: Si necesita a alguien a quien amar, ¡vaya a la perrera más cercana y busque un cachorrito peludo que va a pensar que usted es el mejor dueño del mundo! Eso es lo que Mindy pensó de la familia Dobson.

Pero, ay, este hermoso animal también ha muerto. Mi esposa Shirley la llamó un día y ella no vino. Eso nunca había sucedido antes. La encontramos yaciendo al costado de la casa, donde había caído. Mindy murió de un linfoma que se le había esparcido por todo el cuerpo. Así terminó una relación amorosa de doce años entre una devota perra y sus afectuosos amos. Adiós, gentil amiga.

He contado estas dos historias perrunas describiendo a Siggie y a Mindy, para ilustrar la diferencia en los temperamentos entre dos animales que hemos amado. Uno de ellos estaba determinado a manejar el mundo y el otro estaba loco de alegría simplemente con ser parte de la familia. Representaban extremos opuestos del universo canino.

Bueno, espero que la analogía sea clara. En este libro no nos estamos centrando en perros, sino en las personalidades variadas e infinitamente complejas de los niños. En los capítulos siguientes vamos a hablar acerca de lo que significan esos temperamentos para los padres y la forma en que comprenderlos nos ayudan a criar a nuestros hijos de manera apropiada.

(De paso, sólo estaba haciendo una broma cuando pregunté por qué Dios había creado a los gatos. De veras, no hablaba en serio. Por favor, no escriban diciéndome cosas odiosas. Al igual que Mindy, no puedo soportar las críticas).

DOS

ALGUNAS MADRES
CUENTAN SUS HISTORIAS

Había una niñita,
Con un ricito
Que sobre su frente caía,
Y cuando se portaba bien,
Era una niña muy buena,
Pero cuando se portaba mal, era horrible[1]

PARA ENTENDER MEJOR la naturaleza de los niños de voluntad firme (y ahora me refiero a los que tienen una voluntad *muy* firme), invité hace unos pocos años a varias madres al estudio radial de Enfoque a la Familia para que contaran sus experiencias en cuanto a la crianza de sus hijos. Lo que resultó fue una deliberación que nos aclaró muchas cosas, y que a veces nos hizo llorar, acerca de esos niños fuertes como el acero y lo que es lidiar con ellos todos los días. Si todavía no está convencido de la existencia de esos niños y niñas o de que guiarlos con éxito puede ser uno de los desafíos más grandes de la vida, continúe leyendo. Creo que los recuerdos de las mamás que está a punto de conocer le traerá nuevas perspectivas y le va a servir de ayuda. Lo que sigue es una transcripción del intercambio ocurrido en nuestro estudio en un diálogo que duró dos horas.

NOTA: *Esta transcripción fue corregida en cierta forma para transformar el «lenguaje hablado» impreciso en un «lenguaje escrito» más comprensible, al mismo tiempo que fuimos fieles al contexto.*

JCD: En primer lugar, nos complace darle la bienvenida a Debra Merritt, madre de cuatro hijos. Ella trajo consigo hoy a su hija de diecisiete años, Lizz, que es una joven de voluntad firme, y yo espero con ansias escuchar la perspectiva de Lizz. También se encuentra con nosotros Kristen Walter, quien tiene cuatro hijos. Y finalmente, tenemos a Joy Solomon, quien es ama de casa y madre de dos hijos adultos. Entre ellas, estas tres mamás han criado a diez hijos, y han aprendido lecciones valiosas a lo largo del camino.

Permítanme comenzar ofreciendo el trasfondo para este programa. Shirley y yo fuimos de visita a Alabama hace algunos años, y mientras estábamos allí, nos invitaron a almorzar con unas veinte personas. Dio la casualidad que estábamos sentados frente a Joy y a su esposo, Davey, a quienes no conocíamos. De inmediato, los cuatro encontramos cosas en común de qué conversar. Joy, ¿qué recuerda usted de ese almuerzo?

Joy: Bueno, nuestra conversación comenzó cuando usted dijo: «Hola, me llamo Jim», como si no fuéramos a reconocer esa voz de inmediato. Le dije: «Hola, me llamo Joy, pero me sorprende que no me recuerde porque usted vivió con nosotros por algún tiempo. Usted dijo: «¿Sí?». Le contesté: «Sí, por cerca de tres años cuando realmente estábamos luchando con nuestro hijo de voluntad firme». Entonces usted dijo: «Oh, usted tiene uno de esos hijos». Yo le respondí que sí y usted me preguntó cuántos años tenía mi hijo. Le dije: «En realidad es una hija, y ahora tiene diecinueve años y le va muy bien, pero tuvimos algunos días difíciles a lo largo del camino; no, en realidad tuvimos muchos, muchos días difíciles en aquel entonces.

JCD: Por eso le pedí que estuviera hoy aquí, Joy, porque usted es la tipificación perfecta de una madre con un hijo de voluntad firme. Usted ha experimentado muchas de las frustraciones sobre las que yo he escrito a lo largo de los años, incluyendo sentimientos de culpa, de condenación y de dudas en cuanto a su propia capacidad.

Joy: Todas ellas.

JCD: ¿Cuánto tiempo pasó desde el nacimiento de su hija antes de que usted se diera cuenta de que iba a ser difícil de manejar?

Joy: Creo que mi hija dormía toda la noche cuando tenía un año y tres meses de edad. Luego, cuando tenía año y medio, si se le decía que no, se tiraba al suelo, le daba una rabieta y rodaba por el piso. Nos sentábamos y la observábamos por un rato, porque no la íbamos a dejar salirse con la suya. Íbamos a ser fuertes. Luego ella se levantaba y con un rostro angelical nos decía: «Lo siento». Venía y colocaba la cabeza sobre mis rodillas y luego me mordía. Ésa fue la primera pista porque era una manipulación. Ella se aseguraba de que no estuviéramos preocupados por lo que iba a hacer, y luego nos mordía. Era una niña muy, muy fuerte.

JCD: ¿Sabe ella que usted está hoy aquí?

Joy: Sí, lo sabe. Incluso me ha dado permiso para que cuente su historia. Hemos transitado por un camino difícil. Cuando se combina una inteligencia brillante con una voluntad firme como la de nuestra hija, y especialmente cuando su espíritu se hizo más desafiante a los dieciséis años, nos encontramos en un mundo de mucho sufrimiento.

JCD: Bien, Joy, en realidad quiero que ayude a aquellas personas que nunca han lidiado con un niño de voluntad muy firme, para que comiencen a entender. Hay algunas familias que tienen cuatro o seis hijos, y ninguno de ellos tiene un temperamento desafiante como el que estamos describiendo. Por lo general sus hijos son felices, cooperadores y obedientes. Tales madres y padres tienen la inclinación a suponer que los padres que luchan por mantener el control en el hogar son débiles o ineficientes. A veces ésa es una evaluación correcta, pero en otros casos, las dificultades resultan de la naturaleza de un hijo en particular. Usted debe ayudar a la gente a captar lo difícil que puede ser criar a un hijo desafiante. Su hija simplemente no desobedecía de vez en cuando. Eso lo hacen todos los niños. Ustedes estuvieron en una guerra de voluntades con Dana casi desde los primeros momentos de su vida.

Joy: Sí, recuerdo una época clave para nosotros cuando ella tenía cinco años y era una niña físicamente fuerte. Una vez había estado afuera lanzándoles piedras a los automóviles. La llamé y le dije: «Dana, ¿por qué estabas lanzándoles piedras a los automóviles?». Dijo: «Bueno, se los advertí. Les dije que no pertenecían a mi calle. Mientras pasaban por la calle, les dije que si volvían yo les tendría que lanzar una piedra. Así que lo hice».

Le dije: «Vivimos en una calle sin salida. ¿Adónde iban a ir esos automóviles?». Me miró de la forma en que lo hacía cuando uno no entendía lo que ella decía, y me dijo: «Eso es cosa de ellos». Lo que había hecho era algo totalmente comprensible para ella. No era su culpa que alguien hubiera construido la calle de esa forma. La llevé adentro para darle unas nalgadas y me dijo: «No me vas a dar una nalgadas. Voy a esperar hasta que mi papá llegue a casa». Bien, usted conoce a Davey. Él es un hombre grande.

Ella sabía que si podía posponer las nalgadas por más tiempo, entonces también tendría más tiempo para pensar en su defensa. Le dije: «No, te voy a dar las nalgadas ahora». Me dijo: «No, no ahora. Tú no me vas a dar las nalgadas ahora». Le dije: «Sí, te las voy a dar». Creo que ése fue un día aterrador, porque físicamente no la podía controlar. Ella invirtió cada onza de fuerza y determinación para pelear contra mí. Fue una batalla que probablemente duró una hora y media, y esta niña tenía cinco años.

JCD: ¿Cómo terminó?

Joy: Terminó en que la saqué de la casa y la metí en el garaje. Ella iba de un lado a otro gritando. Luego tocó el timbre de la puerta y me dijo: «Voy a recibir mis nalgadas ahora». Le di las nalgadas porque sabía que si la dejaba ganar una de esas batallas nunca más iba a tener control sobre ella. Pero fue una lucha constante.

Fui a ver a un buen amigo nuestro, un pastor en Columbus, Ohio, y le dije: «Estoy que no puedo más. No sé cómo controlar a esta niña». Él me dijo: «Todas las noches, cuando la acuesten, quiero que tú y Davey vayan a su cuarto y oren por ella imponiéndole las manos mientras duerme. Lo que ustedes van a pedir es que el Espíritu Santo conquiste esa voluntad firme sin destruir su espíritu, porque eso es lo que hace que Dana sea quien es».

Hacíamos eso todas las noches. Íbamos y orábamos por ella y le imponíamos las manos. Fue como unos seis meses más tarde que ella se levantó una mañana y dijo: «¿Sabes? Algunas veces soy mala». Le respondí: «Lo sé». Entonces me dijo: «No quiero decir las cosas que digo. No voy a hacer eso nunca más». Durante los próximos diez años ella pudo controlarlo. Entonces llegó a la adolescencia.

JCD: Cuando estábamos almorzando en Alabama, usted me contó una historia que quiero que narre ahora. Se trata de su hijo, quien decidió fugarse del hogar.

Joy: Cariñosamente la llamamos «el rollo del doctor Dobson». Yo le decía: «Oh, mamá te ama tanto, y ahora tienes que ser mi niño grande». Yo repetía esas palabras cada vez que él me decía: «Me voy a escapar de casa». Una noche, de pronto me di cuenta:

«Bueno, hasta aquí llegué». Así que allí estaba él en sus pijamas y dijo: «Si me haces ir a acostar, me voy a escapar de casa». Entonces le dije: «Bueno, nos vemos más tarde, hijito. Que tengas un lindo viaje». Así que salió por la puerta, pero muy pronto tocó el timbre y me dijo: «No quise decir esta noche». Le dije: «Bueno, yo sí. Ya estoy muy cansada de esto. Es hora de que te vayas, pero primero te voy a empacar una maleta. Vas a necesitar pijamas y otras cosas».

Él me dijo: «Bueno, tal vez voy a tener que pensar en esto». Le dije: «Bueno, tienes unos tres minutos mientras voy a empacar tu maleta. Es importante para mí que te quedes y que seas nuestro hijo, pero es tu decisión. O te vas, o nunca más quiero escuchar que amenazas con irte. Si decides vivir aquí, no quiero que vuelvas con tus amenazas de que te vas». Así que me fui y empaqué la maleta. No creo haber puesto nada adentro. Regresé y abrí la puerta, y él dijo: «Bueno, he estado pensando sobre esto y creo que me voy a quedar». Le dije: «Pero nunca más me vuelvas a decir que te vas, ¿entiendes?». Él me dijo: «Sí, señora». De allí en adelante, me decía: «Si me haces hacer eso, no... no... voy a ser tu mejor amigo», a lo que le respondía: «Bueno, eso me pone triste».

Lo que resulta con un hijo tiene que resultar con el otro, ¿no es verdad? Yo era una madre que no trabajaba fuera del hogar y Dana estaba pasando por su propia rutina de: «Me voy a fugar de casa». Así que una noche me cansé y le dije: «Bueno, nos vemos más tarde». Son raros los recuerdos que le quedan a uno en la mente. Ella llevaba una bata con las figuras de *Fresita* y pantuflas que hacían juego, y su cabellito rubio. Entonces salió por la puerta. Yo fui a sentarme y mi esposo me miró, y dijo: «Oye, ya lleva allí fuera como cinco minutos. ¿No crees, bueno, que tal vez ya debería haber tocado el timbre?» Le dije: «No, ella tiene el espíritu desafiante. Vamos a darle unos diez minutos más». Luego me dirigí a la entrada. Allí no había nadie. Se había ido. Gracias a Dios que vivíamos en una calle sin salida, porque había un farol en la calle, y ella estaba bajo la luz, con la mano extendida. ¡Estaba haciendo autostop! *(risas y sorpresa del grupo).*

JCD: ¿Cuántos años tenía entonces?

Joy: Tenía seis años y no conocía el significado de la palabra miedo. Allí estaba ella, con su bata y sus zapatillas y nada más. Se iba sin llevar ninguna otra ropa. La tuve que hacer entrar a la casa a rastras, mientras gritaba y pataleaba porque se estaba fugando. «¡Tú dijiste que me podía escapar!» Pensé: *¡No se supone que tenga que lidiar con esto!*

JCD: *(dirigiéndose a la audiencia):* ¿Se dan cuenta ahora por qué quise que Joy estuviera aquí hoy? Quiero que la gente entienda que los niños con la clase de fortaleza y determinación que tiene Dana son difíciles de manejar, aun cuando los padres hagan uso de mucha sabiduría y tacto en su crianza. Un niño dócil nunca trataría de hacer una cosa como ésa, pero para el niño de voluntad firme, se trataría sólo de otro desafío, otra oportunidad para presentar batalla, porque les encanta ponerse pico a pico con sus padres. Se deleitan jugando a ver quién es el que tiene el poder. Eso es lo que estaba sucediendo en este caso.

Joy, quisiera saber acerca de los años de adolescencia de Dana, pero primero quiero pedirle a Kristen que nos cuente su historia.

Kristen: Bueno, mirando hacia atrás, creo que muy poco después de su nacimiento, nos dimos cuenta que nuestra hija Lizz era una niña de voluntad firme. A los diez días de nacida, tuvimos que llevarla al hospital porque tenía meningitis espinal. Cuando trataban de hacerle una punción lumbar, ella arqueaba la espalda en lugar de estar dócilmente acostada en posición fetal. La tuvieron que sujetar cuando tenía diez días de vida. Al final, los técnicos tuvieron que tratar diez o doce veces antes de poder obtener fluido raquídeo puro para así verificar si en realidad tenía meningitis espinal. De hecho, fue algo tan difícil que tuvieron que terminar usando una vena en el cráneo para poder sacarle una muestra. Después, cuando tenía año y medio, estábamos de visita donde unos amigos para cenar con ellos. Mis otros dos hijos estaban también allí, y nuestra anfitriona tenía recipientes de cristal para caramelos a ambos lados del sofá. Ellos no tenían hijos todavía, así que podían arriesgarse a tener algo tan frágil en ese lugar y sin romperse.

Les dije a mis dos hijos mayores: «Estas cosas son de vidrio. Se van a romper. No las toquen, y no jueguen cerca de aquí. Ni siquiera se lo mencioné a Lizz. Pensé: *Lidiaré con eso cuando llegue el momento.* Cuando ella vio los recipientes de caramelos después de la cena, le dijimos con firmeza: «No, no vas a tocar eso». Y de nuevo le dije con convicción: «No, no los vamos a tocar». Una vez que la batalla terminó, mi amiga me preguntó: «¿Te has dado cuenta que le pegaste nueve veces en la mano antes que ella se diera por vencida?».

JCD: ¿La obedeció finalmente?

Kristen: Sí, en ese momento.

JCD: Pero ella le estaba diciendo enfáticamente: «Creo que puedo durar más que tú».

Kristen: Oh, sí. Pero la batalla más grande que tuvimos fue cuando ella tenía cinco años. Yo había estado enseñando a mis hijos en casa. Aquel día Lizz decidió que no estaba recibiendo suficiente atención. Así que la senté en mis rodillas. Mientras ella estaba allí y yo trataba de dar mi clase, comenzó a patearme con una de sus piernas. Bueno, puse su pierna entre las mías para que no pudiera seguir pateándome. Entonces comenzó a patearme con la otra pierna. Puse sus dos piernas entre las mías, y ella comenzó a pellizcarme y a arañarme.

Terminamos en el piso. Ella estaba totalmente extendida en el piso. Yo la estaba sujetando para que no pudiera lastimarme o hacerme daño. Ella gritaba: «¡Suéltame! ¡Suéltame!», y yo le respondía: «Te vas a quedar aquí hasta que te calmes». Entonces dejaba de llorar y yo comenzaba a orar, y de inmediato comenzaba a gritar de nuevo: «No ores por mí». Y comenzábamos de nuevo. Se convirtió en una batalla que duró cuarenta y cinco minutos.

JCD: Lizz, ¿te acuerdas de eso?

Lizz: Me acuerdo de varias veces cuando simplemente discutía y terminaba en el piso y mamá estaba encima de mí. Y yo pensaba: *¿Quién va a ganar?* Y así seguía y seguía; quiero decir que algunas veces parecía que duraba horas.

JCD: ¿Recuerdas cómo te sentías durante esas batallas?

Lizz: Yo estaba determinada a ganar. Era un asunto de orgullo, ¿sabe? Yo creía que era más fuerte que mamá, y todo el asunto giraba en torno a ser rebelde y a salirme con la mía.

JCD: *(dirigiéndose a la audiencia radial):* Hoy estamos escuchando sobre algunos ejemplos clásicos de la batalla de voluntades de padres e hijos. He sido testigo de este tipo de conflictos familiares durante los últimos treinta años. Lo que dijo Lizz en cuanto a su determinación de ganarle a su madre es justo la esencia de lo que estos pequeños revolucionarios buscan. Enfrentárseles a un adulto grande y con poder que se supone está a cargo de ellos es algo divertido. El ganador del «juego», como todo niño de voluntad firme lo sabe por intuición, es el que finalmente queda en pie o el que hace llorar al otro. Las conversaciones calmadas y las explicaciones suaves simplemente no dan resultado.

Algunos autores sostienen que un niño actúa mal cuando está frustrado por las circunstancias que lo rodean. Por cierto que eso sucede. Pero las ilustraciones que estamos escuchando hoy de aquello con lo que estamos lidiando no eran incidentes motivados por la frustración; eran motivados por un desafío hecho a propósito.

[En los próximos capítulos hablaremos más sobre ese comportamiento y de las respuestas apropiadas que se han de dar en la crianza.]

Debra, escuchemos sus historias. Cuéntenos acerca de su hijo de voluntad firme.

Debra: Bueno, yo tuve dos, pero uno era realmente fuerte. Supe que mi hija tenía una voluntad firme antes que naciera. Ella era una de dos mellizos. Yo quería que su hermano fuera jugador de fútbol americano y que mi hija fuera la linda y dulce pequeña animadora de los partidos. Lo que al final resultó es que ella es la candidata para el equipo de fútbol americano, y mi hijo es una persona maravillosa que escribe tiernas poesías. Él va a ser el mejor pediatra del mundo. De modo que en mis hijos los papeles se cambiaron totalmente.

La noche antes que nacieran habían programado que me harían una operación cesárea porque yo no dilataba. Estaba jugando algunos juegos de mesa con unos amigos que viven junto a mi casa, y sentí esta erupción en mi estómago, como un volcán o un terremoto. Sé que quizá no sea posible, pero juraría que mi hija cambió de lugar con mi hijo. Él era el que estaba debajo, así que se esperaba que naciera primero, y ella simplemente le dijo: «Fuera». A la mañana siguiente tuve una experiencia horrible. Me desperté en medio de un charco de sangre. Mi hija iba a salir, ya fuera que el útero se dilatara o no. Me llevaron al hospital como un rayo y me operaron de urgencia. Mi hija iba a salir sin importar los obstáculos. Si alguien naciera fumando un cigarrillo, gritándoles órdenes a las enfermeras, quejándose de la temperatura, pues ésa habría sido mi hijita.

JCD: ¿Cómo fue cuando era una bebé?

Debra: ¡Fue un desafío desde el primer día! Yo tenía un hijo de cinco años y otro de tres, y entonces nacieron los mellizos. Ninguno de los abuelos vivían cerca. Ellos venían de visita y nos ayudaban, pero yo era una joven madre muy ocupada.

Christina gritaba y gritaba y gritaba. Yo pensaba: *Bueno, estará enferma. Debe tener algún problema de salud como cólico o alguna otra cosa*. Pero entonces su papá entraba al cuarto y ella comenzaba a hacerle ojitos y a gorjear. ¿Sabe? En ese momento era una bebita bien dulce. Todo lo que quería era a su papá. Así que pensé: *Mi esposo puede criar a esta niña, y yo voy a criar a los otros tres*. Porque, de lejos, ella tiene una voluntad mucho más firme que la mía.

JCD: ¿Qué tan difícil le resultó a usted eso emocionalmente?

Debra: Fue muy difícil porque yo soy una mamá de corazón. Siempre he querido ser madre. Tenía una buena relación con mis otros hijos. Mi segunda hija es maravillosa. Ella hace todo lo que puede para ayudarme y para servir. Simplemente es una hija fantástica. Y luego tengo a esta otra hija que es como... bueno, mis suegros y otras personas la llaman «la que vale como hija y medio».

JCD: Creo que hay pocas experiencias en la vida que sean más estresantes que la de traer a un hijo a este mundo con una meta principal, y es la de ser una buena madre o un buen padre. Usted invierte todos sus esfuerzos y sus recursos en esa tarea, sólo para que su amado hijo rechace su liderazgo casi desde el momento en que nace, y se enfrasque con usted en una lucha de voluntades sin fin. Eso es muy doloroso. Produce grandes sentimientos de culpa y de condenación, especialmente en los padres que se preocupan más.

Debra: Tiene razón. Creo firmemente que a los niños de voluntad firme les encantan los conflictos. Les encanta la batalla, pero a mí no me gusta pelear. Fue una experiencia muy difícil para mí porque yo no tengo una voluntad firme.

JCD: Hace algunos años llevé a cabo una amplia encuesta sobre este tema que involucró a treinta y cinco mil padres y madres. Una de las cosas que observamos fue la enorme agitación que ocurre cuando una madre sumisa, amorosa, quien nunca hubiera ni siquiera soñado con desobedecer a sus padres, tiene un hijo cuyo mayor gozo es pelear con su madre. Debra, usted tiene los ojos llenos de lágrimas, ¿no?

Debra: Sí, tengo los ojos llenos de lágrimas. Pero permítame contarle una historia graciosa. Mi esposo y yo solíamos contar hasta tres, y si para entonces los niños no hacían caso, se las tenían que ver con una cuchara de madera. Pero, desdichadamente, todos mis hijos son de voluntad muy firme. Una mañana, senté a Elizabeth en su silla alta para poder darle de comer. Le estaba dando cereal y otras cosas que le gustaban. Yo estaba trabajando en los quehaceres de la casa y la quería mantener ocupada. Bueno, en algún momento durante ese lapso se impacientó y me dijo: «Mamá, quiero comer ahora. Uno, dos, tres...».

JCD: Ella le estaba haciendo a usted la cuenta regresiva que ustedes les hacían a ella y a sus hermanos.

Debra: Así es. Y para cuando ella dijo dos, yo ya tenía su cena lista y mi esposo entró por la puerta. Y le dije: «John, resulta. Tuve todo listo como ella quería antes que llegara a tres». *(risas)*

Y mi esposo dijo: «Sí, eso es lo que necesitamos, una madre dócil y una hija de voluntad firme». *(risas)*

JCD: Joy, usted vio las lágrimas en los ojos de Debra hace un minuto.

Joy: Sí.

JCD: ¿Lloró usted alguna vez cuando su hija la desafió?

Joy: Lloré mucho cuando ella era niña. Y lloré aun más cuando fue adolescente. Yo había sido muy tímida cuando era niña. Y mi mayor logro en la vida era complacer a mis padres, hacer que se sintieran orgullosos de mí y complacerlos. Pero esos no eran los sentimientos de Dana hacia mí. Ella podía darme la espalda en menos de un segundo. Era tan fuerte. Un día, en el jardín de infantes, llegó un niño discapacitado que iba a asistir a la escuela regular. De inmediato Dana se hizo amiga de ese niño. Más que ninguno de los otros niños de su clase, ella se sintió atraída hacia ese niño. Otro niño se estaba riendo de ese chico, y Dana le dijo: «Sólo te lo voy a advertir una vez. No te vuelvas a burlar de él, o voy a tener que darte una paliza». Bueno, éste regresó y se volvió a burlar del niño discapacitado, y Dana le dijo: «Ésa fue tu última advertencia. Sólo doy dos advertencias. No te vuelvas a burlar de él». Bueno, el niño volvió, y antes de haber terminado con él, ella lo arrastró por un costado del patio de juegos y lo trajo de vuelta por el otro. Le había roto la camisa y los shorts, y el niño gritaba para que Dana lo soltara. Finalmente las maestras la detuvieron y le dijeron: «Dana, ¿no oíste que él te pedía que lo soltaras?». Y ella dijo algo que yo le había dicho con mucha frecuencia: «Me niego a negociar con un niño de cuatro años». Lo que le dije rebotó directo hacia mí.

JCD: Es interesante que la misma voluntad firme con que los padres tienen que lidiar a menudo se expresa con los compañeros. Ese temperamento puede ser ventajoso a medida que pasan los años, porque estos jóvenes son lo suficientemente fuertes como para aguantar las presiones de grupo y marcar sus propios cursos.

Esto va a ser muy personal, pero dime, Lizz, ¿has visto alguna vez a tu mamá llorar en algún momento de conflicto?

Lizz: Casi nunca.

JCD: Kristen, es obvio que usted no es una persona que llora con facilidad. ¿Pero puede entender por qué las otras dos señoras han mostrado tanta emoción?

Kristen: Oh, claro que sí.

JCD: Simplemente usted no expresó sus emociones de la misma forma.

Kristen: Yo no las expresé con lágrimas. Creo que adquirí una voluntad más firme...

JCD: ¿Para poder aguantar esa situación?

Kristen: Sí, para poder salir adelante. Siempre he querido complacer a las personas, todavía lo hago, pero había decidido y determinado que mis hijos no me iban a derrotar en absoluto. Sin embargo, hubo días y semanas en que todo lo que hice fue defender mi derecho a ser líder. Mis días enteros se consumían disciplinando a Lizz y tratando que ella siguiera las reglas de la forma en que nosotros las habíamos expuesto.

JCD: Y los otros niños no se estaban comportando de la misma manera.

Kristen: Oh, no, no, en absoluto. Si yo les decía a mi hijo mayor y a mi hijo menor que no hicieran algo, me miraban con sus enormes ojos azules y me decían: «Mamá, lo siento». Y nunca lo volvían a hacer. Pero Lizz decía: «Vamos a ver quién gana».

JCD: Hay millones de niños y niñas como tú, Lizz, lo cual plantea una pregunta interesante. Muchos padres me han preguntado si el comportamiento rebelde de sus hijos es el resultado de errores en la crianza y de desaciertos, o si hay algo más a lo que se le haga responsable por eso. Bueno, está claro que algunos padres son más eficientes en cuanto al manejo de sus hijos que otros, y que algunos de ellos cometen grandes errores con regularidad. Sus hijos a veces responden con un comportamiento cada vez más desafiante. Criar hijos es como cualquier otra destreza. Algunos la reciben en mayores porciones que otros. Por ejemplo, los hombres, simplemente por su presencia masculina, por lo general manejan mejor a los niños y niñas fuertes que las mujeres. Si me permiten ser sincero, ustedes tres aquí han descrito hoy momentos cuando perdieron el control de sus hijos y literalmente estaban peleando físicamente para lidiar con sus hijos difíciles. Pareciera que estaban cometiendo algunos errores tácticos en esos momentos.

Sin embargo, un niño de voluntad firme es un niño de voluntad firme. Los niños de los que hablamos aquí nacieron así, y algunos de ellos son tan fuertes, que Hulk Hogan no los podría manejar si no lucha con ellos. Como ya he indicado, a estos niños particularmente contenciosos les encanta hacer llorar a los adultos grandes y poderosos y dejarlos temblando y desalentados. Sus personalidades están arraigadas en su formación genética.

Sé que no le estoy dando a Lizz muchas esperanzas en cuanto a los hijos que va a tener. *(risas)*

Kristen: Lo siento, Lizz, pero tal vez tengas la maldición de tu madre. Tal vez tengas un hijo igual a ti.

JCD: Espera hasta que tengas a tus propios hijos.

Kristen: Yo he ido más lejos. Le dije a Lizz: «Espero que todos tus hijos sean igualitos a ti».

Joy: No estoy de acuerdo. Yo le he dicho a Dana que espero que nunca experimente lo que yo pasé porque eso me daría un nieto de voluntad firme. *(risas)*

JCD: En eso tiene razón.

Joy: Así que yo espero tener nietos más dóciles.

JCD: Debra, ¿tiene usted una sola hija de voluntad firme?

Debra: Bueno, tengo varios que son de voluntad firme, además, tengo uno que adiestró a su hermano para que fuera de voluntad firme. Cuando se tiene mellizos y uno de ellos es fuerte, el problema es doble. Cuando eran pequeños, teníamos mucha dificultad para mantenerlos en sus cunas porque Christina no necesitaba dormir mucho. Era muy fuerte físicamente. Podía treparse. Podía caminar. Todos mis hijos comenzaron a caminar y a correr a los diez meses, y ella ayudaba a su hermano a salirse de la cuna en la madrugada. Ellos estaban corriendo por toda la casa sin supervisión. Y entonces era cuando nuestras batallas tenían lugar.

JCD: ¿Cómo sacaba Christina a su hermano de la cuna?

Debra: Ella saltaba de su cuna, y luego recogía cualquier cosa que había en el cuarto y la ponía en la cuna de su hermano, así que él se subía sobre los animales de peluche o lo que fuera que ella había recogido. Y entonces los dos corrían como querían mientras nosotros dormíamos.

Ahora bien, yo estaba acostumbrada a que mis otros hijos se salieran de sus cunas, y no era un problema; ellos simplemente venían a nuestro dormitorio y se acurrucaban contra nosotros.

Pero los mellizos se tenían el uno al otro. Ellos no me querían a mí. Podíamos encontrarlos en la cocina, en el lavaplatos jugando con cuchillos, abriendo la puerta del refrigerador, o tirando cosas por todos lados. Llegó al punto en que mantenerlos vivos era todo lo que yo podía hacer. Durante algún tiempo, dormí a la entrada de su cuarto, con una almohada y una frazada porque tenían que pasar por encima de mí antes de salir de su cuarto. Era la única forma en que los podía proteger, y oraba por ellos. Al igual que usted, Joy, nosotros les imponíamos las manos y orábamos: «Oh Dios». Orábamos porque no se mataran cuando eran pequeños. Y eso suena como algo extremo, pero es la verdad.

JCD: Debra, ¿alguna vez se encontró usted en momentos como ése, con la cara entre las manos y diciendo: «Soy un fracaso total como madre»?

Debra: Sí. Yo tenía cuatro hijos, y dos eran mellizos, y estaba muy cansada.

JCD: Usted simplemente no podía pelear todo el tiempo.

Debra: No podía pelear. Tan sólo confiaba en el poder de la oración. Dios es bueno. Cuando mis hijos aceptaron a Jesús como su Salvador y fueron bautizados por su propia elección, todos cambiaron. Llegaron a ser nuevas personas en Cristo.

JCD: ¿No es eso maravilloso?

Debra: Y sus personalidades cambiaron, y eso sucedió con cada uno de ellos cuando tenían 14 ó 15 años. Y realmente, el Señor ha hecho una obra increíble, pero yo no puedo decir que soy responsable de ella. Yo quisiera haber sido más estricta, más firme, pero hice lo que pude en medio de circunstancias muy difíciles.

JCD: Fíjese, Debra, que todos nosotros somos incompetentes como padres y madres. Todos tenemos que depender del Señor. Esa realidad me cayó de golpe cuando mi hija tenía tres años. Vi que finalmente ella haría sus propias elecciones en la vida. Mi doctorado en desarrollo infantil me fue de ayuda, pero no me iba a garantizar el resultado final. No hay certezas en cuanto a la crianza de un hijo o hija. Eso es cierto para todos los padres. Llegamos al punto cuando, aun en nuestra mayor fortaleza, tenemos que decir: «Señor, necesito tu ayuda aquí». De eso es lo que trata ser padre o madre.

¿Dependió usted en el Señor de esa forma, Joy?

Joy: Oh, sí, siempre tuve que depender mucho del Señor.

JCD: Así que era una batalla constante...

Joy: Todo el día, desde el momento en que se levantaba hasta que se iba a acostar. Y había ocasiones en que era un angelito. Era tan tierna y amorosa, y yo pensaba: «Bien, bien, estamos progresando. Estamos progresando». Y luego, treinta segundos después, cualquier cosa hacía estallar su voluntad desafiante, y ella salía disparada. Había momentos, especialmente para mí que era una mamá que no trabajaba fuera del hogar, cuando me sentía un fracaso total. Me preguntaba: *¿Es esta la carrera que elegí?* Era como comenzar un negocio pequeño y verlo fracasar. Allí estaba yo, mirando a esta hija mía que Dios me había encomendado, y ni siquiera la podía controlar.

JCD: Usted dijo que después de un tiempo su esposo, Davey, y usted comenzaron a orar por Dana, imponiéndole las manos de noche cuando ella estaba dormida, y pidiéndole a Dios que los ayudara a traer a este espíritu rebelde bajo sujeción. Usted dijo que Dios contestó esas oraciones y que Dana pudo controlar su comportamiento por unos cuatro o cinco años. Pero también dijo que más tarde llegó a la adolescencia y que su rebelión salió a la luz de nuevo.

Joy: A esa época la llamamos el período oscuro. Ella se sentía muy descontenta consigo misma. No le gustaba su apariencia personal debido a que pesaba mucho. Tenía el cabello muy ondulado, cosa que nadie más tiene en nuestra familia. Pero era una niña muy inteligente. Así que, con la combinación de su personalidad y su inteligencia, y sintiéndose desdichada por la forma en que se veía, decidió que iba a cambiarlo todo. Comenzó a juntarse con jóvenes que le decían: «Tus padres todavía están tratando de controlarte. En realidad no quieren que seas feliz. Ellos quieren vivir tu vida. No quieren que te vayas del hogar». Encontró un novio que le decía estas cosas y todo lo que quería escuchar. Él le decía: «Tú eres maravillosa, pero tus padres no te comprenden». Y debido a que tenía tantas necesidades en aquel tiempo, se volvió totalmente adicta a esa relación.

Cuando pienso en la conversación que tuvimos en Alabama, recuerdo que me preguntó si Dana se había involucrado con las drogas y el alcohol, y yo le dije que no lo creía. Y usted dijo: «Bueno, le tenemos que dar gracias a Dios por eso». Y le respondí: «Sí tenemos que darle gracias, pero cuando su hija es adicta a una relación, no hay ayuda disponible». No había nada que pudiéramos hacer en cuanto a la dependencia que Dana tenía de ese muchacho, era algo tan destructivo como cualquier otra cosa en la que hubiera podido estar metida.

JCD: ¿Cuánto tiempo duró?

Joy: Dos años y medio.

JCD: Y durante ese tiempo, ¿qué hacía usted?

Joy: Yo lloraba todos los días. No le importaba la escuela (*llorando*). Lo siento.

JCD: No se preocupe.

Joy: Ella perdió su relación con su familia y con Dios. No le importaban sus estudios ni el fútbol, que había sido una parte importantísima de su vida. Lo único que podía ver en su futuro era a aquel joven, y construyó su vida totalmente, su vida futura, alrededor de él. Toda su existencia dependía de él.

JCD: ¿Oraban y ayunaban durante ese tiempo?

Joy: Ayunamos. Oramos. Buscamos consejería. Yo trabajaba en un negocio cristiano y cuando la gente llegaba, gente maravillosa, y me preguntaba: «¿Cómo está hoy?». Les respondía: «Muy bien, gracias, ¿cómo está usted?». Uno de los problemas que teníamos con Dana en aquel tiempo era que mentía constantemente acerca de todo. Pero yo también mentía. Pensé: *Yo también miento todos los días. Cada vez que le digo a alguien que nos va bien, y le doy las gracias, estoy mintiendo.* Un día, me volví a una persona que me había formulado esa pregunta y le dije: «Lo siento, no estoy tratando de cargarla con mis problemas, pero necesito decirle que hoy no estoy bien. Estoy perdiendo a una hija». *(llanto)*

JCD: Hay tantos padres y madres hoy en día que han pasado por algo así, y otros que están pasando por ello en este momento. Algunas familias cristianas buenas y sólidas están llorando con nosotros hoy porque están experimentando lo mismo. La mayor parte de ellos darían sus vidas por sus hijos sin pensarlo dos veces. Han hecho todo lo que saben, y no pueden arreglar la situación. Pero el Señor todavía escucha y responde a la oración y, Joy, Él la estuvo escuchando a usted todo el tiempo, ¿no es así?

Joy: Él escuchó mis oraciones, cada una de ellas. Nunca podré estar lo suficientemente agradecida a las personas que elevaron a mi hija ante el trono de Dios. No tengo palabras para describir mi gratitud, porque la relación que tenemos hoy es muchísimo mejor de lo que jamás imaginé cuando era pequeña.

JCD: Quiero escuchar más sobre esto en un momento, pero, Kristen, ¿cuál fue el momento de mayor desesperación para usted y para su esposo?

Kristen: Finalmente, en una ocasión tuvimos que acudir a los ancianos de la iglesia porque nuestra hija estaba robando. Tomaba lo que quería, y nosotros le preguntábamos: «Lizz, ¿por qué tomas algo que no te pertenece?». Y nos respondía: «Porque lo quiero». Me sorprendía que una niña de cuatro o cinco años pudiera articular la esencia de lo que hacía de esa forma: «Lo quería. Lo tomé». Ella robaba dinero de la iglesia o del plato de las ofrendas para comprarse una bebida de la máquina dispensadora de bebidas gaseosas, y también robó algunas de las decoraciones del baño, tan sólo un palito de canela, lo quiso; por lo tanto, lo tomó.

Llegó al punto en el que la llevamos a las Escrituras. Mi esposo se sentó con ella y le dijo: «Esto es lo que dice la Biblia. Tienes que obedecer a los líderes en tu vida, y si no lo haces, tendremos que llevarte a una autoridad mayor». Entonces él fue a los ancianos de la iglesia, y les preguntó a dos que tenían hijos si estarían dispuestos a hablar con Lizz. En aquella época es probable que ella estuviera en el preescolar o en primer grado. Y esos dos hombres piadosos hablaron con ella y la hicieron dar cuentas, la hicieron aprender versículos de memoria. Lizz había llegado al punto en que tenía que saber que había una autoridad mayor. Es por eso que fuimos a los ancianos.

JCD: Lizz, eso tuvo un impacto tremendo en ti, ¿no es verdad?

Lizz: Muy grande, sí.

JCD: ¿Qué es lo que recuerdas de esa época?

Lizz: Recuerdo haberme sentido muy avergonzada y tener que ser responsable ante otra persona por lo que había hecho, tener que «confesar» que era responsable. Creo que hasta en el segundo grado, tomaba cosas de mis maestras. Revisaba sus escritorios, y si tenían comida allí, la tomaba. Le robé los aretes a mi maestra de preescolar. Y... ¿sabe?, pensaba: *¿A quién le importa? Me van a disciplinar, pero, ¿a quién le importa?* Y la disciplina no me molestaba. Fue cuando me dijeron: «Bueno, ahora tienes que ir a hablar con tu maestra. Tienes que ir donde los ancianos. Y tienes que disculparte por lo que has hecho». Allí fue cuando pensé: *¡Oh, no!* Era algo vergonzoso y humillante, y me di cuenta de lo que había hecho.

JCD: El castigo no era algo que te disuadiera de ninguna forma.

Lizz: No me perturbaba en lo más mínimo, ni un poquito.

JCD: Simplemente habías encontrado la forma de sortearlo.

Lizz: Ajá.

JCD: Era un desafío para ti.

Lizz: Sí, si no me dejaban usar el teléfono, trataba de usarlo. Si no me dejaban usar la computadora, trataba de usarla. Así que simplemente era una cosa más para desafiar la autoridad.

JCD: A los padres que están criando un hijo así, es importante que ustedes se den cuenta de lo qué su hijo está pensando. Tienen que ver a través de los ojos de este niño y ver la forma en que ve las cosas. Sólo entonces van a tener una mejor idea de cómo responder.

¿Sabes, Lizz? Mi mamá podía hacer eso. Ella supo que me estaba metiendo en líos en la escuela cuando estaba en el noveno grado. Yo era un gran problema disciplinario en aquella época, pero mi madre se dio cuenta de la forma de llegar a mí. Un día me dijo: «Tú te puedes portar como quieras en la escuela, y no voy a hacer nada al respecto. Es decir, nada a menos que me llamen de la escuela para decírmelo. Si lo hacen, voy a ir a la escuela contigo al día siguiente. Me voy a sentar a tu lado en clase, y voy a estar en el pasillo cuando tú estés parado allí con tus amigos. Voy a estar allí todo el día, y no te vas a poder librar de mí». Te digo que eso me hizo entrar en vereda a la velocidad del rayo. Hubiera significado el suicidio social tener a mi madre en la escuela siguiéndome a todos lados; de ninguna manera podía yo correr el riesgo de tenerla conmigo cuando estuviera con mis amigos. Eso me hizo cambiar de comportamiento en un solo día.

Joy: Una madre o un padre tiene que ser muy ingenioso para responder a los desafíos que se le presentan en el camino. Cuando íbamos en el automóvil familiar, y Dana estaba en problemas y sabía lo que le esperaba cuando llegáramos a casa, ella ponía las dos manos en la ventanilla y les gritaba a las personas cuando nos deteníamos ante una luz roja. Les gritaba: «¡Sálvenme! ¡Sálvenme!».

JCD: Joy, usted está bromeando, ¿verdad?

Joy: No, no. No estoy bromeando. Yo pensaba: *Si la policía me detiene, voy a tener que probarles que en realidad ella es mi hija.*

JCD: Bueno, hoy hemos escuchado aquí algunas historias bastante aterradoras acerca de varios niños muy fuertes. Pero no tenemos el propósito de deprimir a nadie. Es más, hay buenas noticias para contar en cuanto a cada uno de los niños de quienes hemos hablado. Es por eso que estamos aquí, porque hay una razón para la esperanza. Y, Joy, la actualización de la historia que me contó cuando nos conocimos en Alabama es muy inspiradora. Mientras estábamos sentados a la mesa, usted sacó de su cartera un pedazo de papel arrugado y me leyó algo.

Joy: Sí, lo hice.

JCD: No creo que esa vez usted tuviera la intención de enseñarme esa nota.

Joy: No, no tenía ni idea que lo haría.

JCD: Fue una casualidad que la tuviera con usted en ese momento.

Joy: Bueno, no fue una casualidad. La llevo conmigo a todas partes. La tengo siempre conmigo, porque para mí es un recordatorio.

JCD: Dígale a todo el mundo lo que dice la nota.

Joy: Bueno, Dana estaba asistiendo a su primer año en la universidad, y a la mitad del año me escribió esta nota:

Querida mamá:

Hola, ¿cómo estás? Ésta va a ser una carta algo extraña. He estado pensando mucho sobre mi vida. Mamá, a veces me pregunto dónde estaría y qué hubiera sido de mi vida si no hubiera salido del lado oscuro. ¿Sabes? Nunca pensé que consideraría a mi madre como mi mejor amiga, pero lo eres. Por nada del mundo cambiaría la intimidad que he logrado contigo. Tú y papá siempre me decían que si yo esperaba para salir del hogar hasta que fuera el momento adecuado, ustedes estarían apoyándome al máximo. Ahora lo entiendo. Sé que tú y yo estábamos creciendo, aun cuando yo estaba en casa, pero creo que no te he apreciado verdaderamente sino hasta ahora. Por lo menos, no en la medida que te lo mereces. Te extraño todos los días. Quiero decir que pensaba que cuando me fuera para asistir a la universidad, nunca iba a querer volver a casa ni llamar por teléfono. Pero no me gusta dejar pasar ni un día sin hablar contigo. ¿Sabes? Algún día espero tener tanto éxito como papá. Quiero ser tan hábil y respetada en mi campo como lo es él en el suyo. Pero tú, por encima de todos, has tenido la profesión más difícil de todas. Tuviste que criarme a mí. Mamá, espero que entiendas el don que Dios te ha dado. Él te dio la voluntad y el poder de criarme a mí. Tú me mostraste la clase de cosas que ninguna universidad o instituto profesional podría enseñarme jamás. Sólo puedo orar para que algún día Dios me haga la clase de madre que tú has sido y siempre serás para mí. Sólo quería tomar un minuto para decirte «Gracias» y «Te quiero mucho».

Tu hijita,
Dana

(Joy lloraba mientras leía)

JCD: Oh Joy. Esa carta vale como un millón de dólares, ¿no es verdad? ¿Habría creído alguna vez que Dana le iba a enviar una carta tan llena de amor como ésta cuando estaba pasando por sus luchas con ella?

Joy: Nunca.

JCD: Lizz, ¿percibes el corazón de una madre aquí?

Lizz: Sí, mucho.

JCD: Eso es lo que has escuchado hoy.

Lizz: Sí.

JCD: ¿Quieres ser madre algún día?

Lizz: Definitivamente.

JCD: ¿Y te imaginas traer a un bebé a este mundo, y dedicarte a él tanto como esperas hacerlo, y que luego esta clase de conflicto tenga lugar?

Lizz: Estoy segura que va a suceder. Quiero decir una cosa más acerca de los niños de voluntad firme como yo. Dios tiene esta maravillosa forma de decir: «Te quiero, y quiero que seas una persona de voluntad firme para mí». Y en lugar de ser rebeldes y desobedientes, Él quiere que seamos de voluntad firme para Él.

JCD: ¿Recuerdas en realidad haber tenido esos pensamientos?

Lizz: Desde luego que sí. Salía con un grupo de amigos y estaba actuando en forma tonta. Y llegué a casa y me senté, y sentí la presencia de Dios. Me miré y pensé: «Mi vida no tiene sentido. He pasado toda mi vida siendo de voluntad firme y queriendo ganar cada batalla». Y entonces, Dios me agarró. ¿Sabe?, era como si Él hubiera dicho: «Deja todo eso atrás, Lizz».

JCD: Kristen, usted estaba orando por Lizz durante todo ese tiempo, ¿no es verdad?

Kristen: Oh, en eso soy muy parecida a Joy. Todos habíamos orado como familia. Sus abuelos han sido fieles compañeros de oración. Rich y yo oramos continuamente por ella. Toda la gente que conocemos... no le hemos ocultado a ella el hecho que ha sido una niña de voluntad firme, así que no es un tema de conversación ajeno entre la gente con la que hemos tratado esto. Así que, sí, nosotros también hemos tenido a mucha gente orando. He sido muy bendecida por el hecho de que he visto lo que Dios puede hacer y todavía poder pasar tiempo con mi hija para construir una relación que todo padre o madre quiere. Así que lloro cuando pienso en eso.

JCD: Debra, usted también estaba orando durante sus dificultades, ¿no es verdad?

Debra: Oh, sí, y mi hija mayor, que se va a casar dentro de un mes, se ha convertido en la mentora de mi segunda hija de voluntad firme, y eso ha sido una respuesta a la oración porque la relación entre ellas no era buena. Es un gran problema cuando se es hija única, o la hija mayor, y luego su posición es usurpada por una hermana menor. Así que no eran amigas cuando mi hija mayor estaba en la secundaria, pero ahora son muy amigas. Elizabeth ha sido la maestra y consejera de Christina y la ha ayudado a llegar a donde está ahora. También ayudó a su hermana a entenderse a sí misma y a que encontrara su lugar en la familia.

El verano pasado tuvimos una experiencia similar. Christina simplemente no estaba en sus cabales. Sin razón aparente, me gritó hasta las dos de la madrugada. Y de pronto fue como si el Espíritu Santo hubiera venido sobre Christina, ella comenzó a repetir las cosas que yo le hubiera dicho si hubiese sido yo la que estaba hablando. Y dijo: «Mamá, peleo una batalla hasta el final porque quiero ganar». Pero también dijo: «Nunca tengas miedo de ponerme límites en el camino porque necesito reglas. Necesito límites. Y respeto todo lo que has hecho...».

Y luego dijo: «Yo sé quién soy en Dios y sé que voy a tomar las decisiones adecuadas». Continuó: «He tenido un año malo. Voy a cambiar eso el año próximo». Y lo ha hecho. Es una persona diferente este año. Dijo: «Tú me has preparado bien. Me has dado la estabilidad de una escuela cristiana y de una iglesia y de una familia cristiana. Voy a escoger con sabiduría, y quiero vivir mi vida porque tú me has mostrado cómo hacerlo con Jesús como tu modelo».

JCD: Permítanme decirlo otra vez a nuestros radioescuchas y lectores: Aquí hay esperanza. Ésa es la razón por la que quería que tratáramos este tema en nuestro programa. A nombre de ellos, quiero hacerles a ustedes, las tres madres aquí presentes, una pregunta muy importante. Las Escrituras dicen que los hijos son una bendición de Dios. ¿Ustedes todavía lo creen así, aun cuando criar a sus hijos fue una lucha para ustedes? ¿Valió la pena?

Joy: Los hijos son un tesoro. Eso es lo que les dije a mis hijos cuando eran pequeños... Pero, por un tiempo, Dana se olvidó de eso, o parecía no creerlo. Ahora creo que ha llegado al punto en que entiende que en verdad ella es un tesoro para nosotros. Su voluntad firme va a ser una ventaja para ella en la vida. Quiere ser abogada. Eso va a ser maravilloso, porque ella puede discutir hasta con una piedra. *(risas)*

JCD: Y el Señor va a usar ese temperamento.

Joy: Yo creo que sí. Me siento muy bendecida.

JCD: ¿Qué dicen a esto las otras dos mamás?

Kristen: Cada minuto, cada batalla, cada gramo de energía que he puesto en eso han valido la pena. No lo cambiaría por nada jamás, jamás.

JCD: ¿Debra?

Debra: Los nombres de mis hijos significan «casa de Dios», «gran mujer de Dios», y «don precioso de Dios». Así que a cada uno de ellos les dije que eran dones. Yo no sabía si podría tener hijos. Todos fueron tremendos milagros y bendiciones. Definitivamente, cada minuto valió la pena, aun los conflictos que tuvimos, porque sé que Dios es suficiente, sé que es capaz, y que Él los va a usar de manera poderosa.

JCD: ¿Saben? Cualquiera puede criar a los hijos que son dóciles. Recuerdo un momento muy difícil cuando se me pidió que entrevistara a Ted Bundy, un asesino en serie, quien estaba cumpliendo su condena en la Prisión Estatal de Florida. En el transcurso de tres días, recibimos más de novecientos pedidos para salir en los medios de comunicación, y yo estaba bajo una tremenda presión. A eso se le añadían los sentimientos de tener que tratar con un hombre que había matado por lo menos a veintiocho mujeres y niñas a sangre fría. Recuerdo que la mañana antes de ir a hablar con Ted Bundy yo no quería hacer la entrevista. En ese momento, el Señor pareció hablarme, y me dijo: *Te mandé a que hicieras este trabajo porque sé que tú lo puedes manejar. Yo te seleccioné para esta tarea difícil.*

Esto es lo que quiero destacar. Cuando los padres traen a uno de estos niños difíciles al mundo, deben reconocer que aun cuando criar a ese hijo pueda ser difícil por algún tiempo, vale la pena el esfuerzo que hagan para cumplir bien con su tarea. La actitud de estos padres: «El Señor me ha dado este hijo desafiante para un propósito. Él quiere que le dé forma a esta criatura y que la prepare para una vida de servicio a Él. Y tengo las condiciones necesarias para la tarea. Lo voy a hacer con la ayuda del Señor». Ésa es la forma saludable de mirar la crianza de los hijos cuando se está bajo presión. Hay una tendencia, creo, entre los padres de niños de voluntad firme, a sentirse defraudados y oprimidos porque otros padres parecen ir viento en popa con sus hijos, mientras que ellos están en guerra todos los días de la semana. No obstante, si pueden percibir su tarea como una asignación dada por Dios y creen que Él los va a ayudar a llevarla a cabo, les será más fácil lidiar con sus frustraciones.

Permítanme darles otra palabra de aliento. Así como estas tres madres ya lo han experimentado, la mayoría de los niños de voluntad firme tienden a cambiar cuando han pasado la adolescencia. No se apresure a calificarse como un padre o una madre que ha fracasado. Los hijos crecen, y más tarde encontrará que los valores y principios que usted se esforzó por inculcarles con tanto ahínco, están dentro de ellos y quedaron grabados. Tal vez sus hijos e hijas difíciles lleguen a ser sus mejores amigos, como hoy es el caso de Joy y Debra, si... si usted persevera. Así que cuando el comportamiento de su hijo o hija le esté diciendo «te odio» de todas las formas posibles, no se desespere. Tenga valor, no se deje llevar por el pánico. Vienen días mejores.

Joy: Un día, hace poco, estábamos en casa con Dana. Ella me preguntó: «¿Por qué nunca te diste por vencida conmigo?». Le contesté: «Porque tú eres un tesoro. Tú nos fuiste dada a nosotros por Dios. Nunca podría haberme dado por vencida contigo». Ella dijo: «Mucha gente lo hubiera hecho». Y le dije: «No, si creyeran en el poder de Dios y en el poder de la oración, porque yo no estaba segura de cuándo iba a suceder, pero siempre creí que tú cambiarías». Tenía muchísima esperanza y fe.

Otra cosa sucedió cuando Dana estaba en casa. Ella dijo: «¿Sabes? Recuerdo una noche cuando las cosas estaban muy mal, y tuvimos una pelea horrible. Tú estabas llorando. Yo me había

acostumbrado a verte llorar porque llorabas siempre». Pero entonces Dana dijo que lo que en realidad la conmovió aquella noche
fue que hizo llorar a su papá. Las lágrimas de su padre le llegaron
al corazón. (*Todos los que estaban alrededor de la mesa estaban llorando en este momento*).

JCD: Debra, ¿qué consejo tiene para la mamá que nos escucha hoy que
está experimentando lo que usted sentía cuando sus hijos eran
pequeños?

Debra: Bueno, creo que lo que voy a hacer es citar su libro. Me parece
que está en la página 24 de *Cómo criar a un niño de voluntad firme*.
En efecto, lo que usted dijo es: «Escoja sus batallas. Gane decidi-
damente. Tome dos aspirinas y llámeme en la mañana». *(risas)*

JCD: Bueno, hagan todo eso, pero no me llamen. *(risas)*

Debra: Creo que mi vida dependía de sus programas radiales cuando
mis hijos eran pequeños. Solía lavar los pisos y recoger la comida
que habían tirado en el piso mientras comían, y lloraba durante
todo el programa. Pero me ayudó porque sabía que había otras
personas que también estaban luchando. Sabía que Dios tenía el
control y que había otras personas que también entendían por lo
que yo estaba pasando.

Ahora recurro a personas como Kristen, porque compartimos
una oficina juntas. Hablamos sobre nuestras hijas de voluntad
firme, oramos por usted en forma regular, y también lo observamos, y lo amamos, y juntas lo apoyamos.

JCD: Las personas de Enfoque a la Familia son las que se deben llevar
el crédito por eso, pero ésta es la razón por la que estamos aquí.
Una periodista vino ayer a mi oficina para entrevistarme acerca del
ministerio. Por lo que sé, no creo que ella sea una creyente.
Después de que habláramos por casi una hora, me preguntó: «¿Por
qué hace esto? Usted ha dicho que se preocupa por todas las personas que extienden la mano en busca de ayuda. ¿Por qué ha invitado a cientos de miles de ellos cada mes para traer sus problemas
aquí? ¿Por qué se somete usted y somete a su personal a esto?».
Traté de explicarle que esto es la esencia de mi fe cristiana. Jesús
dijo: «Les aseguro que todo lo que hicieron por uno de mis hermanos, aun por el más pequeño, lo hicieron por mí» (Mateo
25:40). Me da mucha satisfacción poder poner mi brazo en el
hombro de una madre que está deprimida, desalentada o desespe-
ranzada y ofrecerle apoyo y aliento. Mientras hablaba observé que

esta fuerte periodista tenía grandes lágrimas en los ojos. Así que estoy agradecido por esta oportunidad que tenemos de expresar nuestro apoyo y preocupación por los que sufren. Y, Debra, estoy complacido de que usted fuera una de esas personas.

Permíteme decirte una cosa más, Lizz. Creo que vas a ser una mamá grandiosa. Lo puedo ver. Eres muy inteligente y dedicada, y el hecho que hayas pisado tierra siendo tan joven es una señal muy buena. Confío en que tendrás un buen año en la secundaria el próximo año y que luego irás a la universidad. Entonces quiero que le escribas a tu mamá un correo electrónico que la haga llorar. Ella no es una persona dada a llorar, pero te apuesto a que podrías hacerle derramar algunas «lágrimas de felicidad».

Joy, usted trajo una Biblia consigo hoy. Ella ha sido su punto de apoyo, ¿no es verdad?

Joy: Sí, lo ha sido.

JCD: Bueno, vuelvan a vernos cuando tengan nietos de voluntad firme, ¿lo harán? *(risas)*

JCD: Gracias por estar con nosotros.

Todas: Gracias.

Comentarios finales después de la entrevista: Estoy seguro de que este intercambio ha sido inquietante para algunos lectores, en particular para aquellos que tienen niños pequeños y que prevén un futuro de intensas batallas con sus irritables hijos, muy parecidas a las descritas por nuestro panel. Me apresuro a decirles que los niños de los que hablamos en este capítulo se encuentran en la parte extrema del gráfico en lo que respecta a la fuerza de la voluntad. La mayoría de los niños y niñas, aun los que pueden calificar para recibir el título de, *de voluntad firme*, son menos decididos y se pueden guiar con mayor facilidad. Por lo tanto, mi propósito al brindar lo que podría llamarse como el escenario de los peores casos, es el de ilustrar la variedad de formas en las que los niños responden a la autoridad, y dar esperanza y dirección a aquellos que están criando a uno o más pequeños revolucionarios. La buena noticia, tal y como vimos, es que el resultado, aun para esos niños y niñas, puede ser positivo y a la larga, profundamente satisfactorio.

TRES

¿QUÉ LOS HACE SER COMO SON?

DESPUÉS DE HABER ESCUCHADO A LAS MADRES de nuestro panel, quienes sin duda alguna representan a millones de otras mamás que han luchado para controlar a sus hijos, uno no puede dejar de preguntarse por qué tantos «expertos» en la crianza de los hijos han fallado en darse cuenta que algunos niños son más difíciles de criar que otros. Jamás recibiríamos esa impresión al leer los consejos ofrecidos por este ejército de indulgentes psicólogos, consejeros, pediatras y columnistas de las revistas de mujeres, quienes están convencidos que criar hijos es tan fácil como caerse de un árbol. Ellos han estado diciendo por décadas que todo lo que los padres deben hacer es darles a sus hijos mucho espacio, tratarlos como adultos, y si es absolutamente necesario, explicarles de vez en cuando por qué, tal vez, debieran considerar comportarse mejor. Qué lindo sería si eso fuera cierto. Desdichadamente este panorama color rosa es una cruel tontería. Deja a mamá y a papá con la impresión que a todos los demás padres del mundo les es fácil dirigir a sus hijos, y que los que están teniendo problemas son un fracaso rotundo. En la mayoría de los casos, esto no es justo ni es verdad.

Los malos consejos en cuanto a la crianza de los hijos se han destacado en la literatura, al menos durante setenta y cinco años. Por ejemplo, el autor de éxitos de librería en cuanto a la crianza de los hijos, John Caldwell Holt, escribió un libro terrible en 1974 titulado *Escape from Childhood [Escape de la niñez][1]*. Era algo completamente traído por los pelos. Jim Stingley hizo una reseña del libro para el periódico *Los Angeles Times*:

En su último libro, [Holt] claramente promueve el derrocamiento total de la autoridad paterna en casi todas las esferas. Él expone que los niños, de cualquier edad, deben tener el derecho a tener la experiencia de: las relaciones sexuales, beber y usar drogas, conducir un vehículo, votar, trabajar, poseer propiedades, viajar y tener un ingreso garantizado, escoger a sus tutores, controlar su aprendizaje, y tener responsabilidad legal y financiera. En pocas palabras, Holt está proponiendo que los padres desechen el cargo de protectores que han mantenido sobre sus hijos en este y en otros países por varios siglos, y lanzarlos, o más bien dejar que ellos mismos se lancen, cuando sientan como que quieren, experimentar el mundo de la vida real[2].

¿No parece eso una completa necedad? Aun el comentarista de *Los Angeles Times*, que se supone que sea un periodista imparcial, implica que las ideas de Holt son absurdas. ¿Puede imaginarse usted a una niña de seis años conduciendo su propio automóvil hasta la oficina de un banco, donde ella y su amigo de edad preescolar deliberan acerca de la compra de una nueva casa mientras se beben uno o dos cócteles? ¿Puede usted imaginarse a una madre y un padre, con los ojos llenos de lágrimas, de pie a la entrada de su casa, diciéndole adiós a su hijo de cinco años que ha decidido empacar su osito de peluche e irse a vivir con otra persona? ¿Acaso nos hemos vuelto completamente locos? ¡Desechar el cargo de protectores? ¡Ni hablar! Lo sorprendente es que durante los revolucionarios días de la última parte de la década del sesenta y durante la década del setenta, muchas personas tomaron en serio a este hombre y a sus disparatadas teorías. De hecho, el *Times* publicó una cita de Holt, la cual dice:

«Aunque parezca extraño, el capítulo sobre el asunto de beber y tomar drogas, de dejar que los jóvenes hagan lo que sea que hacen los adultos, así como también de que manejen sus propias vidas sexuales, no ha provocado las críticas severas que yo hubiera esperado... Las respuestas comprensivas y compasivas [de los lectores] claramente han sobrepasado a las negativas u hostiles», dijo.

Para cuando el libro de Holt salió a la luz, la revista *Family Circle* publicó un artículo que también revelaba la indulgencia del momento. El título del mismo: «A Marvelous New Way to Make Your Child Behave» [Una nueva y maravillosa manera de hacer que su niño se comporte], debió haber sido la primera clave en cuanto a la naturaleza de su contenido[3]. (Si sus recomendaciones eran tan fantásticas, ¿por qué no se habían observado en más de cinco mil años de criar hijos?) El subtítulo era aun más revelador: «Rewards and Punishment Don't Work» [Las recompensas y el castigo no dan resultados]. Esos titulares excesivamente optimistas revelaban el sendero atractivo pero peligroso por el cual los autores estaban guiando a sus lectores. Ni una sola vez admitieron que un niño fuera capaz de la clase de rebelión descrita por las tres madres que acabamos de conocer. En cambio, los ejemplos dados en el artículo se centraban en incidentes de irresponsabilidad infantil de relativamente poca importancia, tales como cuando un niño no se lava las manos antes de comer o usa ropa que no es apropiada o no saca la basura. El comportamiento responsable es un objetivo noble para nuestros hijos, pero admitamos que la tarea más difícil es darle forma a la voluntad del niño en momentos de rebelión.

Un ejemplo más actual del enfoque permisivo a la crianza de los hijos es el movimiento que aboga por «la disciplina positiva», o «la crianza positiva». Suena bien, pero apenas si es algo más que la insensatez de la indulgencia, pero con otra envoltura. Considere el siguiente consejo que aparece en el sitio en la red, denominado «Disciplina Positiva», del Departamento de Salud de la Universidad Estatal de Oklahoma: «La meta de la disciplina no es controlar a los niños y hacerlos obedecer, sino darles las habilidades para que tomen sus propias decisiones, para que poco a poco adquieran autocontrol y sean responsables de su propio comportamiento». En lugar de decirle a un niño: «No le pegues al gato», o «deja de patear la mesa», ellos sugieren que los padres le digan a éste: «Toca al gato con suavidad», o «Mantén los pies en el piso». El sitio en la red continúa afirmando que «Darle a un niño a elegir le permite tener cierta forma apropiada de poder sobre su vida y alienta el proceso de tomar decisiones. A los padres se les aconseja que «redirijan» el comportamiento infantil. Por ejemplo, si un niño está lanzando un camión por toda la casa, en lugar de decirle que deje de hacerlo, ellos sugieren que se le diga: «No puedo permitir que lances tu camión, pero puedes ir afuera y lanzar una pelota». O si el niño está pateando una puerta, se le ha de decir: «No puedes patear la puerta, pero puedes patear esta pelota o este envase de plástico». La sugerencia que estas personas dan para enfrentar los desafíos descarados es que los pasen por alto o que permitan que el niño participe en «algo agradable» hasta que se calme[4].

Este consejo es completamente absurdo. Fíjese en todo el trabajo que el padre o la madre tiene que hacer para evitar ser el líder del hogar. ¿Qué hay de malo en explicarle a un niño lo que usted quiere que él haga y esperar obediencia a cambio? ¿Por qué es inaceptable que un padre o una madre insista en que su hijo que está comportándose en forma destructiva o irritante, deje de hacer lo que está haciendo de inmediato? ¿Por qué no decirle al niño: «Los gatos tienen sentimientos igual que tú. No le vas a pegar al gato»? Un niño cuyo padre o madre nunca se ha hecho cargo con firmeza, está siendo privado de adquirir una comprensión adecuada de lo que es la autoridad de sus padres. También le impide entender otras formas de autoridad con las que se va a encontrar cuando salga de la seguridad de su capullo permisivo. Tarde o temprano, ese niño se va a topar con un maestro, un policía, un sargento de instrucción de la Marina o un patrón que nunca escuchó acerca de la disciplina positiva y que va a esperar que las órdenes se lleven a cabo tal como han sido dadas. El niño que solamente haya escuchado «sugerencias» para un comportamiento alternativo a través de los años, las cuales puede elegir aceptar o rechazar, no estará preparado para vivir en el mundo real.

A continuación doy otro ejemplo de malos consejos para la crianza de los hijos, que también refleja la filosofía de la disciplina positiva. Lini Kabada, quien escribía para la cadena de periódicos *Knight-Ridder*, dio este consejo:

> Antes, [Karen] Gatewood les daba nalgadas a sus hijas y lo llamaba un «tiempo de descanso» (cuando se está a solas sin hacer nada). Ahora habla acerca de los sentimientos de ellas. Cuando las niñas se portan mal, con suavidad y dulzura les sugiere actividades alternativas y les ofrece su apoyo («Sé que estás triste») en medio de una rabieta, una técnica sentimental-emotiva llamada «tiempo de atención».
>
> La señora Gatewood ... permite que fluyan lo que en las actitudes de crianza positivas se llaman «las consecuencias lógicas y naturales» del comportamiento. Por

ejemplo, Amanda [su hija], quiso llevar consigo un pedazo de cuerda, que era uno de sus juguetes favoritos, a un paseo. La madre le advirtió que lo podría perder, pero no discutió con la niña. Permitió que se desarrollaran las consecuencias lógicas y naturales. La niña perdió su cuerda y lloró.

La señora Gatewood no pasó por alto los sentimientos de Amanda, tal y como lo sugieren los pediatras cuando a un niño le da una rabieta. «Le dije: 'Lo que te pasó es triste. Es horrible', porque para Amanda era algo horrible. Ella dijo: 'La próxima vez no traigo mis juguetes'»[5].

¡Qué simplista e impracticable! Aparentemente la señora Gatewood no sabe mucho acerca de niños, y sin duda está confundida en cuanto a cómo manejarlos. ¿Qué habría pasado si la pequeña Amanda hubiera querido llevar el anillo de bodas de su madre a su paseo en lugar de un pedazo de cinta sin valor alguno? ¿Qué pasaría si la niña rehusara ir a dormir hasta que cayera extenuada noche tras noche? ¿Qué pasaría si ella comenzara a echar su cereal con leche y su jugo de naranja de manera usual sobre el aparato de televisión? ¿Qué si ella se negara a tomar medicamentos que fueran necesarios para su salud? En algún momento, el liderazgo de los padres tiene que imponerse. A los niños se les debe enseñar lo que es y lo que no es comportamiento aceptable; la responsabilidad para establecer esos límites es una tarea que el Creador de las familias les ha dado a los padres. Los padres no siempre pueden tan sólo esperar a que las consecuencias lógicas hagan un trabajo que ellos mismos deben hacer.

Por supuesto que las consecuencias lógicas tienen un lugar en la crianza de los hijos. Pero una consecuencia muy lógica del mal comportamiento podría ser que el niño inquieto permanezca sentado en una silla con la orden de pensar por qué nunca debe escupirle a su mamá en la cara, correr por una calle muy transitada, clavarle clavos a los muebles, o tratar de tirar a la hermanita, que es una bebé, por el inodoro. Los libros sobre la «crianza positiva» no admiten que estos malos comportamientos se dan, junto con otros miles, con regularidad en algunas familias. No reconocen que algunos padres y madres se acuestan todas las noches con dolores de cabeza espantosos, preguntándose cómo la crianza de sus hijos pudo haberse convertido en una experiencia tan agotadora y que les crispa los nervios. En cambio, las Karen

Gatewood del mundo ofrecen consejos blandos y explicaciones sentimentales-emotivas, tales como «los tiempos de atención», que dejan a los padres confusos, mal informados y con sentimientos de culpa. Mi colega, John Rosemond, con quien por lo general concuerdo ampliamente, dio la mejor evaluación del concepto de la crianza positiva: «Eso es estiércol de caballo», dijo él, «y ésa es mi expresión más suave. Simplemente es una crianza deficiente».

Examinemos ahora una respuesta más detallada a la pregunta fundamental sobre el desafío intencional: ¿Por qué la mayoría de los niños parecen tener una necesidad de enfrentarse a las personas que tienen la autoridad sobre ellos? ¿Por qué simplemente no pueden estar satisfechos con deliberaciones calmadas y explicaciones pacientes y palmaditas suaves en la cabeza? ¿Por qué no siguen instrucciones que son razonables y dejan las cosas como están? Éstas son buenas preguntas.

Espero que a estas alturas ya les haya explicado con claridad que ser voluntariosos es algo que está en la naturaleza de algunos niños. Simplemente es parte del paquete emocional e intelectual con que vienen al mundo. Este aspecto del temperamento innato no es algo que los niños apre*nden*. Es lo que *son*. Las madres saben esto de manera instintiva. Casi toda madre con dos o más hijos afirmará que ha notado diferencias en sus personalidades, una «sensación» diferente, la primera vez que los tomaron en sus brazos. Ella dirá que algunos de ellos eran fuertes, mientras que otros eran muy dóciles, pero que cada uno de ellos es único.

Las primeras autoridades en el campo del desarrollo infantil negaron lo que sus ojos les decían. Pensaron que tenían una mejor idea, concluyendo que los bebés vienen al mundo carentes de individualidad. Decían que los niños son tablillas en blanco sobre las cuales el medio ambiente y las experiencias van a escribir. John Locke y Jean-Jacques Rousseau, entre otros, promovieron esta noción y con ello confundieron la comprensión científica de los niños por décadas. La mayoría de los psicólogos más conocidos del mundo le dieron crédito a esta teoría en una época o en otra, y muchos todavía están bajo su influencia. Sin embargo, la perspectiva más exacta, basada en investigaciones cuidadosas, reconoce que si bien la experiencia es muy importante para darle forma a la personalidad humana, la hipótesis de la «tablilla en blanco» es un mito. Los niños no comienzan a vivir en el mismo lugar. Traen consigo una individualidad que es única en cada uno de ellos, diferente de la de cualquier otra persona que haya vivido jamás.

Permítame volver a decirle que una de las características innatas en ellos es lo que yo llamo «la fuerza de la voluntad», la cual varía de un niño a otro. Si usted tiene contacto con niños con regularidad, podrá ver este aspecto del temperamento, más o menos, en todo su esplendor.

Los psiquiatras Stella Chess y Alexander Thomas llevaron a cabo un estudio clásico sobre los temperamentos congénitos hace más de veinticinco años y lo bosquejaron en su excelente libro titulado *Know Your Child [Conozca a su niño]*[6]. Los autores informaron que los bebés no sólo difieren unos de otros en forma significativa desde el momento en que nacen, sino que estas diferencias tienden ser bastante persistentes a lo largo de la niñez. Lo que es aun más interesante, ellos observaron tres categorías o patrones generales de temperamento en las que se puede clasificar a la mayoría de los niños. En primer lugar, se refirieron al «niño o niña difícil», que se caracteriza por sus reacciones negativas hacia la gente, cambios de humor intensos, patrones irregulares de dormir y de comer, frecuentes períodos de llanto, y rabietas violentas cuando se siente frustrado[7]. Éste es al que yo llamo «el niño de voluntad firme». Los psicólogos Chess y Thomas describieron a la segunda categoría como el «niño dócil», quien muestra un enfoque positivo hacia la gente, se adapta con calma a nuevas situaciones, tiene horarios regulares para dormir y comer, y está dispuesto a aceptar las reglas del juego[8]. Los autores concluyeron: «Tal niño es por lo general un gozo para sus padres, su pediatra o sus maestros»[9]. Amén. El término que yo uso para este niño es «dócil».

Chess y Thomas llamaron al tercer patrón de personalidad «lento para entrar en confianza» o «tímido»[10]. Los niños dentro de esta categoría responden negativamente a las situaciones nuevas y se adaptan con lentitud. Sin embargo, son menos intensos que los niños difíciles y tienden a tener horarios regulares para comer y dormir. Cuando están disgustados o frustrados, normalmente se retraen de la situación y reaccionan en forma leve en lugar de explotar con enojo y rebelión.

Por supuesto que no todos los niños encajan dentro de una de estas categorías, pero de acuerdo a los doctores Chess y Thomas, aproximadamente 65% sí lo hacen[11]. Los investigadores también enfatizaron que los bebés son totalmente humanos cuando nacen, y pueden relacionarse inmediatamente con sus padres y aprender del medio ambiente[12]. ¿Tablillas en blanco cuando nacen? ¡Ni por asomo!

Ahora sabemos que la herencia desempeña un papel mucho más grande en el desarrollo del temperamento humano de lo que se entendía antes. Ésta es la conclusión después de meticulosas investigaciones a lo largo de muchos años en instituciones tales como la Universidad de Minnesota. Los investigadores allí identificaron a más de cien parejas de mellizos idénticos que habían sido separados al poco tiempo de haber nacido. Fueron criados en diferentes culturas, religiones y en diferentes lugares. Sin embargo, no se conocieron sino hasta que fueron adultos. Debido a que cada pareja de mellizos compartía el mismo ADN, o material genético, y el mismo diseño arquitectónico, les fue posible a los investigadores examinar el impacto de la herencia comparando sus similitudes y sus diferencias sobre muchas variables. A partir de éstos y de otros estudios, quedó claro que gran parte de la personalidad, tal vez 70%, se hereda[13]. Nuestros genes ejercen influencia sobre cualidades tales como la creatividad, la sabiduría, la bondad, el vigor, la longevidad, la inteligencia, y aun el gozo de vivir.

Considere a los hermanos conocidos en el estudio de Minnesota como «los gemelos Jim», quienes estuvieron separados hasta la edad de treinta y nueve años. Sus similitudes eran sorprendentes. Ambos se casaron y sus esposas se llamaban Linda. Ambos tenían un perro al que llamaron Toy. Los dos sufrían de jaqueca. Los dos fumaban un cigarrillo tras otro. A ambos les gustaba la misma marca de cerveza. Ambos tenían automóviles Chevrolet, y los dos eran alguaciles de policía. Sus personalidades y actitudes eran prácticamente copias fieles y exactas[14]. Aunque este grado de simetría es excepcional, ilustra los descubrimientos de que la mayoría de los mellizos idénticos tienen similitudes sorprendentes en la personalidad que se vinculan a la herencia.

Se cree que la estructura genética de una persona puede incluso influir en la estabilidad de su matrimonio. Si un gemelo idéntico se divorcia, el riesgo que el otro también se divorcie es de 45%[15]. Sin embargo, si un mellizo, quien comparte sólo la mitad de los genes iguales con su otro mellizo, se divorcia, el riesgo que su hermano se divorcie es solamente de 30%[16].

¿Qué significan estos hallazgos? ¿Somos simples marionetas haladas por un hilo, representando un curso predeterminado de los hechos sin libre albedrío o sin elecciones personales? Por supuesto que no. A diferencia de las aves y de los mamíferos que actúan de acuerdo a sus instintos, los seres humanos somos capaces de pensar en forma racional y de actuar en forma independiente. Por ejemplo, no respondemos a todos nuestros impulsos sexuales, a pesar de nuestra formación genética. Lo que queda claro es que la genética provee una especie de empujón hacia una dirección en particular, un impulso o inclinación definido, pero que puede ser controlado por nuestros procesos de racionalización. De hecho, eso es exactamente lo que debemos aprender a hacer temprano en la vida.

¿Qué es lo que sabemos específicamente en cuanto a nuestros hijos con voluntades firmes? Esa pregunta me ha intrigado por años. Muy poco se ha escrito acerca de estos niños, y casi no hay investigación alguna sobre la cual basar nuestro entendimiento de ellos. Esa falta de información ha dejado a los padres de los niños difíciles para que se las arreglen por su cuenta. En respuesta a ello, llevé a cabo una investigación entre 35 mil padres, la cual mencioné antes, para saber cuáles habían sido sus experiencias. No fue una investigación «científica», puesto que no hubo un diseño aleatorio ni la disponibilidad de un grupo de control[17]. Sin embargo, lo que aprendí fue algo fascinante para mí, y espero que le sea útil a usted. A continuación presento el resumen de una enorme cantidad de información provista por aquellas personas que conocen mejor que nadie a esos niños que son tan tercos como las mulas, es decir, los padres y las madres que viven con ellos todos los días.

- Encontramos que hay casi tres veces más niños de voluntad firme que niños dóciles. Casi todas las familias con varios niños tienen por lo menos uno que quiere manejar las cosas. El número de niños varones de voluntad firme es alrededor de 5% mayor que el de las niñas, y el número de niñas dóciles es cerca de 6% mayor que el de los varones. Así que existe una tendencia leve que los varones tengan temperamentos más fuertes y que las niñas tengan temperamentos más dóciles, pero puede ser, y sucede a menudo, que esto sea al revés.
- El orden de nacimiento no tiene nada que ver con tener una voluntad firme o ser dócil. Estos elementos del temperamento básicamente se heredan y pueden darse, ya sea en el hijo mayor o en el bebé de la familia.
- La mayoría de los padres saben que tienen un hijo de voluntad firme desde muy temprano. Un tercio de ellos lo saben desde que nace. Dos terceras partes lo saben para cuando el niño cumple un año, y 92% tienen la certeza absoluta de ello para el tercer cumpleaños. Los padres de los niños dóciles lo saben aun con mayor anticipación.

- Los temperamentos de los hijos tienden a reflejar los temperamentos de los padres y las madres. Aunque hay muchas excepciones, los padres y las madres de voluntad firme tienen muchas más probabilidades de producir hijos de carácter firme, y viceversa.

- Los padres de hijos de voluntad firme pueden esperar una guerra durante los años de la adolescencia, aun si los han criado apropiadamente. Un total de 74% de los hijos de voluntad firme se rebelan en forma significativa durante la adolescencia. Cuanto más débil es la autoridad de los padres cuando los hijos son pequeños, tanto mayor será el conflicto años más tarde.

- Aunque parezca increíble, sólo 3% de los niños dóciles experimentan rebeliones severas en la adolescencia, y sólo 14% tienen una rebelión leve. Estos niños comienzan la vida con una sonrisa y la mantienen hasta que son jóvenes adultos.

- Las mejores noticias para los padres de niños de voluntad firme es que su rebelión disminuye rápidamente cuando éstos llegan a ser jóvenes adultos. Disminuye en forma casi inmediata para cuando tienen entre veinte y veinticinco años, y después sigue disminuyendo aun más. Algunos de ellos todavía siguen enojados al llegar a los veinte años y hasta pasados los treinta, pero para entonces el fuego ya se ha apagado en la mayoría de ellos. Entonces se unen a la comunidad humana en paz.

- El niño dócil tiene muchas más posibilidades de ser un buen alumno que el niño de voluntad firme. Casi tres veces más niños de voluntad firme sacaron notas muy bajas (D y F) durante los dos últimos años de la secundaria, que los niños dóciles. Aproximadamente 80% de los niños dóciles sacaron notas excelentes (A y B).

- El niño dócil está mucho más adaptado socialmente que el niño de voluntad firme. Pareciera que los niños que están inclinados a desafiar la autoridad de sus padres también están más inclinados a comportarse en forma ofensiva con sus compañeros.

- El niño dócil por lo general disfruta de una mayor autoestima que el niño de voluntad firme. Es difícil exagerar la importancia de este descubrimiento. Sólo 19% de los adolescentes dóciles no estaban contentos consigo mismos (17%) o sentían odio hacia sí mismos (2%). De los adolescentes de voluntad extremadamente firme, 35% no estaban contentos consigo mismos y 8% experimentaban un odio extremo hacia sí mismos. Parece que algo impulsa desde dentro al niño de voluntad firme a quejarse, pelear, poner a prueba, poner en duda, resistir y desafiar.

Es obvio que los hallazgos que he comentado en este capítulo son de enorme importancia para entender a los niños. Éstos, junto con otros conceptos que se les relacionan, son descritos con mucho mayor detalle en mi libro titulado *Tener hijos no es para cobardes*[18].

PREGUNTAS Y RESPUESTAS

P: Explíqueme por qué algunos niños que tienen todas las ventajas y oportunidades parecen salir mal, mientras que otros criados en hogares terribles llegan a ser pilares en la comunidad. Conozco a un joven que creció en circunstancias lamentables y, sin embargo, hoy en día es una persona excelente. ¿Cómo se las arreglaron sus padres para criar a un hijo tan responsable cuando parecía que a ellos ni les importaba?
R: Esto ilustra precisamente el aspecto que he tratado de destacar. Ni la herencia ni el medio ambiente pueden ser responsables de todo el comportamiento humano. Hay algo más allí, algo que viene de adentro, que también opera para hacernos quienes somos. Parte del comportamiento es provocado por alguna causa, y otra parte claramente no lo es.

Por ejemplo, hace algunos años cené con unos padres que habían «adoptado» en forma no oficial a un muchacho de trece años. Este jovencito siguió al hijo de esta pareja a su casa una noche y preguntó si podía pasar la noche allí. El muchacho estuvo con ellos casi una semana sin recibir ni una llamada telefónica de su madre. Más tarde supieron que ella trabajaba dieciséis horas al día y que no tenía ningún interés en su hijo. Su esposo alcohólico se había divorciado de ella hacía varios años y se había ido de la ciudad sin dejar rastro alguno. El niño había sufrido maltrato, falta de amor y había sido dejado de lado durante la mayor parte de su vida.

Dado este trasfondo, ¿qué clase de persona cree usted que es él hoy? ¿Un drogadicto? ¿Un delincuente malhablado? ¿Un vago insolente? No. Él es cortés con los adultos; trabaja muy duro; saca buenas notas en la secundaria; y disfruta ayudando en las tareas del hogar. Este muchacho es como un cachorro perdido que desesperadamente quiere un buen hogar. Le rogó a la familia que lo adoptara oficialmente para poder tener un padre de verdad y una madre amorosa. A su propia madre no le pudo haber importado menos.

¿Cómo pudo este adolescente ser tan bien disciplinado y refinado a pesar de su falta de preparación? No lo sé. Simplemente es algo que tiene dentro. Él me recuerda a mi fantástico amigo David Hernández. David y sus padres vinieron a los Estados Unidos ilegalmente desde México hace más de cincuenta años y casi murieron de hambre antes de encontrar trabajo. Finalmente pudieron sobrevivir ayudando a cosechar papas por todo el estado de California. Durante esa época, David vivió debajo de los árboles o en los campos donde cosechaban. Su padre hizo una cocina de un barril de petróleo, el cual llenó hasta la mitad con tierra. La fogata abierta era el centro de su hogar.

David nunca tuvo un techo sobre su cabeza hasta que sus padres se mudaron a un gallinero que había sido abandonado. Su madre cubrió las paredes de madera con papel tapiz barato, y David pensó que estaban viviendo en forma lujosa. Entonces la ciudad de San José declaró la zona ruinosa, y la «casa» de David fue derribada. Él no podía entender por qué la comunidad destruyó un lugar tan bueno.

Dado estos comienzos, ¿cómo podemos explicar en la persona que se convirtió David Hernández? En la secundaria, se graduó entre los primeros de su clase y recibió una beca para asistir a la universidad. Una vez más, obtuvo calificaciones altas y cuatros años después entró a la Escuela de Medicina de la Universidad de Loma Linda. De nuevo, estuvo dentro del 10% de los estudiantes con las notas más altas, y luego hizo su residencia en obstetricia y ginecología. Finalmente, fue profesor de obstetricia y ginecología en las facultades médicas tanto en la Universidad de Loma Linda como en la Universidad del Sur de California. Luego, en la cima de su carrera, su vida comenzó a desintegrarse.

Nunca olvidaré el día que el doctor Hernández me llamó por teléfono después de haber sido dado de alta y de haber experimentado una gran cantidad de pruebas de laboratorio. ¿El diagnóstico? Colangitis esclerosante, un trastorno del hígado que era mortal en aquel tiempo.

Seis años más tarde, el mundo perdió a un buen esposo, padre y amigo cuando sólo tenía 43 años. Lo amé como si fuera mi hermano y todavía lo extraño hoy en día.

Una vez más pregunto cómo semejante disciplina y genio pudieron venir de estas circunstancias tan carentes. ¿Y quién hubiera pensado que ese niño desvalido sentado en la tierra algún día llegaría a ser uno de los cirujanos más amados y respetados de su época? ¿Dónde se originó la motivación? ¿De qué fuente brotó esta ambición y sed de conocimiento? Él no tenía libros, no fue a ningún viaje educativo, no conoció a ninguna persona letrada. Él pensó que todo era posible. ¿Por qué las cosas le salieron de esta forma a David y no a un joven que tiene todas las ventajas y oportunidades?

¿Por qué tenemos a tantos hijos de padres prominentes y amorosos que crecen en circunstancias ideales sólo para rechazarlo todo por las calles de Atlanta, San Francisco o Nueva York? Simplemente no hay buenas respuestas disponibles. Aparentemente se reduce a esto: Dios decide usar a personas de maneras singulares. Más allá de esta relación misteriosa, debemos concluir que algunos niños parecen nacer para tener éxito y que otros tienen la determinación a fracasar. Alguien me recordó hace poco que la misma agua hirviendo que ablanda las zanahorias endurece los huevos. De igual manera, algunas personas reaccionan en forma positiva ante ciertas circunstancias mientras que otras lo hacen en forma negativa. No sabemos por qué.

Dos cosas me son muy claras en cuanto a esta perspectiva. En primer lugar, los padres han dado por sentado con demasiada rapidez el crédito o la culpa por la forma en que sus hijos resultaron ser. A aquellos que crían hijos notables, se les hincha el pecho y dicen: «Fíjense lo que hemos logrado». Los que tienen hijos torcidos e irresponsables se preguntan: *¿Dónde hemos fallado?* Bueno, ninguna de las dos posiciones es completamente exacta. Nadie va a negar que los padres y las madres desempeñan un papel importante en el desarrollo y preparación de sus hijos. Pero sólo son parte de la fórmula a partir de la cual se ensambla a un joven adulto.

En segundo lugar, los científicos del comportamiento han sido demasiado simplistas en su explicación del comportamiento humano. Nosotros somos más que la suma de nuestras experiencias. Somos más que el total de nuestras experiencias. Somos más que la calidad de nuestra alimentación. Somos más que nuestra herencia genética. Somos más que nuestra bioquímica. Y somos más que la influencia de nuestros padres y madres. Dios nos ha creado como personas únicas capaces de pensar en forma independiente y racional que no se le atribuye a ninguna otra fuente. Eso es lo que hace que la tarea de criar hijos sea tan desafiante y gratificante. Justo cuando usted cree que puede explicar cómo actúan sus hijos, ¡mejor será que se prepare para una sorpresa! Algo nuevo se le va a presentar en el camino.

P: ¿Confirma la Biblia que los bebés tienen temperamentos o personalidades antes de nacer?

R: Sí, en varias referencias vemos que Dios conoce a los niños que aún no han nacido y se relaciona con ellos como personas. Él le dijo al profeta Jeremías: «Antes de formarte en el vientre, ya te había elegido; antes de que nacieras, ya te había apartado; te había nombrado profeta para las naciones» (Jeremías 1:5). El apóstol Pablo también dijo que fuimos elegidos antes de nacer (vea Efesios 1:4). Y en un relato notable, se nos dice del desarrollo prenatal de los gemelos Jacob y Esaú. Tal y como se predijo antes de su nacimiento, uno llegó a ser rebelde y fuerte mientras que el otro era en cierto sentido un hijito de mamá. Estuvieron peleando antes de nacer y continuaron en conflicto a lo largo de gran parte de sus vidas (vea Génesis 25:22-27). Entonces más tarde, en una de las declaraciones más misteriosas e inquietantes de la Biblia, el Señor dijo: «Amé a Jacob, pero aborrecí a Esaú» (Romanos 9:13). Aparentemente, Dios discernió la naturaleza rebelde de Esaú antes de que naciera y sabía que no sería receptivo al Espíritu divino.

Estos ejemplos nos dicen que los niños que aún no han nacido son personas únicas a quienes Dios ya conoce. También confirman, por lo menos me confirman a mí, la maldad del aborto, que destruye a esas pequeñas personalidades embriónicas.

P: ¿Cómo puede usted decir que los preciosos bebés vienen al mundo siendo inherentemente malvados? Yo estoy de acuerdo con los expertos que dicen que los bebés nacen buenos y que sólo aprenden a hacer cosas malas más tarde.

R: Por favor, comprenda que aquí el asunto no es la pureza ni la inocencia de los bebés. Nadie cuestionaría que son preciosos como creaciones de Dios. El punto de desacuerdo se refiere a las tendencias e inclinaciones que han heredado. La gente que cree en la bondad innata nos harían creer que los seres humanos por naturaleza son generosos, honestos, respetuosos, amables con sus semejantes, tienen dominio propio, son obedientes a la autoridad, etc. Como usted lo indicó, los niños aprenden después a hacer cosas malas cuando están expuestos a una sociedad corrupta y mal encaminada. Las *experiencias* malas son las responsables del mal comportamiento. Entonces, para criar hijos buenos es responsabilidad de sus padres proveerles de un medio ambiente amoroso y luego mantenerse fuera del camino de ellos. La bondad natural va a fluir desde su interior.

Ésta es la perspectiva humanística de la naturaleza infantil. Millones de personas creen que es verdad. La mayoría de los psicólogos también han aceptado y enseñado esta noción a lo largo del siglo XX. Sólo hay una cosa mala con este concepto. Es completamente erróneo.

P: ¿Cómo puede usted estar tan seguro en cuanto a la naturaleza de los niños? ¿Qué evidencia tiene para apoyar la creencia de que la tendencia en ellos es hacer lo malo?
R: Vamos a comenzar diciendo lo que el «manual del fabricante» dice acerca de la naturaleza humana. Sólo el Creador de los niños puede decirnos cómo Él los ha hecho, y lo dice en las Escrituras. La Biblia enseña que nacemos en pecado, habiendo heredado la naturaleza desobediente de Adán. El rey David dijo: «Yo sé que soy malo de nacimiento; pecador *me concibió* mi madre» (Salmo 51:5, cursivas añadidas), queriendo decir que esta tendencia de hacer el mal le fue transferida genéticamente. Pablo dijo que esta naturaleza pecaminosa ha infectado a toda persona que ha vivido. «Pues todos han pecado y están privados de la gloria de Dios» (Romanos 3:23). Por lo tanto, con o sin malas compañías, los niños tienen la inclinación natural hacia la rebelión, el egoísmo, la deshonestidad, la agresión, la explotación y la codicia. No es preciso que se les enseñen estos comportamientos. Son expresiones naturales de su humanidad.

Aunque esta perspectiva es vista con desdén por el mundo secular de hoy en día, la evidencia que la apoya es abrumadora. ¿De qué otra forma explicamos la naturaleza belicosa y perversa de cada sociedad en el mundo? Las guerras sangrientas han sido el centro de la historia del mundo por más de 5 mil años. La gente de todas las razas y credos alrededor del mundo han tratado de violar, saquear, quemar, atacar y matar a sus semejantes siglo tras siglo. ¡La paz no ha sido sino una pausa momentánea mientras se detenían para recargarse! Platón lo dijo hace más de 2.350 años: «Solamente los muertos han visto el fin de la guerra»[19]. Él estaba en lo cierto, y eso va a continuar así hasta que venga el Príncipe de Paz.

No sólo las naciones han peleado unas contra otras desde el comienzo de los tiempos, sino que también encontramos una deprimente incidencia de asesinatos, de abuso de drogas, de abuso sexual a la niñez, de prostitución, de adulterio, de homosexualidad y de falta de honradez entre las personas. ¿Cómo podríamos explicar esta perversidad y maldad en un mundo de personas que están inclinadas naturalmente hacia el bien? ¿Acaso han cambiado en realidad para tener estos comportamientos antisociales e inmorales a pesar de sus tendencias innatas? Si es así, de seguro que *una* sociedad en el mundo habría podido preservar la bondad con la cual nacen los niños. ¿Dónde está? ¿Existe un lugar así? No, aunque se debe admitir que algunas sociedades son más morales que otras. Sin embargo, ninguna refleja la armonía que los teóricos que creen en la bondad natural podrían esperar. ¿Por qué no? Porque su premisa básica está equivocada.

P: ¿Qué significa, entonces, esta perspectiva bíblica para los padres? ¿Deben considerar a sus bebés culpables antes de que hayan hecho algo malo?

R: Por supuesto que no. Los niños no son responsables de sus pecados hasta que llegan a la edad en que se les puede hacer responsables, y ese período sólo lo conoce Dios. Por otro lado, los padres y las madres no se deben sorprender cuando se da el comportamiento rebelde o malcriado. *Va a* suceder, probablemente para cuando los niños tienen un año y medio de edad, o antes. ¡Cualquier persona que haya visto a un niño que comienza a caminar, y que tenga una rabieta cuando no se sale con la suya, debe verse en apuros para explicar cómo es que la expresión «bondad innata» se hizo tan popular! ¿Acaso el pequeño tomó como modelos para la rabieta a su padre o a su madre, quienes le enseñaron cómo hacerla tirándose al suelo, babeando, pateando, llorando y gritando? Espero que no. De cualquier forma, el niño no necesita que le hagan una demostración. La rebelión es algo que le viene en forma natural a toda generación de niños, aunque en algunas personas es más pronunciada que en otras.

Por esta razón, los padres pueden y deben preparar, moldear, corregir, guiar, castigar, recompensar, instruir, advertir, enseñar y amar a sus hijos durante los años formativos. Su propósito debe ser darle forma a esa naturaleza interior e impedir que ésta tiranice a toda la familia. En última instancia, sin embargo, sólo Jesucristo puede limpiar y hacer que una persona sea totalmente aceptable al Maestro. Esto es lo que la Biblia enseña en cuanto a la gente, y esto es lo que yo creo firmemente.

P: Si es natural que un niño que comienza a caminar rompa todas las reglas, ¿debe ser disciplinado por su desafío?
R: Usted ha tocado un punto muy importante aquí. Muchas de las nalgadas y palmetazos que se les dan a los niños de esta edad deberían evitarse. Los pequeños que comienzan a caminar se meten en problemas con mayor frecuencia por su deseo natural de tocar, morder, probar, oler y romper todo lo que tienen a la mano. Sin embargo, este comportamiento exploratorio no es agresivo. Es un medio valioso para aprender y no debe desalentarse. He visto a padres que les dan nalgadas a sus hijos de dos años a lo largo del día simplemente por estar investigando su mundo. Esta supresión de la curiosidad normal no es justa para el niño. Parece absurdo dejar un adorno caro en un lugar donde lo va a tentar y luego regañarlo por morder el anzuelo. Si los deditos regordetes insisten en tocar los adornos que están en el estante de abajo, es mucho más sabio distraer al niño con alguna otra cosa que disciplinarlo por su persistencia. Los niños que comienzan a caminar no pueden resistir la oferta de un nuevo juguete. Es muy fácil interesarlos en juguetes menos frágiles, y los padres deben mantener algunas alternativas disponibles para su uso cuando sea necesario.

Entonces, ¿cuándo es que el niño que comienza a caminar debe ser sometido a una disciplina suave? ¡Cuando en forma abierta desafía lo que sus padres le han ordenado en voz alta! Si corre en la dirección contraria cuando lo llaman, si a propósito arroja su vaso de leche al piso, si sale como un rayo a la calle cuando se le dice que se detenga, si grita y le da una rabieta a la hora de acostarse, si les pega a sus amigos, éstas son formas inaceptables de comportamiento que deben desalentarse. Sin embargo, aun en estas situaciones, las nalgadas que se dan con todo, a menudo no son necesarias para eliminar este comportamiento. Un firme golpe del padre o de la madre en los dedos del niño, o mandarlo a sentarse en una silla por algunos minutos le transmitirá el mismo mensaje con la misma claridad. Las nalgadas deben reservarse para los momentos en que los niños demuestran gran antagonismo, lo que por lo general ocurre después de los tres años de edad.

Los años desde que comienza a caminar hasta los tres años son de importancia crítica para la actitud futura del niño en cuanto a la autoridad.

Se le debe enseñar a obedecer pacientemente sin esperar a que se comporte como un niño más maduro.

Sin tratar de suavizar nada de lo que he dicho antes, debo también señalar que soy un firme creyente del uso juicioso de la gracia (y del humor) en las relaciones de padre/madre-hijo/hija. En un mundo donde a menudo se empuja a los niños para que crezcan con demasiada rapidez y en demasiado poco tiempo, sus espíritus se pueden secar como ciruelas bajo la constante observación de miradas críticas. Es alentador y refrescante ver a los padres y a las madres atenuar su inclinación hacia la dureza con una medida de gracia inmerecida. Siempre hay lugar para más perdón amoroso dentro de nuestro hogar. De la misma forma, no hay nada que rejuvenezca con mayor rapidez el sediento y delicado espíritu de un niño que cuando un espíritu alegre invade el hogar y la risa llena sus pasillos con regularidad. ¿Ha escuchado algunos chistes buenos últimamente?

Cómo darle

forma a la voluntad

Una vez, la joven madre de una niña de voluntad firme de tres años de edad, se me acercó en la ciudad de Kansas y me agradeció por mis libros y casetes. Me dijo que hacía unos pocos meses su pequeña hija se había vuelto cada vez más desafiante y se las había arreglado para intimidar a sus frustrados padres. Ellos sabían que ella los estaba manipulando, pero no parecía que pudieran volver a tener el control. Entonces, un día estaban en una librería y dieron con un ejemplar de mi primer libro titulado *Atrévete a disciplinar* (ahora completamente revisado y titulado *Atrévete a disciplinar, Nueva Edición*)[1]. Compraron un ejemplar y aprendieron que es apropiado, desde mi punto de vista, darle unas nalgadas a un niño bajo ciertas circunstancias bien definidas. Mis recomendaciones tuvieron sentido para estos padres abrumados, quienes con prontitud hicieron uso de esa técnica la próxima vez que su hija les dio razones para ello. Pero la niñita era lo suficientemente inteligente como para haberse dado cuenta de dónde habían sacado la nueva idea. Cuando su madre se despertó a la mañana siguiente, ¡encontró su ejemplar de *Atrévete a disciplinar* flotando en el inodoro! La pequeñita había hecho lo mejor que pudo para mandar mi libro a la alcantarilla que es donde pertenecía. ¡Creo que ése es el comentario editorial más fuerte que jamás haya recibido de alguno de mis escritos!

Este incidente con la niñita no fue un caso aislado. Otro niño seleccionó mi libro de un estante lleno de libros y lo arrojó a la chimenea. Con mucha facilidad me podría volver paranoico ante estas hostilidades. Al doctor Benjamin Spock, el pediatra, ya fallecido, y autor del mundialmente aclamado libro *El cuidado de su hijo del Dr. Spock*, lo amaron millones de niños que crecieron bajo su influencia[2]. Pero, tal parece que les caigo mal a las dos generaciones de niños, quienes querrían pillarme en algún callejón sin salida en una noche oscura.

Y continúo recibiendo cartas muy agradables sobre el asunto de la disciplina, proveniente de niños y de sus padres. Un estudiante universitario se acercó a mí con una sonrisa, y me entregó un poema que había escrito especialmente para mí. Decía así: «Rojas son las rosas, azules las violetas, y cuando yo era niño por culpa de usted recibía nalgadas por todas mis rabietas». ¡Lo siento, muchacho!

Una madre me dijo que había llevado a su hija al doctor para que le dieran las vacunas rutinarias correspondientes a su edad. La niña llegó a casa y le dijo al padre: «Me vacunaron contra las paperas, el sarampión y la rebelión». ¿No quisiera usted que hubiera una vacuna para ese tipo de comportamiento? Yo hubiera querido que a mis hijos adolescentes les hubieran dado una buena vacuna de ésas por lo menos una vez por semana.

Una niñita de ocho años me envió esta nota por correo:

Querido Dobinson:
Usted es malo y cruel. Usted y las cosas tontas que dice no lo van a llevar al cielo.

Kristy P.

P.D. A los niños no les gustan las nalgadas.

Es obvio que los niños son conscientes de la lucha de voluntades entre las generaciones, la cual puede convertirse en una clase de juego. Lisa Whelchel, la que fuera actriz cuando era niña en la comedida televisiva *The Facts of Life* [Los hechos de la vida], describe un incidente gracioso con su hijo Tucker, de cuatro años de edad. Ella relata la historia en su excelente libro titulado *Creative Correction* [Corrección creativa]. Lisa y su esposo iban a salir a cenar y dejaron a sus hijos con una niñera. Mientras estaba parada en la puerta, le dijo a su hijo:

—Quiero que te esfuerces al máximo para obedecer a la niñera esta noche.

—Bueno, mamá, no sé si lo voy a poder hacer —le respondió Tucker de inmediato.

—¿Por qué no? —le preguntó ella.

Con un rostro serio le respondió:

—Hay tantas tonterías dentro de mi corazón que no creo que haya lugar para la bondad y la sabiduría.

—Bueno —dijo Lisa—. Tal vez debamos entrar al baño y sacar esas tonterías de tu corazón.

Ante eso, Tucker le respondió:

—Es-espera un momento. Siento que las tonterías se están yendo solitas, ¡y la bondad está llegando ahorita![3].

El incidente entre Lisa y su hijo no representó un desafío serio a su autoridad y se le debió haber respondido con una sonrisa (y de hecho, así fue). Pero cuando ocurre una verdadera gresca generacional, es extremadamente importante que los padres «ganen». ¿Por qué? Un niño que se comporta de maneras que son irrespetuosas o dañinas, tanto para sí mismo como para los demás, a menudo tiene un motivo oculto. Ya sea que lo reconozca o no, el niño por lo general está buscando verificar la existencia y la estabilidad de los límites. Esta prueba tiene en gran medida la misma función que la de un oficial de policía en épocas pasadas, cuando le daba vuelta a las manillas de las puertas de los negocios después que oscurecía. Aunque él trataba de abrir las puertas, esperaba que estuvieran cerradas con llave y seguras. De igual manea, un niño o una niña que desafía el liderazgo de sus padres, se siente tranquilo cuando ellos permanecen confiados y firmes cuando están bajo fuego. Esto le crea un sentido de seguridad a un niño que vive en un ambiente estructurado, en el que los derechos de los demás (y los suyos propios) están protegidos por límites bien definidos.

Habiendo dicho esto, apresurémonos ahora a los pormenores de cómo darle forma a la voluntad de un niño. He reducido este tema complejo a seis pautas sencillas que espero que le sean de ayuda, la primera de las cuales es la más importante y va a ser tratada con mayor detalle.

PRIMERO: COMIENCE A ENSEÑAR EL RESPETO POR LA AUTORIDAD CUANDO LOS NIÑOS SON PEQUEÑOS

El consejo más urgente que puedo darles a los padres de un niño enérgico e independiente es que establezcan sus posiciones como líderes fuertes pero amorosos cuando Carlitos y Marielita están en edad preescolar. Éste es el primer paso para ayudarlos a aprender a controlar sus poderosos impulsos. Por cierto, no hay tiempo que perder. Como hemos visto, un pequeño que por naturaleza es desafiante está en una categoría de alto riesgo de dar muestras de comportamiento antisocial más adelante en la vida. Es mucho más probable que desafíe a sus maestros en la escuela y que ponga en tela de juicio los valores que le han enseñado. Su temperamento lo lleva a oponerse a cualquiera que trate de decirle lo que debe hacer. Afortunadamente, este resultado no es inevitable, porque las complejidades de la personalidad humana hacen imposible predecir el comportamiento con completa precisión. Pero las probabilidades se encuentran en esa dirección. Así que voy a repetir mi consejo más urgente para los padres y las madres: que comiencen a darle forma a la voluntad de ese hijo particularmente agresivo muy al comienzo de su vida. (Fíjese que no dije aplastar su voluntad, destruirla ni ahogarla, sino ponerle riendas para el propio bien del pequeño). ¿Pero cómo se logra eso?

Bueno, primero permítanme decirles cómo *no* enfocar ese objetivo. La dureza, la aspereza y la severidad no son eficaces para moldear la voluntad de un niño. De igual forma, las palizas, las amenazas y las críticas constantes son destructivas y contraproducentes. Un padre o una madre que es malo y que está enojado la mayor parte del tiempo, está creando un resentimiento que se está almacenando y que saldrá rugiendo en la relación durante la adolescencia o más tarde. Por lo tanto, se deben aprovechar todas las oportunidades para mantener el ambiente de la casa agradable, divertido y que muestre aceptación. Sin embargo, al mismo tiempo, el padre y la madre deben mostrar una firmeza confiada en su conducta. Ustedes, mamá y papá, son los jefes, los que mandan. Ustedes están a cargo. Si lo creen así, el niño más fuerte también lo va a aceptar. Desdichadamente, muchas madres hoy en día son vacilantes e inseguras al tratar con sus hijos pequeños. Si usted las observa con sus niños en los supermercados o en los aeropuertos, verá a estas mamás frustradas y enojadas totalmente confundidas en cuanto a cómo manejar un mal comportamiento dado. Las rabietas las dejan fuera de combate, como si nunca hubiesen esperado que sus criaturitas tuviesen una. Lo cierto es que se han estado dando por algún tiempo.

Un amigo mío que es pediatra me contó acerca de una llamada telefónica que recibió de una angustiada mamá de un bebé de seis meses.

—Creo que tiene fiebre —dijo ella nerviosa.

—Bueno —contestó el doctor—, ¿le ha tomado la temperatura?

—No —dijo ella—. No me deja que le ponga el termómetro.

Hay problemas en el futuro para esta madre insegura. Y hay aun más peligro para su hijo en los días venideros. Pronto percibirá la inseguridad de su madre y se apoderará del vacío de autoridad que ella ha creado. De allí en adelante, su vida será un camino lleno de baches hasta que termine la adolescencia.

He aquí algunas sugerencias fundamentales y prácticas para evitar el problema que he descrito. Una vez que un niño entiende quién está a cargo, se le puede hacer responsable de un comportamiento respetuoso. Eso suena fácil, pero puede ser muy difícil. En un momento de rebelión, un pequeño considerará los deseos de sus padres y en forma desafiante escogerá desobedecer. Al igual que un general antes de una batalla, él calculará el riesgo potencial, se armará, y atacará al enemigo disparando su artillería. Cuando ocurre ese enfrentamiento intergeneracional, es de suma importancia que la persona adulta demuestre confianza y decisión. El niño ha dejado bien claro que busca una pelea, ¡y sus padres serían muy sabios si no lo decepcionan! Nada es más destructivo para el liderazgo en la crianza que una madre o un padre hablen con evasivas durante esa lucha. Cuando los padres constantemente pierden esas batallas, y recurren a las lágrimas, gritan y muestran otras señales de frustración, ocurren ciertos cambios dramáticos en cuanto a la forma en que sus hijos los ven. En lugar de ser líderes seguros y llenos de confianza, se convierten en temblorosas medusas que no son dignas de respeto ni de lealtad.

Susanna Wesley, la madre de John y Charles Wesley, evangelistas del siglo XVIII, tuvo, según se registra, diecinueve hijos. Hacia el final de la vida de ella, John le pidió que describiera por escrito su filosofía de cómo lo había criado a él. Todavía hoy en día hay copias de esta respuesta. Como verá de los extractos que aparecen a continuación, sus creencias reflejan una comprensión tradicional de la crianza infantil. Ella escribió:

> Para formar la mente de los niños, lo primero que hay que hacer es conquistar la voluntad, y traerlos a un temperamento obediente. Toma mucho tiempo hacerlos llegar a comprender esto, y con los niños se debe proceder lentamente a medida que lo pueden soportar; pero la sujeción de la voluntad es algo que debe hacerse de inmediato, y ¡cuanto antes mejor!
>
> Porque cuando se descuida la corrección a tiempo, van a contraer una terquedad y obstinación que pocas veces se puede conquistar después, y nunca sin usar tal

severidad que sería dolorosa para mí y para las criaturas.
A los ojos del mundo, aquellos que no aplican la corrección oportuna se verían como padres indulgentes y amables, a los cuales yo llamo padres crueles, quienes les permiten a sus hijos adquirir hábitos que saben que más
tarde deben romperse. Aun más, algunos son tan neciamente inclinados a enseñarles a sus hijos a hacer cosas por
las que más tarde deberán castigarlos con severidad.

Cada vez que un niño es corregido, éste debe ser con-
quistado; y esto no va a ser algo difícil de hacer, si no se le
permite que se vuelva testarudo por causa de demasiada
indulgencia. Y, si la voluntad de un niño es totalmente
sometida, y si ha de hacer que por ello se reverencie y se
admire a sus padres, entonces se pueden pasar por alto
muchas de las tonterías y de los errores de los pequeños.
Algunos deben ser pasados por alto y no se les debe dar
importancia, y otros deben corregirse levemente. Pero
ninguna desobediencia voluntariosa debiera perdonárseles
jamás a los niños sin recibir el castigo, más o menos según
lo requiera la naturaleza y las circunstancias de la ofensa.

No puedo descartar este tema. La terquedad es la raíz
de todo pecado y dolor, así que todo lo que promueve esto
en los niños les asegura su futura desdicha y su falta de fe.
Lo que sea que corrige y duele, promueve su felicidad futura y su vida piadosa. Esto es todavía más evidente si consi-
deramos además que el cristianismo no es otra cosa sino
hacer la voluntad de Dios y no la nuestra; y que el gran
impedimento para nuestra felicidad temporal y eterna es
esa obstinación. Ninguna indulgencia para con ella puede
ser trivial, y ninguna negación a ella será sin provecho[4].

¿Parece esto duro de acuerdo a nuestras normas modernas? Tal vez
sí. Si bien yo habría equilibrado ese enfoque con una mayor compasión
y suavidad, creo que la comprensión básica de la señora Wesley era adecuada. Si al niño de voluntad firme se le permite por indulgencia desarrollar «hábitos» de desafío y de falta de respeto durante los primeros
años de su niñez, esas características no sólo van a crear problemas para
los padres, sino que finalmente van a perjudicar al niño, cuya voluntad
desenfrenada nunca fue puesta bajo control.

¿Quiere decir esto que mamá y papá deben estar todo el día lanzando órdenes, sin tener en cuenta los sentimientos y deseos del niño? ¡Claro que no! A mí no me gustaría que me trataran de esa forma, y tampoco le gustaría a usted. La mayor parte del tiempo se le puede hablar al pequeño hasta que entienda y se pueda llegar a un mutuo acuerdo. Además, no hay nada de malo en cuanto a negociar y a transar cuando ocurren desacuerdos intergeneracionales. Puede que Luisito, de seis años de edad, decida de buena voluntad descansar o dormir una siesta en la tarde para poder mirar un programa para niños en la televisión en la noche. Mamá puede ofrecer llevar a su hija de diez años a la práctica de fútbol, siempre y cuando ella esté de acuerdo en limpiar y ordenar su dormitorio. Hay infinidad de situaciones como éstas durante la niñez, cuando se puede llegar a un acuerdo de «ni para ti ni para mí» sin imponerle demandas o amenazas constantes a un niño. Estas conclusiones de mutuo acuerdo no van a socavar el liderazgo en la crianza ni van a reforzar un espíritu de rebelión, aun en un niño obstinado.

Por otro lado, hay un momento para hablar en ese tono de voz que dice, en forma amable pero firme: «Por favor, hazlo ahora, porque yo lo digo». Uno no puede negociar siempre con un hijo ni explicarle y pedirle repetidas veces que coopere. No todas las órdenes tienen que terminar con un signo de interrogación como si dijéramos: «¿Quisieras ir a darte tu baño ahora?». Algunas veces simplemente tiene que intervenir y ser el jefe. Como vimos en el capítulo anterior, ésta es la expresión de autoridad a la que muchos consejeros modernos sobre la crianza infantil se resisten a brazo partido. Ellos nunca quieren que los padres suenen como si estuvieran a cargo. Algunos hasta se refieren a este estilo de dirección como «juegos de poder». Un escritor de libros para padres expresó su filosofía permisiva de esta forma:

> En mi opinión, la obstinada persistencia de la idea de que los padres deben hacer uso de la autoridad cuando tratan con sus hijos ha impedido que por siglos haya habido cambios significativos o mejoras en la forma en que los niños son criados por sus padres o tratados por los adultos. Los niños toman a mal a aquellos que tienen poder sobre ellos. En resumen, los niños mismos quieren limitar su comportamiento, si se les hace evidente que su comportamiento debe ser limitado o modificado. Los niños, al igual que los adultos, prefieren ser su propia autoridad en cuanto a su comportamiento[5].

No podría estar en mayor desacuerdo con esa filosofía. Dios ha colocado a los padres como líderes por un tiempo determinado. Cuando los padres tienen miedo o no están dispuestos a cumplir con esa responsabilidad, el niño de voluntad firme estará impulsado sin duda alguna a dar un paso adelante y a comenzar a manejar las cosas. Como hemos visto, la pasión de este niño es hacerse cargo de las cosas. Si usted, como mamá o papá, no va a ser el jefe, le garantizo que su hijo, fuerte como un león, se apoderará de ese papel. Éste es el comienzo de dolores para ambas generaciones.

El Nuevo Testamento, que dice que toda la Escritura es «inspirada por Dios» (2 Timoteo 3:16), habla en forma elocuente sobre este punto. En 1 Timoteo 3:4, 5 leemos: «[El padre] debe gobernar bien su casa y hacer que sus hijos le obedezcan con el debido respeto». Colosenses 3:20 expresa este principio divino a la generación más joven: «Hijos, obedezcan a sus padres en todo, porque esto agrada al Señor». No encuentro ningún lugar en la Biblia en el que se designe a nuestros pequeñuelos como coparticipantes en una mesa de conferencias, y que decidan lo que van a aceptar y lo que no van a aceptar de la generación mayor. Juegos de poder, ¡ya lo creo!

¿Por qué en toda la Biblia se apoya con tanta fuerza la autoridad en la crianza? ¿Está simplemente complaciendo los caprichos de adultos opresivos y hambrientos de poder, como algunos querrían que creyéramos? No, ¡el liderazgo de los padres representa un papel importante en el desarrollo de un niño! Cuando un hijo cede a la autoridad amorosa (liderazgo) de sus padres, aprende a someterse a otras formas de autoridad que va a enfrentar más tarde en la vida. Sin respeto por el liderazgo, existe anarquía, caos y confusión para todos los involucrados.

Existe todavía una razón más importante para la conservación de la autoridad en el hogar. Los niños que están familiarizados con ella aprenden a rendirse al bondadoso liderazgo de Dios mismo. Es un hecho que cuando es muy pequeño, un hijo identifica a sus padres con Dios, ya sea que los adultos quieran ese papel o no. En forma específica, la mayoría de los niños ven a Dios de la forma en que perciben a sus padres terrenales (y, en un grado menor, a sus madres). Este hecho se ilustró en nuestro hogar cuando nuestro hijo Ryan, tenía sólo dos años. Desde que era un bebé, había visto a su hermana, a su madre y a su padre dar las gracias por los alimentos antes de comer, porque nosotros siempre le damos las gracias a Dios por la comida de esa forma. Pero debido a su corta edad, nunca le habíamos pedido a este niñito que nos guiara en la oración. En una ocasión, cuando yo estaba de viaje, Shirley puso el almuerzo sobre la mesa y en forma espontánea se volvió a Ryan y le preguntó: «¿Quieres orar por nuestros alimentos hoy?». Su pedido aparentemente lo sobresaltó y miró a su alrededor con nerviosismo, luego unió sus manitas y dijo: «Te amo, papi. Amén».

Cuando regresé de mi viaje y supe de la oración de Ryan, me fue evidente de inmediato que mi hijo me había confundido con Dios. Y lo confieso, ¡no fue algo que yo hubiese querido! Agradecí el pensamiento, pero me sentí incómodo con sus implicaciones. Era una tarea muy grande para que la llevara a cabo un papá común y corriente. Hubo veces cuando estoy seguro que desilusioné a mis hijos, algunas veces cuando estuve demasiado cansado para ser lo que ellos necesitaban que fuera, ocasiones cuando mis debilidades humanas fueron demasiado evidentes. Cuanto más crecían, tanto más evidente se hacía la brecha entre quién era yo y quién habían creído que era, especialmente durante las tormentas de la adolescencia. No, yo no quería representar a Dios delante de mi hijo y de mi hija. Pero ya sea que me gustara o no, ellos pensaban en cuanto a mí en esos términos, y es probable que sus hijos pequeños también lo vean a usted de esa forma.

Para decirlo en pocas palabras, el Creador les ha dado a los padres y a las madres la enorme responsabilidad de representarlo a Él delante de sus hijos. Como tales, ellos deben reflejar dos aspectos de la naturaleza divina a la siguiente generación. Primero, nuestro Padre celestial es un Dios de amor ilimitado, y nuestros hijos deben llegar a conocer su misericordia y su ternura por medio de nuestro amor hacia ellos. Pero no se equivoque en cuanto a esto: ¡Nuestro Dios también posee autoridad majestuosa! El universo ha sido ordenado por un Dios soberano que exige obediencia de sus hijos y que ha advertido que «la paga del pecado es muerte» (Romanos 6:23). Mostrarles a nuestros pequeños amor sin autoridad es una distorsión tan grave de la naturaleza de Dios como lo es también revelar una autoridad de hierro sin amor.

Entonces, desde esta perspectiva, un niño que sólo ha «negociado» con sus padres y maestros durante momentos de intenso conflicto probablemente no ha aprendido a someterse a la autoridad del Todopoderoso. Si a este pequeño se le permite comportarse en forma irrespetuosa con mamá y papá, contestándoles de manera atrevida y desobedeciendo sus órdenes específicas, es muy poco probable que vaya a volver su rostro a Dios veinte años más tarde y diga: «¡Heme aquí, Señor; envíame a mí!». Lo voy a repetir, un niño aprende a rendirse a la autoridad de Dios aprendiendo primero a someterse a la autoridad de sus padres (más que a negociar con ella).

¿Pero qué quiso decir el apóstol Pablo en su primera epístola a Timoteo cuando se refirió a que los padres recibieran «el debido respeto»? ¿Les estaba dando él el derecho de intimidar a sus hijos, sin tener en cuenta sus sentimientos y provocar temor y ansiedad en ellos? No. Existe un equilibrio maravilloso que enseñó Pablo en esta epístola y en Efesios 6:4. Dice así: «Padres, no haga enojar a sus hijos, sino críenlos según la disciplina e instrucción del Señor».

Vamos a avanzar con más rapidez hacia las otras cinco pautas generales para darle forma a la voluntad de un niño.

SEGUNDO: DEFINA LOS LÍMITES ANTES DE HACERLOS CUMPLIR

Todo hecho disciplinario debe estar precedido del establecimiento de expectativas razonables y de límites para el niño. El niño debe saber lo que es un comportamiento aceptable y lo que no lo es antes de hacérsele responsable de dicho comportamiento. Esta condición previa va a eliminar el sentimiento de injusticia que siente un pequeño cuando es castigado o regañado por violar una regla vaga o no identificada.

TERCERO: HAGA UNA DISTINCIÓN ENTRE EL DESAFÍO INTENCIONAL Y LA IRRESPONSABILIDAD INFANTIL

Volvamos brevemente a la carta que escribió Susanna Wesley, en la cual recomendaba que una madre o un padre no le diera importancia a «las tonterías y a los errores» de los hijos, pero que nunca pasaran por alto la «desobediencia voluntariosa». ¿Qué quiso decir ella? Se estaba refiriendo a la distinción entre lo que yo llamo irresponsabilidad infantil y el «desafío intencional». Hay un mundo de diferencia entre los dos. Va a ser muy útil entender la distinción para saber cómo interpretar el significado de un comportamiento y cómo responder a dicho comportamiento en forma apropiada. Permítame explicar esto.

Suponga que el pequeño David está actuando en forma tonta en la sala y cae sobre una mesa rompiendo varios adornos caros de loza y otras cosas. O suponga que Alicia pierde su bicicleta o que deja la cafetera de mamá afuera y está lloviendo. Tal vez Brenda, de cuatro años, toma algo del plato de su hermano y le pega al vaso de leche de éste con el codo, bautizando al bebé y ensuciando el piso de manera espantosa.

Con todo lo frustrantes que son estos hechos, representan actos de irresponsabilidad infantil que tienen poco significado en el esquema de las cosas a largo plazo. Como todos sabemos, con cierta regularidad los niños derraman algo, pierden cosas, rompen cosas, olvidan algunas cosas y ensucian otras cosas. Así es como están hechos los niños. Estos comportamientos representan los mecanismos por medio de los cuales los niños están protegidos de las preocupaciones y de las cargas de los adultos. Cuando suceden accidentes, la paciencia y la tolerancia deben estar a la orden del día. Si la necedad fue demasiado grande para la edad y madurez de la persona, mamá o papá tal vez quieran hacer que el niño ayude a limpiar o incluso que haga algún trabajo para pagar por la pérdida. De otra forma, yo creo que el hecho debe ser pasado por alto. Va con la edad, como dicen.

Sin embargo, existe otra categoría de comportamiento que es muy diferente. Ocurre cuando un niño desafía la autoridad de sus padres de forma descarada. El niño puede gritar: «¡No lo voy a hacer!», o «¡Cállate!» o «¡Tú no me puedes obligar a hacerlo!». Tal vez suceda cuando el pequeñuelo toma un puñado de caramelos en la caja registradora cuando usted va a pagar, y se niega a dejarlos, o cuando le da una rabieta violenta para salirse con la suya. Estos comportamientos representan un espíritu terco y arrogante y una determinación a desobedecer. Algo muy diferente está sucediendo en esos momentos. Usted ha dibujado una línea en el piso, y el niño deliberadamente la ha cruzado con su piececito. Los dos se están preguntando: *¿Quién va a ganar? ¿Quién tiene más valor? ¿Quién manda aquí?* Si no le responde estas preguntas en forma decisiva a su hijo de voluntad firme, éste va a precipitar otras batallas diseñadas para formular esas preguntas una y otra vez. Es por eso que debemos estar preparados para responder de inmediato a esta clase de rebelión terca. Eso es lo que Susanna Wesley quiso decir cuando escribió «Algunos [comportamientos] deben ser pasados por alto y no se les debe dar importancia [refiriéndose a la irresponsabilidad infantil], y otros deben corregirse levemente. Pero ninguna desobediencia voluntariosa debiera perdonárseles jamás a los niños sin recibir el castigo, más o menos según lo requiera la naturaleza y las circunstancias de la ofensa».

Susanna llegó a esta conclusión 250 años antes de que yo naciera. Ella aprendió esto de los diecinueve hijos que la llamaban mamá.

Ahora prepárese, porque le voy a recomendar algo que será controversial en algunos círculos. Tal vez usted ni siquiera esté de acuerdo con esto, pero escúcheme, por favor. No es el momento de hablar sobre las virtudes de la obediencia en esas ocasiones cuando se encuentra con su hijo de voluntad firme en una de esas clásicas batallas de voluntad. No debe mandar a Juan o a Julia a su cuarto para que se pongan a hacer gestos. Los tiempos de disciplina solos en el cuarto no funcionan muy bien y cuando salen son un fracaso total. El soborno está completamente fuera de lugar. Llorar y rogar pidiendo misericordia es un absoluto desastre. Esperar hasta que el cansado papá llegue a casa para arreglar un asunto al final del día va a ser igual de infructuoso. Ninguna de estas respuestas sentimentales-emotivas y maniobras dilatorias van a tener éxito. Todo se reduce a lo siguiente: Cuando usted ha sido desafiado, es el momento de hacerse cargo de la situación, de defender su derecho a liderar. Cuando los padres fracasan en cuanto a ser el jefe en un momento así, crean para sí mismos y para sus familias toda una vida de dolor potencial. O como dijera Susanna Wesley: «Ninguna indulgencia para con [el desafío intencional] puede ser trivial, y ninguna negación [a éste] será sin provecho». Por lo tanto, creo que unas nalgadas suaves y apropiadas son la disciplina que se le debe aplicar a un niño de carácter fuerte entre la edad de un año y ocho meses y diez años de edad. En el capítulo 8 hablaré con más detalles acerca del castigo corporal, sus ventajas, sus limitaciones y los peligros de su mal uso.

CUARTO: TRANQUILICE AL NIÑO Y ENSÉÑELE DESPUÉS QUE TERMINE EL ENFRENTAMIENTO

Después de un momento de conflicto en el cual el padre o la madre ha demostrado su derecho a liderar (particularmente si terminó con lágrimas para el niño), es muy probable que el pequeño entre dos y siete años (o más) quiera que le muestren amor y que lo tranquilicen. Por supuesto, abra sus brazos y dele un abrazo. Manténgalo cerca de usted y dígale que lo ama. Mézalo con suavidad y dígale de nuevo por qué fue castigado y cómo puede evitar el problema la próxima vez. Éste es un momento para enseñarle, cuando se puede explicar el objetivo de la disciplina que usted ha impartido. Este tipo de conversación es difícil o imposible de lograr cuando un pequeño rebelde y terco está apretando su puño y desafiándolo a pelear. Pero después que ha ocurrido un enfrentamiento, especialmente si éste involucró lágrimas, el niño por lo general quiere abrazarlo y recibir la tranquilidad de que usted lo ama. Por supuesto, abra los brazos, y déjelo que se acurruque contra su pecho. Y para las familias cristianas, es muy importante orar con los hijos en ese momento, admitiendo ante Dios que todos hemos pecado y que nadie es perfecto. El perdón divino es una experiencia maravillosa, aun para un niño muy pequeño.

Quinto: Evite las demandas imposibles

Asegúrese de que su hijo es capaz de hacer lo que le ordene que haga. Nunca lo castigue por mojar la cama en forma involuntaria o por no saber usar el baño cuando tiene un año de edad o por no sacar buenas notas en la escuela cuando es incapaz de grandes logros académicos. Estas demandas imposibles colocan al niño en un conflicto sin solución: no hay salida. Esa condición trae consigo riesgos innecesarios al aparato emocional humano. Además de eso, es algo simplemente injusto.

Sexto: ¡Deje que el amor sea su guía!

Una relación que se caracteriza por el amor y el afecto genuinos es probablemente una relación sana, aun cuando algunos errores y equivocaciones en la crianza sean inevitables.

Desde mi punto de vista, estos seis pasos deben formar la base para las relaciones saludables entre padres/madres e hijos/hijas. Hay un ingrediente más que va a redondear este cuadro. Leeremos sobre esto en el próximo capítulo.

Preguntas y respuestas

P: Usted dijo que debemos interpretar la intención de los niños para saber cómo disciplinarlos en forma apropiada. ¿Qué pasa si no estoy segura? ¿Qué pasa si mi hijo se comporta de formas que pueden o no ser intencionalmente desafiantes? ¿Cómo puedo determinar la diferencia?

R: Me han hecho esa pregunta docenas de veces. Una madre tal vez diga: «Creo que Gabriel fue irrespetuoso cuando le dije que fuera a darse un baño, pero no estoy segura en qué estaba pensando él».

Hay una solución bien clara a este dilema en la crianza. Use la próxima ocasión con el propósito de aclarar la situación. Dígale a su hijo:

«Gabriel, tu respuesta a lo que te dije que hicieras ahora parece irrespetuosa. No estoy segura qué es lo que hayas querido decir. Pero sólo para que nos entendamos el uno al otro, no me vuelvas a hablar de esa forma nunca más». Si ocurre de nuevo, sabrá que fue algo deliberado. Gran parte de la confusión en cuanto a cómo impartir disciplina surge de la incapacidad de los padres para definir los límites en forma apropiada. Si usted está confuso en cuanto a lo que es aceptable y lo que no lo es, sin duda que su hijo va a estar doblemente confundido.

La mayor parte de los niños van a aceptar los límites si los entienden y están seguros de que usted habló en serio cuando los estableció.

P: Si usted tuviera que elegir entre un estilo de crianza de los hijos muy autoritario y otro que es permisivo y poco estricto, ¿cuál elegiría? ¿Cuál es el más saludable para los niños?

R: Ambos extremos dejan sus cicatrices típicas en los niños, y yo estaría en un aprieto si fuera a decir cuál de los dos es más dañino. En el extremo opresivo de la escala, un niño sufre la humillación de la dominación total. La atmósfera es helada y rígida, y él vive en constante temor. No puede tomar sus propias decisiones, y su personalidad queda aplastada bajo la bota de clavos de la autoridad paterna o materna. Las características perdurables de la dependencia, del enojo muy arraigado y de la rebelión seria en la adolescencia son a menudo el resultado de esta dominación.

Pero el extremo opuesto también es muy dañino para los niños. Ante la ausencia de liderazgo adulto, el niño o la niña es su propio amo desde que apenas es un bebé. Esta criatura piensa que el mundo da vueltas alrededor de su imperio, lo cual se le sube a la cabeza, y a menudo siente un total desprecio y falta de respeto por los que están más cerca. La anarquía y el caos reinan en el hogar de este niño. Su madre es a menudo la mujer más frustrada y la que más anda con lo pelos de punta en la cuadra. Valdría la pena la vergüenza y las penurias que soporta si su pasividad produjera niños saludables y seguros. Pero normamente no es así.

Ei enfoque más saludable en cuanto a la crianza infantil se encuentra en la seguridad del terreno medio entre los extremos disciplinarios. He intentado ilustrar ese estilo de crianza razonable en la portada de mi primer libro *Atrévete a disciplinar*, en el que se incluía este pequeño diagrama:

AMOR   CONTROL

Los niños tienden a desarrollarse de la mejor manera en un ambiente donde estos dos ingredientes, el amor y el control, están presentes en proporciones equilibradas. Por lo general, los problemas comienzan a surgir en el hogar cuando la balanza se inclina en cualquiera de las dos direcciones.

Desdichadamente, los estilos de crianza en una cultura tienden ir de un extremo al otro, como un péndulo que va de un lado al otro.

P: Con gusto recibiría algo de consejo con respecto a un pequeño problema que estamos teniendo. A Tomás, mi hijo de seis años, le encanta ponernos nombres ridículos a mi esposo y a mí, y dirigirse a nosotros de esa forma. Por ejemplo, la semana pasada, fue «salchicha grande». Casi todas las veces que me ve me dice: «Hola, salchicha». Anteriormente fue «tonta» y luego «alce» (después de haber aprendido esta palabra en la escuela). Sé que es algo tonto y que no es un problema enorme, pero se vuelve muy irritante después de tanto tiempo. Ya lleva haciendo esto desde hace un año. ¿Cómo podemos lograr que se dirija a nosotros con más respeto, llamándonos mamá y papá, en lugar de salchicha y alce? Muchas gracias por cualquier consejo que nos pueda dar.

R: Lo que tenemos aquí es un juego de poder bastante clásico, muy parecido a los que hemos tratado antes. Y contrario a lo que usted dice, no es algo tan insignificante. Bajo otras circunstancias, sería un asunto menor que un hijo usara nombres graciosos para dirigirse a sus padres en son de broma. Pero ése no es el caso aquí. Más bien, Tomás, que es un niño de voluntad firme, continúa haciendo algo que sabe que los irrita a usted y a su esposo y, sin embargo, ustedes no pueden detenerlo. Ése es el asunto. Él ha estado usando el humor como una táctica de desafío por un año completo. Ya es tiempo que tenga una pequeña conversación con Tomasito, y le diga que está siendo irrespetuoso, y que la próxima vez que él se dirija a usted o a su padre y los llame con cualquier clase de nombre, va a ser castigado. Entonces debe estar preparada para cumplir la promesa, porque él va a continuar desafiándola hasta que deje de resultarle divertido. Ésa es la forma en que él está hecho. Si esa respuesta nunca llega, es probable que sus insultos lleguen a ser más pronunciados, y terminen siendo pesadillas en la adolescencia. El apaciguamiento para un niño de voluntad firme es una invitación a la guerra.

Nunca se olvide de esto: El clásico niño de voluntad firme tiene ansias de poder desde que comienza a caminar y aun antes. Dado que mamá es la persona adulta más cercana que lleva las riendas, él va a seguir martillando hasta que lo deje conducir su propio coche. Recuerdo una vez que una madre me contó sobre un enfrentamiento con su tenaz e inflexible hija de cuatro años que era muy obstinada. La niña estaba exigiendo salirse con la suya y la madre estaba luchando para no ceder.

«Juanita», le dijo la madre, «tú vas a tener que hacer lo que yo te digo. Yo soy tu jefa. El Señor me ha dado la responsabilidad de guiarte, y ¡eso es lo que pretendo hacer!»

Juanita lo pensó durante un minuto y luego le preguntó: «¿Y por cuánto tiempo tiene que ser así?».

¿No ilustra esto el punto de manera maravillosa? Ya a los cuatro años de edad, esta niña estaba previendo el día de su libertad cuando nadie le pudiera decir lo que tenía que hacer. Había algo en lo profundo de su espíritu que anhelaba el control. Esté alerta ante este mismo fenómeno en su hijo. Si él es fuerte, muy pronto se manifestará.

P: ¿No está una madre manipulando a su hijo si usa recompensas y castigos para lograr que éste haga lo que ella quiere?
R: No más de lo que el supervisor de una fábrica manipula a sus empleados descontándoles de su sueldo si llegan tarde. No más de lo que un policía manipula a un conductor que va a exceso de velocidad cuando le impone una multa. No más de lo que la compañía de seguros manipula a ese mismo conductor cuando le aumenta la prima del seguro. No más de lo que la Dirección General de Impuestos manipula a una persona que envía su declaración de impuestos un día después de la fecha límite, al imponerle una multa por su tardanza. La palabra *manipulación* implica que la persona que está a cargo tiene algún motivo siniestro o egoísta. No estoy de acuerdo con eso.

P: Usted ha descrito la naturaleza del comportamiento desafiante e intencional y cómo los padres deben manejarlo. ¿Pero acaso todo comportamiento desagradable es el resultado de la rebelión y la desobediencia?
R: No. El desafío puede tener un origen muy diferente al de la respuesta «desafiante» que he estado describiendo. El negativismo de un niño

puede ser causado por la frustración, la desilusión, la fatiga, la enfermedad o el rechazo, y por lo tanto, debe interpretarse como una señal de advertencia que ha de tomarse en cuenta. Tal vez la tarea más difícil en la paternidad/maternidad es reconocer la diferencia entre estos mensajes de comportamiento. El comportamiento de un pequeño que se resiste a la dirección de los padres siempre contiene un mensaje para éstos, el cual deben descifrar antes de responder.

Por ejemplo, un niño desobediente tal vez esté diciendo: *Siento que no me aman ahora que debo aguantar a este bebé llorón que es mi hermanito. Mamá solía preocuparse por mí, ahora nadie me quiere. Odio a todo el mundo.* Cuando ésta es la clase de mensaje que yace debajo del desafío, los padres deben actuar rápido para calmar lo que lo causa. Entonces, el arte de la buena paternidad/maternidad gira alrededor de la interpretación del comportamiento.

P: Nunca puedo estar completamente segura en cuanto a cómo reaccionar al comportamiento de mis hijos. ¿Puede darme algunos ejemplos específicos de mal comportamiento que deben ser castigados, así como también de otros que deben ser pasados por alto o manejados en forma diferente?

R: Permítame darle unos pocos ejemplos para diversas edades, pidiéndole que usted decida la forma en que manejaría cada comportamiento antes de leer mis sugerencias. (La mayor parte de estos ejemplos representan situaciones reales que me fueron presentadas por padres y madres).

Ejemplo: Me disgusto mucho porque mi hijito de dos años no se queda sentado quieto en la iglesia. Él sabe que no debe hacer ruido, pero le pega al banco con sus juguetes y algunas veces habla en voz alta. ¿Debo darle unas nalgadas por hacer ruido?

Mi respuesta: La madre que escribió haciendo esta pregunta revela una comprensión bastante limitada de los niños pequeños. La mayoría de los niños de dos años no pueden unir sus manos y sentarse quietos en la iglesia como tampoco pueden nadar en el océano Atlántico. Ellos se retuercen, se revuelven y se agitan por todos lados cada segundo que están despiertos. No, este niño no debe ser castigado. Debe ser dejado en la sala cuna donde se pueda mover como quiere sin molestar a las personas que están adorando.

Ejemplo: Mi hijo de cuatro años entró a casa y me dijo que había visto un león en el patio. No estaba tratando de hacer una broma. Realmente trató de convencerme que esta mentira era verdad y se disgustó mucho cuando no le creí. Quiero que sea una persona sincera y que diga la verdad. ¿Debí haberle dado algunas nalgadas?

Mi respuesta: Por supuesto que no. Hay una línea muy fina entre la fantasía y la realidad en la mente de los niños edad preescolar, y a menudo confunden ambas. Por ejemplo, me acuerdo de la vez en que llevé a mi hijo a Disneylandia cuando tenía tres años de edad. Definitivamente se aterrorizó con el lobo que acechaba a los tres cerditos. Ryan le echó una mirada a esos dientes afilados e irregulares y lanzó un grito de terror. Tengo una cinta de video invalorable de él corriendo como pudo a la seguridad de los brazos de su madre. Después que llegamos a casa le dije a Ryan que había un «hombre muy bueno» detrás del traje de lobo que no le haría daño a nadie. Mi hijo estaba tan aliviado por esa noticia que tenía que escucharla repetidamente.

Él me decía:

—¿Papá?

—¿Qué, Ryan?

—¡Cuéntame de ese hombre bueno!

¿Lo ve? Ryan no era capaz de distinguir entre un personaje de fantasía y una amenaza verdadera a su salud y su seguridad. Yo diría que la historia del león que se relata en la pregunta anterior fue un producto de la misma clase de confusión. Es muy posible que el niño haya creído que en realidad había un león en el patio. Esta madre habría actuado con sabiduría si hubiera seguido con el juego mientras que le decía al niño con toda claridad que no creía en la historia. Ella podría haber dicho: «¡Oh, por Dios! Un león en el patio. Espero que sea un viejo gato amistoso. Ahora, Jonatán, por favor, lávate las manos y ven a almorzar».

Ejemplo: Juan está en segundo grado y no deja de jugar en la escuela. El mes pasado la maestra había enviado una nota a casa para informarnos de su mal comportamiento, y él la destruyó. Cuando a la semana siguiente fuimos a su escuela para el día de visita de los padres, descubrimos que nos había mentido y que había destruido la nota. ¿Qué hubiera hecho usted?

Mi respuesta: Ése fue un acto deliberado de desobediencia. Después de haber investigado los hechos, es probable que yo le hubiera dado a Juan unas nalgadas por su mal comportamiento en la escuela y por mentirles a sus padres. Luego hubiera hablado con su maestra para saber la razón de sus travesuras en la escuela y considerar por qué tuvo miedo de traer la nota a casa.

PROTEJA EL ESPÍRITU

A ESTAS ALTURAS debo brindar una aclaración y una advertencia muy importantes relacionadas con la tarea de darle forma a la voluntad de los niños de voluntad firme. Tal vez el lector concluya, a partir de lo que ha leído, que yo creo que los «pequeñuelos» son los villanos y que los padres son inevitablemente las buenas personas. Por supuesto que eso no es verdad. Los niños, incluyendo los que en forma regular desafían a la autoridad, son criaturitas maravillosas que necesitan toneladas de amor y de comprensión todos los días de sus vidas. Más aun, es de vital importancia establecer un ambiente equilibrado para ellos, en el cual la disciplina y el castigo ocasional son impartidos en iguales proporciones junto con la paciencia, el respeto y el afecto. El método de la crianza infantil basada en «darles una bofetada» es un desastre, aun para un niño que está determinado a romper todas las reglas. No sólo daña el cuerpo, sino que también le ocasiona un daño permanente al espíritu.

Nuestro objetivo, entonces, no es simplemente darle forma a la voluntad, sino hacerlo sin quebrantar el espíritu. Para entender este doble objetivo de la crianza de los hijos, debemos aclarar la distinción entre la voluntad y el espíritu. La voluntad, como hemos visto, representa el deseo profundamente arraigado en uno de salirse con la suya. La intensidad de esta pasión por la independencia varía de una persona a otra, pero existe en un grado u otro en casi todos los seres humanos. Puede que no se muestre en personas muy dóciles sino hasta que llegan a los veinte, treinta años, o aun cuando son mayores, pero las señales reveladoras están allí, esperando expresarse cuando las circunstancias sean las apropiadas. Por ejemplo, se cree que el trastorno alimenticio de la anorexia, está relacionado con esta apagada obstinación que finalmente se manifiesta en el asunto de la comida. Por lo menos en esta esfera, la «niñita buena», y relativamente menos «niñitos buenos», pueden ganar cierta medida de control sobre las circunstancias que los rodean en la adolescencia o cuando son adultos jóvenes, a pesar de los ruegos agonizantes y las advertencias de los padres, doctores y amigos.

En contraste, la obstinación de un niño muy independiente tal vez esté en total capacidad operativa desde que nace. Es notable lo temprano que puede hacerse notar. Estudios del período neonatal indican que a los dos o tres días de nacido, un bebé es capaz de manipular a sus padres para conseguir lo que quiere y necesita. En 1999, la psicóloga Amanda Woodward, profesora de la Universidad de Chicago, publicó un estudio que concluía que mucho antes que un niño pueda hablar, puede evaluar a los adultos y aprender a interactuar con ellos para obtener ventaja sobre ellos[1]. Este descubrimiento no será ninguna sorpresa para los padres de bebés de voluntad firme, quienes han tenido que pasear a sus hijos hasta altas horas de la madrugada, escuchando a su pequeño bebé expresarles lo que deseaba con mucha claridad.

Un año o dos después, algunos niñitos pueden enojarse tanto que son capaces de aguantar la respiración hasta que pierden el sentido. Cualquier persona que haya sido testigo de esta medida extrema de ira ha quedado horrorizada por su poder. También puede ser algo bastante audaz. La madre de una testaruda niñita de tres años me dijo que su hija se había negado a obedecer una orden directa porque, tal y como lo dijo: «Tú eres sólo una mamá, ¿sabes?». Otra niñita gritaba cada vez que su mamá la tomaba de la mano para guiarla a través de un estacionamiento. Gritaba a todo pulmón: «¡Suéltame! ¡Me estás haciendo daño!». La avergonzada madre, quien tan sólo estaba tratando de asegurarse que su hija estuviera a salvo, tenía entonces que enfrentar las miradas hostiles de las demás personas que pensaban que estaba maltratando a su hija.

En realidad, la voluntariedad es un componente fascinante de la personalidad humana. No es ni frágil ni débil. Puede y debe ser moldeada, formada y puesta bajo la autoridad del liderazgo de los padres. ¿No ha leído usted historias en las noticias acerca de adultos con intenciones suicidas que se pararon sobre cornisas o puentes, amenazando con saltar? Algunos de ellos han desafiado a las fuerzas del Ejército, la Marina y el Cuerpo de Infantería juntas, que trataban desesperadamente de salvarles la vida. Aun cuando estas personas se han dejado ganar emocionalmente por la vida, su determinación de controlar su propio destino se mantenía intacta y en funcionamiento. El punto que quiero destacar es que los padres no van a dañar a un hijo cuando toman los pasos para ganar el control de la naturaleza rebelde de éste, aun cuando a veces esto implique enfrentamiento, firmeza, advertencias, y cuando sea apropiado, un castigo razonable. Sólo aceptando los inevitables desafíos a la autoridad paterna y luego «ganando» en esos momentos críticos pueden los padres enseñarle un comportamiento civilizado a un niño testarudo. Y sólo entonces ese niño tendrá la capacidad de controlar sus propios impulsos en los años que le quedan por delante.

Ahora que hemos hablado sobre la necesidad de darle forma a la voluntad durante los primeros años de la niñez, consideremos la otra obligación en la crianza que debemos enfatizar. Mientras que la voluntad está hecha de titanio y de hierro, el espíritu humano es un millón de veces más delicado. Refleja el concepto o el sentido de valía que un niño siente con respecto a sí mismo. Es la característica más frágil en la naturaleza humana y es especialmente vulnerable al rechazo, al ridículo y al fracaso. Debe manejarse con mucho cuidado.

¿Cómo, entonces, hemos de darle forma a la voluntad al mismo tiempo que conservamos el espíritu? Se logra estableciendo de antemano límites razonables y luego haciéndolos cumplir con amor, al tiempo que se evitan todas las inferencias de que un niño no es querido, no es necesario, que es necio, feo, tonto, que es una carga, que es una vergüenza, o que es un terrible error. Cualquier acusación o comentario imprudente que ataque la dignidad de un pequeño, como: «¡Eres tan tonto!», puede causar un daño que dura toda la vida. Otros comentarios que causan daño incluyen: «¿Por qué no puedes sacar buenas notas en la escuela como tu hermana?», «Has sido insoportable desde el día en que naciste», «Le dije a tu madre que era tonto tener otro hijo», «Hay momentos en los cuales me gustaría darte en adopción», y «¿Cómo alguien podría amar a una cerda como tú?». ¿Pueden en realidad los padres decir cosas tan hirientes como ésas a un hijo? Desdichadamente, pueden y lo hacen. Todos somos capaces de arrojarle palabras duras a un niño o a un adolescente cuando estamos muy enojados o frustrados. Una vez que tales palabras mezquinas y cortantes han salido por nuestra boca, aun cuando pueda que nos arrepintamos unas horas después, tienen una forma de grabarse en el alma de un niño donde puede que se mantengan vivas y virulentas por los próximos cincuenta años.

Este asunto tiene una importancia tan vital que lo hice el tema central de mi libro *Cómo criar a los varones*. Permítame citar una porción de ese texto, el cual debe ser de gran relevancia para los padres que están tratando con un niño de voluntad firme que a veces los irrita.

[Las palabras] son tan fáciles de pronunciar, a menudo dando tumbos sin mucha razón o sin pensarlas bien de antemano. Aquellos que les lanzan críticas o palabras hostiles a los demás tal vez ni siquiera hablen en serio o crean lo que han dicho. Puede que sus comentarios reflejen celos, resentimiento, depresión, fatiga o venganza momentáneos. Sin tener en cuenta la intención, las palabras duras nos arden como si nos picaran abejas asesinas. Casi todos nosotros, incluyéndonos a usted y a mí, hemos pasado por momentos cuando un padre o una madre, un maestro, un amigo, un colega, un esposo o una esposa han dicho algo que nos partió el alma. Esa herida está ahora sellada para siempre en el banco de la memoria. Ésa es la propiedad asombrosa de la palabra hablada. Aun cuando una persona olvida la mayor parte de sus experiencias cotidianas, un comentario particularmente doloroso puede recordarse por décadas. En contraste, la persona que hizo el daño tal vez no recuerde el incidente unos días más tarde.

[La senadora] Hillary Rodham Clinton contó una historia acerca de su padre, quien nunca la alentó afirmando su valía cuando era niña. Cuando estaba en la secundaria, trajo a su casa una libreta de calificaciones con una A en todas las asignaturas. Se la mostró a su padre, esperando una palabra de felicitación. En cambio, él dijo: «Bueno, debes estar asistiendo a una secundaria fácil». Treinta y cinco años más tarde, ese comentario todavía le arde en la mente a la señora Clinton. La respuesta inconsiderada de su padre tal vez no representó nada más que una salida casual, pero creó un punto de dolor que ha perdurado hasta ahora[2].

Si usted duda del poder de las palabras, recuerde lo que el discípulo Juan escribió bajo inspiración divina. Él dijo: «En el principio ya existía el Verbo, y el Verbo estaba con Dios, y el Verbo era Dios» (Juan 1:1). Juan estaba describiendo a Jesús, el Hijo de Dios, a quien se le identificaba personalmente como un verbo, como una palabra. Esto prueba la importancia de las palabras mejor que ninguna otra cosa. Mateo, Marcos y Lucas también registran una declaración profética hecha por Jesús que confirma la naturaleza eterna de sus enseñanzas. Él dijo: «El cielo y la tierra pasarán, pero mis palabras jamás pasarán» (Mateo 24:35). Hasta ahora recordamos lo que Él dijo, más de dos mil años después. Está claro que las palabras son importantes.

Hay más expresiones de sabiduría en cuanto al impacto de las palabras, las cuales están escritas en la carta de Santiago. El pasaje dice así:

> *Cuando ponemos freno en la boca de los caballos para que nos obedezcan, podemos controlar todo el animal. Fíjense también en los barcos. A pesar de ser tan grandes y de ser impulsados por fuertes vientos, se gobiernan por un pequeño timón a voluntad del piloto. Así también la lengua es un miembro muy pequeño del cuerpo, pero hace alarde de grandes hazañas. ¡Imagínense qué gran bosque se incendia con tan pequeña chispa! También la lengua es un fuego, un mundo de maldad. Siendo uno de nuestros órganos, contamina todo el cuerpo y, encendida por el infierno, prende a su ver fuego a todo el curso de la vida.* (Santiago 3:3-6)

¿Se ha encendido alguna vez con las chispas que salieron de su boca? Más importante aun, ¿alguna vez ha encendido el espíritu de algún niño provocándolo a ira? Todos nosotros hemos cometido ese error que nos ha costado tanto. Supimos que habíamos metido la pata en el instante en que el comentario salió de nuestra boca, pero ya era demasiado tarde. Aunque lo intentáramos por cien años, no podríamos retirar un solo comentario. Durante nuestro primer año de matrimonio, Shirley se enojó mucho conmigo por algo que ninguno de los dos podemos recordar. En medio de su frustración, ella dijo: «Si esto es el matrimonio, no quiero parte alguna de esto». Ella no quiso decir eso, y al instante se arrepintió de haberlo dicho. Una hora más tarde nos habíamos reconciliado y perdonado mutuamente, pero lo que dijo Shirley no podía retirarse. A través de los años nos hemos reído de eso, y el asunto no tiene consecuencia alguna hoy. Sin embargo, no hay nada que cualquiera de los dos pueda hacer para borrar lo que se dijo en aquel momento.

Las palabras no solamente se recuerdan toda la vida, sino que si no se perdonan, pueden perdurar más allá de las heladas aguas de la muerte. En Mateo 12:36 leemos: «Pero yo les digo que en el día del juicio todos tendrán que dar cuenta de toda palabra ociosa que hayan pronunciado». Gracias a Dios, que a todos los que tenemos una relación personal con Jesucristo se nos ha prometido que nuestros pecados, y nuestras duras palabras, no nos serán recordadas jamás y que serán echadas tan lejos de nosotros «como lejos del oriente está el occidente» (Salmo 103:12). Sin embargo, sin esa expiación, nuestras palabras nos van a seguir para siempre.

No fue mi intención predicar un sermón aquí, porque no soy ni ministro ni teólogo. Pero encuentro una gran inspiración para todas las relaciones familiares dentro de la gran sabiduría de las Escrituras. Y también es así con referencia al impacto de todo lo que decimos. Lo que nos da miedo a nosotros, los padres, es que nunca sabemos cuándo la cinta del vídeo está corriendo durante nuestras interacciones con nuestros niños y adolescentes. Un comentario que tiene poco significado para nosotros en el momento puede grabarse y repetirse mucho después que hayamos muerto. En contraste, las cosas afectuosas y alentadoras que les decimos a nuestros hijos pueden ser una fuente de satisfacción por décadas. Lo digo otra vez, todo trata acerca del poder de las palabras.

He aquí algo más que debemos recordar. Las circunstancias que precipitan un comentario hiriente para un niño o adolescente son irrelevantes al impacto que éstas tengan. Permítame explicar esto. Aun cuando un niño lo lleve hasta el límite, frustrándolo y haciéndolo enojar hasta el punto de la exasperación, usted, de todas maneras, va a pagar un precio por reaccionar en forma excesiva. Supongamos que pierde la calma y grita: «¡Ya no te soporto más! Ojalá no fueras mi hijo». O: «No puedo creer que hayas reprobado otro examen. ¿Cómo puede un hijo mío ser tan tonto?» Aun cuando cualquier padre o madre normal también se hubiese alterado ante la misma situación, al recordar el incidente en el futuro, el hijo no se va a enfocar en su mal comportamiento ni en su fracaso. Es muy probable que olvide lo que hizo y que provocara la explosión en usted. Pero sí se va a acordar del día en que le dijo que no lo quería o que era un tonto. Eso no es justo, pero tampoco la vida es justa.

Sé que estoy añadiendo cierta medida de culpa a todo esto con estos comentarios. (Mis palabras también son poderosas, ¿no es cierto?) Sin embargo, mi propósito no es herirlo, sino hacerlo tomar conciencia de que todo lo que dice tiene un significado duradero para un niño. Puede que él lo perdone más tarde por «encender el fuego», pero cuánto mejor hubiera sido permanecer calmado. Usted puede aprender a hacerlo con oración y práctica.

También ayudará a entender el hecho que es muy probable que digamos algo que dañe cuando estamos muy enojados, cuando estamos tan perturbados que no estamos pensando de manera racional. La razón se debe a la poderosa reacción bioquímica que sucede dentro de nosotros. El cuerpo humano está equipado con un mecanismo automático de defensa llamado el mecanismo de «pelear o huir», el cual prepara a todo el organismo para la acción. Cuando estamos disgustados o asustados, la adrenalina aumenta en la corriente sanguínea, poniendo en marcha una serie de respuestas psicológicas en el cuerpo. En unos pocos segundos, la persona se transforma de una condición calmada a un estado de «reacción de alarma». El resultado es un padre rojo de ira que grita cosas que no tenía la intención de decir.

Estos cambios bioquímicos son involuntarios y operan en forma separada de la elección consciente. Sin embargo, sí es voluntaria nuestra reacción a ellos.

Podemos aprender a dar un paso hacia atrás en un momento de agitación. Podemos escoger mordernos la lengua y retirarnos de una situación irritante. Como ya habrá escuchado, ayuda contar hasta diez (o hasta 500) antes de responder. Es de suma importancia hacer esto cuando estamos lidiando con niños que nos hacen enojar. Podemos controlar el impulso de atacar verbal o físicamente y evitar hacer lo que sin duda vamos a lamentar haber hecho cuando la cólera se haya enfriado.

¿Qué debemos hacer cuando hemos perdido el control y hemos dicho algo que ha herido profundamente a un niño? Debemos comenzar a reparar el daño lo más pronto posible. Tengo varios amigos que son fanáticos del golf y que en vano han intentado enseñarme ese descabellado deporte. Nunca se dan por vencidos aun cuando es un caso perdido. Uno de ellos me ha dicho que debo reponer el pedazo de césped inmediatamente después de haberlo arrancado y así haber hecho otro hueco con mi palo. Me ha dicho que cuanto más rápido yo pueda volver a colocar ese pedazo de césped en su lugar, tanto más rápidamente sus raíces se van a reconectar con el resto del césped. Mi amigo estaba hablando del golf, pero yo estaba pensando en la gente. Cuando usted ha herido a alguien, ya sea a un niño, a su cónyuge, a un colega, debe curar la herida antes que esta se infecte. Pida perdón, si es lo apropiado. Hable sobre el asunto. Busque la reconciliación. Cuanto más tiempo «el pedazo de césped arrancado» permanece secándose al sol, tanto menos van a ser sus posibilidades de recuperación. ¿No es ése un pensamiento maravilloso? Por supuesto que el apóstol Pablo lo dijo mucho antes. Hace casi dos mil años él escribió: «No dejen que el sol se ponga estando aún enojados» (Efesios 4:26). Ese versículo bíblico se aplica a menudo a los esposos y las esposas, pero yo creo que también es igual de válido con los hijos[3].

Una vez más: La meta cuando tratamos con un niño difícil es darle forma a su voluntad sin quebrantar su espíritu. Es más fácil decir lo que se tiene que hacer para lograr esas dos metas que llevar estas acciones a la práctica. Tal vez sea de ayuda mostrarle la carta de una madre que estaba teniendo muchas dificultades con su hijo Santiago. Su descripción de este hijo y las respuestas que ella le daba ilustran en forma precisa cómo no tratar con un hijo difícil. (Nota: Los detalles de esta carta se han cambiado un poco para ocultar la identidad de la autora).

Querido doctor Dobson:
Más que ninguna otra cosa en este mundo, quiero tener una familia feliz. Tenemos dos hijas, de tres y cinco años, y un hijo de diez años. No se llevan bien entre ellos en absoluto. El niño y su padre tampoco se llevan bien. Y yo me encuentro gritándoles a los niños y frenando a mi hijo para evitar que pegue y patee a sus hermanas.

Su maestra del año pasado pensaba que él necesitaba aprender mejores maneras para llevarse bien con sus compañeros. Él tuvo algunos problemas en el patio de juegos y pasó una temporada horrible en el autobús escolar. Y no parecía que le fuera posible caminar desde la parada del autobús hasta nuestra casa sin meterse en alguna pelea o sin tirarle piedras a alguien. Así que, por lo general, yo misma lo recojo y lo traigo a la casa.

Es muy inteligente, pero escribe muy mal y detesta hacerlo. Es impulsivo y de temperamento volátil (y ahora todos los somos). Es alto y fuerte. Nuestro pediatra dice que «este niño tiene muchas posibilidades». Pero muy pocas veces Santiago encuentra algo constructivo que hacer. Le gusta mirar la televisión, jugar en el agua y cavar hoyos en la tierra.

Estamos muy disgustados con sus hábitos alimenticios, pero no hemos podido hacer nada al respecto. Toma leche y come gelatina, tostadas y galletas. En el pasado, solía comer muchas salchichas y otros embutidos, pero ahora ya no come mucho de esas cosas. Siempre quiere comer chocolate y masticar chicle de bomba. Una de sus abuelas vive cerca y ella se encarga que él tenga suficientes cantidades de estas cosas. Ella también le da de comer comida para bebés. Tampoco hemos podido hacer nada en cuanto a eso.

La maestra de Santiago, los niños del vecindario y sus hermanas se quejan de sus malas palabras y de los sobrenombres que les pone. Ésta es en realidad una situación muy desafortunada porque siempre pensamos en él de forma negativa. Pero no pasa casi ningún día sin que algo se altere o se rompa. Desde que empezó a caminar ha estado rompiendo ventanas. Un día en el mes de junio, llegó temprano de la escuela y encontró que la casa estaba cerrada con llave, así que lanzó una piedra a través de la ventana de su dormitorio, y entró por allí. Hace poco probó el cortador de vidrio en el espejo de nuestro dormitorio. Él pasa mucho tiempo en la casa de su abuela que lo consiente en todo. Creemos que ella es una mala influencia, pero también lo somos nosotros cuando estamos constantemente disgustados y gritando.

De todos modos, ahora tenemos lo que parece una situación imposible. Él se está haciendo más grande y más fuerte, pero para nada más sabio. Entonces, ¿qué hacemos o adónde vamos?

Mi esposo dice que no va a llevar a Santiago a ningún lado nunca más hasta que madure y «actúe como un ser humano civilizado». Ha amenazado con colocarlo en una casa de acogida. Yo no podría enviarlo a un lugar así. Él necesita gente que sepa qué hacer con él. Por favor, ayúdenos si puede.

Sra. T.

P.S. Nuestros hijos son adoptados y no queda casi nada en nuestro matrimonio.

Ésta fue una súplica muy triste pidiendo ayuda, porque la autora fue sin duda sincera cuando escribió «más que ninguna otra cosa en este mundo, quiero tener una familia feliz». Sin embargo, por el tono de la carta, es improbable que *alguna vez* ella haya alcanzado ese gran anhelo. De hecho, esa necesidad específica de coexistencia pacífica y de armonía aparentemente fue lo que la llevó a muchos de sus problemas con Santiago. A ella le faltó el valor para luchar con él. Es probable que ese niño sufriera de TDAH (trastorno por déficit de atención e hiperactividad), sobre el cual hablaremos en un capítulo posterior. Sin embargo, para el bien de nuestra deliberación aquí, observemos los dos errores muy graves que esta madre cometió con su hijo.

En primer lugar, el señor y la señora T. fracasaron en darle forma a la voluntad de Santiago, aunque él estaba clamando para que intervinieran. Produce desasosiego ser su propio jefe a la edad de diez años, sin poder encontrar siquiera a un adulto que sea lo suficientemente fuerte como para que se gane el respeto de uno. ¿Por qué otra razón habría Santiago quebrantado todas las reglas y atacado cada símbolo de autoridad? Le hizo la guerra a su maestra en la escuela, pero ella también quedó desconcertada con el desafío del niño. Todo lo que supo hacer fue llamar a su temblorosa madre e informarle: «Santiago debe aprender mejores maneras para llevarse bien con sus compañeros de clase». (Ésta es una forma amable de decirlo. ¡Estoy seguro que esta maestra podría haber utilizado expresiones mucho más duras en cuanto al comportamiento de este niño en la clase!)

Santiago se comportaba terrible en el autobús escolar, peleaba con sus compañeros de regreso a su hogar, rompía ventanas y cortaba espejos, decía malas palabras y atormentaba a sus hermanas. Comía comida chatarra y rehusaba completar sus tareas escolares o aceptar forma alguna de responsabilidad. No puede existir duda alguna que Santiago estaba gritando: «¡Miren! ¡Estoy haciendo todo mal! ¿Acaso no hay alguien que me ame lo suficiente como para que le importe? ¿No puede alguien ayudarme? ¡Odio al mundo y el mundo me odia a mí!».

La señora T. y su esposo estaban completamente perplejos y frustrados. Ella respondía «gritándoles a los niños» y «frenando a su hijo» cuando se portaba mal. Nadie sabía qué hacer con él. Aun la abuela era una mala influencia. La mamá recurría al enojo, al llanto y a las quejas en voz alta. *No existe* un enfoque más ineficaz en cuanto al manejo de un niño que las demostraciones volcánicas de enojo, como veremos en el siguiente capítulo.

En pocas palabras, la señora T. y su esposo habían abdicado totalmente a su responsabilidad de proveer liderazgo en su familia. Fíjese cuántas veces dijo, en esencia: *somos impotentes para actuar.* Estos padres estaban angustiados por la mala alimentación de Santiago, pero escribieron que «no hemos podido hacer nada al respecto». La abuela le daba a Santiago comida chatarra y chicle de bomba, pero tampoco pudieron hacer nada en cuanto a eso. De igual forma, tampoco pudieron impedir que dijera malas palabras o que atormentara a sus hermanas o que rompiera ventanas o que les lanzara piedras a sus compañeros. Uno se tiene que preguntar: «¿Por qué no?». ¿Por qué era tan difícil de manejar la «barca»» de esta familia? ¿Por qué terminó hecha pedazos en las rocas? ¡El problema es que la barca y la tripulación no tenían capitán! Iban a la deriva ante la ausencia de un líder, alguien que tomara las decisiones y que los guiara a aguas seguras.

La familia T. no solamente fracasó en cuanto a darle forma a la voluntad desenfrenada de Santiago, sino que también atacó su espíritu herido con cada conflicto. No sólo gritaban y lloraban y se retorcían las manos en desesperación, sino que degradaban el sentido de valor y dignidad de Santiago. Casi podemos escuchar a su padre cuando le grita: «¿Por qué no maduras y actúas como un ser humano civilizado? ¡Bueno, te voy a decir algo! ¡Ya no quiero saber más de ti, muchacho! No te voy a llevar a ningún lado nunca más ni voy a decirle a nadie que eres hijo mío. De hecho, no estoy muy seguro que sigas *siendo* mi hijo por mucho tiempo más. Si continúas actuando como un bandolero sin ley, te vamos a echar de la familia, te vamos a poner en una casa de acogida. ¡Entonces veremos cuánto te va a gustar eso!». Y con cada acusación, el amor propio de Santiago bajaba un poco más. ¿Pero hacían esos ataques personales que el niño fuera más dulce y que cooperara más? ¡Por supuesto que no! Él se volvía más malo y más amargado y se convencía más que no valía nada. ¿Se da cuenta? El espíritu de Santiago había sido aplastado, pero su voluntad todavía rugía a la velocidad de un huracán. Y es triste, pero él volcó el odio que sentía por sí mismo sobre sus compañeros y sobre su familia.

Si las circunstancias lo hubieran permitido (es decir, si estuviera casado con otra persona), habría sido un placer para mí tener a Santiago en nuestro hogar por algún tiempo. No creo que era demasiado tarde para salvarlo, y la oportunidad de intentarlo habría hecho que me sintiera desafiado. ¿Cómo hubiera tratado yo a este joven tan desafiante? Dándole el siguiente mensaje tan pronto como él hubiera desempacado: «Santiago, hay varias cosas de las que quiero hablar contigo ahora que eres miembro de la familia. Primero, muy pronto te vas a dar cuenta de lo mucho que te amamos en esta casa. Estoy contento que estés aquí, y espero que éstos sean los mejores días de tu vida. Y debes saber que me importan mucho tus sentimientos y tus problemas y las cosas que te preocupan. Te invitamos a que vinieras aquí porque queríamos que vinieras, y recibirás el mismo amor y respeto que les damos a nuestros propios hijos. Si algo te preocupa, puedes venir y decírnoslo directamente. Yo no me voy a enojar ni voy a hacer que te arrepientas por haberte expresado. Ni mi esposa ni yo vamos a hacer nada deliberado para herirte o tratarte sin amabilidad. Vas a ver que estas promesas que estás escuchando no son promesas vacías. Ésta es la forma en que las personas actúan cuando se preocupan unas por otras, y nosotros ya nos preocupamos por ti.

»Pero, Santiago, hay algunas otras cosas que debes entender. Van a haber algunas reglas definitivas y formas aceptables de comportamiento en este hogar, y tú vas a tener que vivir dentro de ellas, tal y como lo hacen nuestros otros hijos. Yo te las voy a tener por escrito para mañana en la mañana. Tendrás tu parte de las responsabilidades y las tareas, y a tu trabajo escolar se le va a dar mayor prioridad cada tarde. Y debes entender, Santiago, que mi tarea más importante como tu tutor es ver que te comportas de maneras que sean saludables tanto para ti como para las demás personas. Tal vez te tome una semana o dos adaptarte a esta nueva situación, pero vas a salir adelante, y yo estaré aquí para ver que lo hagas. Y cuando rehúses obedecer, te voy a castigar de inmediato. Es más, no te voy a dejar en paz hasta que te des cuenta que no puedes vencer al sistema. Tengo muchas formas de hacerte sentir desdichado, y estoy listo para usarlas cuando sea necesario. Esto te va a ayudar a cambiar algunas de las formas destructivas en las que has estado actuando en los últimos años. Pero aun cuando te tenga que disciplinar, quiero que sepas que en ese momento te amaré tanto como te amo ahora. Nada va a cambiar eso».

La primera vez que Santiago desobedeciera lo que sabía que eran mis instrucciones definitivas, yo habría reaccionado con decisión. No habría habido gritos ni acusaciones derogatorias, aunque rápidamente él descubriría que yo hablaba en serio. A la siguiente mañana hablaríamos sobre el asunto en forma racional, asegurándole nuestro amor continuo, y luego comenzaríamos de nuevo.

¡Aun los niños más infractores normalmente responden bien a esta unión del amor y la disciplina sistemática! Y es una receta que puede usar también en su propio hogar. Le sugiero enfáticamente que la pruebe.

PREGUNTAS Y RESPUESTAS

P: Mi esposo y yo estamos divorciados, así que yo sola tengo que manejar todos los asuntos relacionados con la disciplina. ¿En qué forma cambia esto las recomendaciones que usted ha hecho acerca de la disciplina en el hogar?

R: No las cambia en absoluto. Los principios de la buena disciplina permanecen iguales, sin importar la situación familiar. Los procedimientos se hacen un poco más difíciles para que los implemente una madre o un padre solo dado que no cuenta con apoyo adicional cuando los hijos se vuelven irritables. Los padres y las madres solos tienen que desempeñar ambos papeles, lo cual no es fácil de hacer. Sin embargo, los niños no son indulgentes con las circunstancias difíciles. Al igual que en cualquier familia, el padre o la madre se debe ganar el respeto de los hijos o no lo van a recibir.

P: ¿Qué opina usted de la frase: «A los niños se les debe ver pero no se les debe escuchar»?
R: Esa declaración revela una profunda ignorancia de las necesidades de los niños. No me puedo imaginar cómo algún adulto amoroso pueda criar a un niño vulnerable usando esa filosofía.

P: ¿Iría usted al extremo de pedirle disculpas a un niño si cree que ha estado equivocado?
R: Por supuesto que lo haría, y por cierto que lo he hecho. Hace algunos años yo estaba agobiado con responsabilidades urgentes que me produjeron fatiga e irritación. Una tarde en particular, estaba muy rezongón y de mal genio con mi hija de diez años. Yo sabía que no estaba siendo justo, pero sencillamente estaba demasiado cansado como para rectificar mi forma de actuar. Durante toda la tarde, le eché la culpa a Danae por cosas de las cuales no era culpable, y varias veces la molesté en forma innecesaria. Después de irme a acostar, me sentí mal por la manera en que me había comportado, y decidí pedirle perdón a la mañana siguiente. Después de una buena noche de descanso y de un buen desayuno, me sentí con mucho mayor optimismo con respecto a la vida. Me acerqué a mi hija antes que se fuera a la escuela y le dije: «Danae, estoy seguro de que sabes que los papás no son seres humanos perfectos. Nos cansamos y nos irritamos como cualquier otra persona, y hay veces cuando no estamos orgullosos por la forma en que nos comportamos. Sé que no fui justo contigo anoche. Estaba muy rezongón y quiero pedirte que me perdones».

Danae me rodeó con sus brazos y me hizo estremecer de la cabeza a los pies cuando me dijo: «Yo sabía que ibas a tener que pedirme disculpas, papá, y está bien. Te perdono».

¿Puede acaso haber alguna duda que a veces los niños son más conscientes de las luchas intergeneracionales que sus ocupados y ajetreados padres?

EL ERROR MÁS COMÚN

En NUESTRA DISCUSIÓN sobre Santiago y su familia, dije que tratar de controlar a los niños por medio de muestras de ira y de arrebatos verbales es el enfoque *más* ineficaz para manejar a los niños. No sólo no da resultados, sino que en realidad hace que las cosas empeoren. La doctora Susan Spieker y otros colegas suyos que son investigadores en la Universidad de Washington, descubrieron que los padres que intentan controlar a sus hijos gritándolos e insultándolos tienen mayores probabilidades de causar un comportamiento más perjudicial y desafiante[1]. Tiene sentido, ¿no es verdad? Si usted les grita a sus hijos, ellos le van a gritar a usted... ¡y mucho más! Además, existe un efecto de interacción. A medida que el niño se vuelve más rebelde, los padres se vuelven aun más enojado.

Desdichadamente, cuando se sienten frustrados, la *mayoría* de los adultos caen precisamente en ese patrón de crianza. Los educadores a menudo cometen el mismo error. Una vez escuché a una maestra decir en un programa de televisión nacional: «Me gusta ser una educadora profesional, pero detesto la tarea diaria de enseñar. Mis alumnos se comportan tan mal que tengo que estar enojada con ellos todo el día para controlar la clase». Qué desalentador que se tenga que estar enojado y de mal talante todos los días para evitar que los niños se desenfrenen. Y, sin embargo, muchos maestros (y padres) no conocen de ninguna otra forma para hacerlos obedecer. Créame, ¡es algo extenuante y contraproducente! Veamos por qué el enojo no da resultado.

Considere su *propio* sistema motivador. Suponga que está conduciendo su automóvil una tarde, de regreso a su hogar del trabajo, y que se está excediendo en 60 kilómetros por hora por encima del límite de velocidad establecido. Hay un policía de pie en una esquina, pero no hay mucho que pueda hacer en cuanto a esto. No tiene automóvil, ni motocicleta, ni insignia, ni arma, y no tiene autoridad alguna para dar multas. Todo lo que puede hacer es insultarlo a gritos y mostrarle el puño mientras usted pasa. ¿Causaría eso que usted disminuyera la velocidad? ¡Por supuesto que no! Usted tal vez sonría y lo salude con la mano al pasar de prisa. El enojo del policía sólo enfatiza su impotencia.

Por otro lado, imagínese que conduce una mañana atravesando a toda velocidad una zona escolar de camino a la oficina. De pronto mira por su espejo retrovisor y ve un patrullero blanco y negro que se le viene encima desde atrás. Ocho luces rojas brillan con intensidad y se escucha la sirena a toda potencia. El policía usa su altavoz para decirle que detenga el automóvil al lado de la acera. Cuando usted se ha detenido, él sale de su automóvil y se acerca a la ventanilla de su vehículo. Mide dos metros, su voz suena como la del Llanero Solitario, y lleva una gran pistola a la cadera. Su insignia brilla en la luz. Trae consigo un librito de tapas de cuero, que es un libro de multas, y que usted ya ha visto antes, el mes pasado. El policía le habla con cortesía, pero con voz firme: «Señor, mi radar indicó que usted estaba conduciendo a 100 kilómetros por hora en una zona de 35 kilómetros por hora. Por favor, ¿me permite ver su licencia de conducir?». El policía no le grita, no llora ni lo critica a usted. No tiene por qué hacerlo. Usted se hace gelatina detrás del volante. Con torpeza trata de ubicar la pequeña tarjeta de plástico en su billetera (la que tiene la foto que usted detesta). Le sudan las manos y tiene la boca seca. El corazón le late tan fuerte que parece que se le va a salir por la boca. ¿Por qué le falta el aliento? Es porque el curso de *acción* que ese policía está a punto de tomar es notoriamente desagradable. Va a afectar en forma dramática los futuros hábitos de conducir que usted tiene, o si no cambia, aun le puede causar que tenga que caminar mucho en el futuro.

Seis semanas más tarde, usted aparece delante de un juez para saber su destino. El hombre usa una toga negra y se sienta en lo alto de una sala de justicia. Otra vez, usted tiene los nervios de punta. No porque el juez le grita o lo insulta, sino porque él tiene el poder de hacer que su día sea un poquito más desagradable.

Ni el policía ni el juez tienen que depender del enojo para ejercer influencia sobre su comportamiento. Tienen otros métodos mucho más eficaces para llamarle la atención. La serenidad y la confianza de ellos son parte del aura de autoridad que crea respeto. Pero, ¿qué pasaría si no entendieran eso y comenzaran a gritar y a quejarse? ¿Qué pasaría si uno de ellos dijera: «No entiendo por qué usted no puede manejar como es debido. Le hemos dicho una y mil veces que no puede quebrantar la ley de esta forma. Usted continúa desobedeciendo sin importarle lo que hacemos nosotros». A continuación, con el rostro enrojecido, agrega: «Bien, le voy a decir algo, jovencito, nosotros no vamos a aguantar más esto. ¿Me escucha lo que le digo? Se va a arrepentir de esto...».

Estoy seguro que entiende lo que quiero destacar. El enojo no ejerce influencia alguna sobre el comportamiento a menos que implique que algo irritante está a punto de suceder. En contraste, la *acción disciplinaria* causa que cambie el comportamiento. No sólo el enojo no da resultado, sino que estoy convencido que produce una clase destructiva de falta de respeto en las mentes de nuestros hijos. Ellos perciben que nuestra frustración es causada por nuestra incapacidad para controlar la situación. Para ellos, nosotros representamos la justicia y, sin embargo, estamos al borde de las lágrimas mientras agitamos las manos en el aire y gritamos amenazas y advertencias vacías.

No estoy recomendando que los padres y los maestros oculten sus emociones legítimas de los niños. No estoy sugiriendo que seamos como robots anodinos e insensibles que todo lo guardan dentro. Hay momentos cuando nuestros hijos nos insultan o nos desobedecen, en que es completamente apropiado revelar nuestro desagrado. De hecho, *debe* expresarse en un momento así, o de otro modo vamos a parecer falsos o débiles. Nunca debe convertirse en un medio para conseguir que los hijos se porten bien cuando se nos han acabado las opciones y las ideas. Esto es algo ineficaz y puede dañar la relación intergeneracional.

Permítame darle otra ilustración que puede ser de ayuda. Va a representar a cualquiera de entre 20 millones de hogares en una tarde normal. Enrique está en segundo grado y es un constante remolino de actividad. Ha estado meneándose y riéndose desde que se levantó esa mañana, pero en forma increíble, todavía tiene energía de más que debe consumirse. Su madre no está en las mismas condiciones. Ella ha estado de pie desde que se levantó tambaleándose a las 5:30 de la mañana. Preparó el desayuno para la familia y luego limpió todo el desorden, envió a papá para el trabajo, mandó a Enrique a la escuela, y si trabaja fuera del hogar, llevó a los niños más pequeños a una guardería infantil y se apresuró para llegar a su trabajo. O si es una mamá que no trabaja fuera del hogar, se ha acostumbrado a un largo día tratando que sus hijos en edad preescolar no se maten unos a otros. Para cuando llegan las últimas horas de la tarde, ya lleva nueve horas de trabajo sin ningún período de descanso. (Los niños que comienzan a caminar no se toman períodos de descanso, a menos que duerman la siesta; así que, ¿por qué deben descansar sus madres?)

A pesar de lo fatigada que está mamá, apenas si puede considerar que su trabajo del día ha terminado. Papá llega del trabajo y trata de ayudar, pero él también está cansado. Mamá todavía tiene por lo menos otras seis horas de trabajo que hacer, incluyendo comprar la comida, preparar la cena, bañar a los pequeñitos, cambiarles los pañales, acostarlos, y ayudar a Enrique con sus tareas escolares. Yo me deprimo cuando pienso en estas mamás tan cansadas que todavía están trabajando hacia el final del día.

Sin embargo, Enrique no tiene un espíritu muy colaborador, y llega a casa de la escuela con ganas de hacer travesuras. Como no puede encontrar nada interesante que hacer, comienza a irritar a su nerviosa madre. Molesta a su hermanita hasta que casi la hace llorar, le tira de la cola al gato y derrama el agua del perro. A estas alturas, mamá está rezongona, pero Enrique actúa como si no lo notara. Luego va al armario de los juguetes y comienza a sacar juegos y cajas de juguetes de plástico y a sacar suficientes bloques como para armar una pequeña ciudad. Mamá sabe que alguien va a tener que recoger todo ese desorden, y tiene una vaga noción de quién va a ser la persona que haga esa tarea. La intensidad de la voz de ella se eleva otra vez. Le ordena al niño que vaya al baño a lavarse las manos para estar listo para la cena. Enrique desaparece por quince minutos. Cuando regresa, todavía tiene las manos sucias. El pulso de mamá está muy agitado y tiene una sensación muy intensa de migraña sobre el ojo izquierdo. ¿Le parece conocido?

Finalmente llega la hora en que Enrique se debe acostar. Pero él no *quiere* irse a dormir, y sabe que le va a llevar a su ajetreada madre por lo menos treinta minutos hacerlo ir a dormir. Enrique no hace *nada* contra su voluntad a menos que su madre se enoje mucho y pierda el control con él. Enrique está sentado en el suelo, jugando con sus juguetes. Mamá mira su reloj y dice: «Enrique, son casi las ocho [una exageración de treinta minutos], así que recoge tus juguetes y ve a darte un baño». Ahora bien, tanto Enrique como su mamá saben que ella no quiso decir que él tomara el baño de inmediato. Lo que ella quería era que él simplemente comenzara a pensar en tomar un baño. Ella habría caído desmayada si él hubiera respondido a su orden hueca.

Aproximadamente unos diez minutos más tarde, mamá habla de nuevo: «Escucha, Enrique, se está haciendo tarde, y mañana tienes que ir a la escuela; quiero que recojas esos juguetes y luego quiero que vayas a la bañera». Todavía ella no espera que Enrique la obedezca, y él lo sabe. El verdadero mensaje de ella es: «Nos estamos acercando, Enrique». El muchacho se mueve un poco y apila un par de cajas para demostrar que la ha escuchado. Luego se sienta para jugar unos cuantos minutos más. Pasan seis minutos y mamá da otra orden, esta vez con más vehemencia y amenaza en su voz: «Escucha, jovencito, te dije que te movieras, ¡y hablaba en serio!». Para Enrique, esto quiere decir que debe recoger sus juguetes e ir s-e-r-p-e-n-t-e-a-n-d-o lentamente hacia la puerta del baño. Si su madre lo persigue con rapidez, entonces él debe llevar a cabo su asignación a toda prisa. Sin embargo, si la mente de su madre divaga antes de llevar a cabo este último paso del ritual, o si el teléfono suena milagrosamente, Enrique está libre para disfrutar unos pocos minutos más de gracia.

¿Ve usted? Enrique y su madre están involucrados en una obra familiar de un solo acto. El niño conoce las reglas y el papel que está desempeñando el otro actor. La escena completa está preprogramada, escrita en un guión y computarizada. Es prácticamente una repetición de un escenario que se da noche tras noche. Cada vez que mamá quiere que Enrique haga algo que a él no le gusta, ella avanza a pasos graduales de falso enojo, comenzando con calma y terminando con el rostro enrojecido y con amenazas. Enrique no se tiene que mover sino hasta que ella llega al punto del enrojecimiento, lo que le señala que está lista para hacer algo al respecto. ¡Qué necio es este juego! Puesto que mamá controla a Enrique con amenazas huecas, ella debe estar medio irritada todo el tiempo. Su relación con sus hijos está contaminada, y ella termina cada día sintiendo que la cabeza le va a estallar. Nunca puede contar con la obediencia instantánea, porque le lleva por lo menos de 20 a 30 minutos llegar a un grado de enojo creíble.

Cuánto mejor es usar la acción para obtener el comportamiento deseado y evitar el estallido emocional. Cientos de enfoques van a traer el resultado deseado: algunos involucran un dolor mínimo; otros le ofrecen una recompensa a un niño menos malcriado.

Cuando los pedidos de obediencia que se le hacen a un niño de forma calmada son pasados por alto, mamá o papá deben contar con algunas maneras de hacer que el niño coopere. Para aquellos que no pueden pensar en tal método, le voy a sugerir uno: Hay un músculo que está cómodamente asentado contra la base del cuello. Los libros de anatomía lo llaman el músculo trapecio, y cuando se aprieta con firmeza, envía pequeños mensajes al cerebro diciendo: «Esto duele. Evita todas las repeticiones cueste lo que cueste». El dolor es sólo temporal y no causa daño si se hace de la forma en que lo estoy sugiriendo. Pero es un recurso asombrosamente práctico y eficaz para los padres cuando sus hijos pasan por alto una orden directa para que se muevan.

Volvamos a la escena de la hora de acostarse de Enrique y voy a sugerir cómo se podría haber desarrollado en forma más eficaz. Para comenzar, su madre le debía haber advertido que tenía quince minutos más para jugar. A nadie, sea niño o adulto, le gusta que le interrumpan de golpe la actividad que está realizando. Entonces hubiera sido sabio fijar el reloj despertador o el reloj de la cocina. Cuando los quince minutos pasaron y sonó el reloj, mamá le debió haber dicho a Enrique con toda calma que se fuera a tomar su baño. Si él no se movía de inmediato, podía haber tomado el rostro de Enrique entre sus manos, haberlo mirado directamente a los ojos y decirle con convicción y no con frustración: «Hazlo AHORA. ¿Me entiendes?». Si el niño cree en lo profundo de su corazón que ella está lista para castigarlo por demorarse, no será necesario castigarlo. Si Enrique aprende que invariablemente le acontecerá éste u otro procedimiento desagradable en un momento tal, se moverá antes que sigan las consecuencias. La autoridad, ve usted, es una cosa sutil. Mayormente se comunica por medio de la confianza y la determinación, y algunas veces con un poco de bravata.

En cuanto al uso del castigo, sé que algunos lectores tal vez digan que la aplicación deliberada y premeditada de un poco de dolor a un pequeño es algo duro y falto de amor. A otros, tal vez les parezca algo de la época de los bárbaros. Es obvio que estoy en desacuerdo. Si se da la elección entre una madre tensa, gritona, amenazadora y que explota varias veces al día y una mamá que tiene una respuesta razonable y controlada a la desobediencia, por cierto que recomendaría la segunda opción. A la larga, el hogar tranquilo es mejor para Enrique también, debido a que se evita la lucha intergeneracional.

Por otro lado, cuando un pequeño descubre que no hay amenaza detrás de los millones de palabras que escucha, él deja de escucharlas. A los únicos mensajes que responde es a los que han alcanzado la cumbre de la emoción, lo que quiere decir muchos gritos y alaridos. El niño está tirando en la dirección opuesta, poniéndole a mamá los nervios de punta y creando tensiones en la relación entre madre-hijo. Ante la ausencia de una acción temprana en el conflicto, por lo general la madre o el padre terminan castigando de todos modos. También es más probable que las consecuencias sean severas, porque para entonces los adultos ya están irritados y fuera de control. Y en lugar de administrar la disciplina de una forma calmada y juiciosa, el padre o la madre está nervioso y frustrado, y mueve los brazos en forma descontrolada ante el agresivo niño. No hay razón para que hubiera ocurrido una pelea. La situación hubiera tenido un final muy diferente si mamá hubiese demostrado una actitud de confiada autoridad.

Volvamos a Enrique y a su madre. Hablando con calma, casi de manera placentera, mamá dice: «Tú sabes lo que pasa cuando no me haces caso; bien, no veo ninguna razón por la cual deba hacerte sentir incómodo para lograr tu cooperación esta noche, pero si insistes, voy a jugar el juego contigo. Cuando suene el reloj me dices cuál es tu decisión».

Entonces el niño hará la elección, y las ventajas de obedecer los deseos de su madre son claras. No es necesario que ella grite. No es necesario que lo amenace con matarlo. No es necesario que se disguste. Ella es quien manda. Por supuesto, mamá va a tener que demostrar unas dos o tres veces que va a aplicar el dolor u otro castigo si es necesario. De vez en cuando, a lo largo de los meses siguientes, Enrique va a verificar si ella todavía está al timón. Esa pregunta se responde con facilidad.

Comprender la interacción entre Enrique y su madre puede ser muy útil para aquellos padres que se han vuelto gritones y que no saben por qué. Miremos su relación durante esa noche conflictiva tal y como se presenta en el diagrama 3. Note que la mamá de Enrique lo saluda en la puerta cuando él llega de la escuela, lo que representa un punto bajo de irritación. Sin embargo, desde ese momento en adelante, sus emociones aumentan y se intensifican hasta que llega el momento de la explosión al final del día.

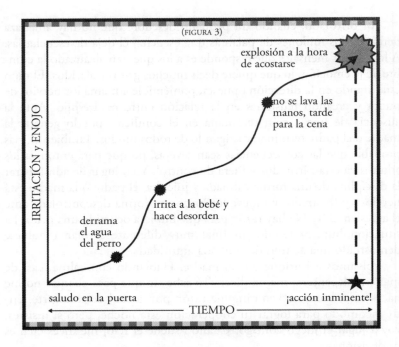

(FIGURA 3)

explosión a la hora de acostarse

no se lava las manos, tarde para la cena

irrita a la bebé y hace desorden

derrama el agua del perro

saludo en la puerta

¡acción inminente!

IRRITACIÓN y ENOJO

TIEMPO

Para el momento de su última explosión de enojo a la hora de acostarse, mamá le deja claro a Enrique que ya no va a dar más advertencias y que ahora está lista para tomar la acción definitiva. ¿Ve usted? La mayoría de los padres (aun aquellos que son muy permisivos) tienen un punto en la escala más allá del cual ya no van a ser empujados; el castigo inevitable se asoma inmediatamente al cruzar esa línea. Lo sorprendente en cuanto a los niños es que saben *exactamente* dónde sus padres por lo general ponen la línea. Los adultos les revelamos a ellos nuestros puntos de acción particulares por lo menos en seis u ocho formas sutiles: Sólo en esos momentos usamos su nombre completo (Enrique Augusto Fernández, ¡de inmediato a la bañera!). O nuestra forma de hablar se hace más entrecortada y abrupta («Jovencita, ¡te dije...!). El rostro se nos enrojece (una clave importante), saltamos de la silla, y el niño sabe que ha llegado la hora de cooperar. Todo es un juego.

La otra cosa interesante en cuanto a los niños es que cuando han identificado las circunstancias que preceden inmediatamente a la acción disciplinaria, van a llevar a sus padres hasta esa barrera y van a chocar contra ella repetidas veces, pero *rara vez* van a ir más allá en forma deliberada. Una o dos veces Enrique va a pasar por alto los fuegos artificiales emocionales de su madre, sólo para ver si ella tiene el valor de cumplir lo que ha prometido. Cuando esa pregunta ha sido contestada, él va a hacer lo que ella demanda en el preciso instante para evitar el castigo.

Ahora bien, esto nos lleva a la parte más importante de esta deliberación. Debo admitir que lo que estoy a punto de escribir es difícil de expresar y que tal vez mis lectores no lo entiendan completamente. Sin embargo, puede ser de mucho valor para los padres que quieren dejar de enfrascarse en este tipo de luchas con sus hijos.

He dicho que el enojo en la crianza a menudo le indica a un niño que el padre ha llegado a su línea de acción. Por lo tanto, los hijos obedecen, aunque con reticencia, sólo cuando mamá y papá se enojan, indicando que ahora van a recurrir al castigo. Por otro lado, los padres observan que la rendición del niño ocurre simultáneamente con el enojo de ellos y en forma errada concluyen que su explosión emocional es lo que forzó al niño a ceder. Así, el enojo de ellos parece necesario para el control en el futuro. Han malinterpretado la situación de manera rotunda.

Volviendo una vez más a la historia de Enrique, recuerde que su madre le dice en forma repetida que vaya a darse un baño. Sólo cuando ella explota él se mete en la bañera, llevándola a creer que su enojo es lo que produjo la obediencia del niño. ¡Está equivocada! No fue su enojo lo que envió a Enrique a la bañera, fue la *acción* que él creyó que era inminente. El enojo de ella no fue más que un aviso que mamá estaba lo suficientemente frustrada como para darle unas nalgadas. ¡Para Enrique eso es un *asunto importante*!

He escrito todo este capítulo para transmitir este único mensaje: Usted no necesita *enojarse* para controlar a los niños. Lo que *sí* necesita es la acción estratégica. Además, usted puede aplicar la acción en cualquier momento que sea conveniente, y los niños van a vivir contentos dentro de ese límite. De hecho, cuanto más se acerque la acción colocándose frente a la línea del conflicto, tanto menos castigo se requerirá y éste será necesario con menor frecuencia. Apretarle un poco el músculo trapecio no es un elemento de disuasión suficiente después de una lucha de dos horas, pero es más que adecuado cuando el conflicto es mínimo. (De paso, no recomiendo que las mamás que pesan menos de 54 kilogramos le aprieten los músculos del hombro a sus hijos adolescentes que son grandes. Hay riesgos definitivos involucrados en ese procedimiento. La regla general a seguir, es que si no puede alcanzar el músculo sin levantar el brazo, no lo apriete.)

El fallecido doctor Benjamin Spock, quien escribiera el eterno éxito de librería *El cuidado de su hijo del Dr. Spock,* fue muy criticado por su enfoque liberal de la crianza de los hijos[2]. Se le echó la culpa de haber debilitado la autoridad paterna y materna, y de haber producido toda una generación de niños irrespetuosos e ingobernables. Para el hombre común y corriente, el doctor Spock llegó a ser el símbolo de la tolerancia y la indulgencia extrema en las relaciones de padres e hijos. Fue una falsa acusación. Yo almorcé con él un día después de haber sido invitados a un programa de televisión nacional y encontré que nuestras perspectivas eran sorprendentemente similares en la mayoría de las cosas que no tuvieran que ver con la política.

Tal vez en respuesta a las críticas que experimentó, el doctor Spock publicó un artículo aclarador titulado «How not to Bring Up a Bratty Child» [«Cómo no criar a un hijo mimado»]. En dicho artículo escribió: «La sumisión en la crianza no evita las cosas desagradables, las hace inevitables». El desafío de un hijo, dijo él «hace que el padre se resienta cada vez más, hasta que finalmente explota en una demostración de enojo»[3]. Agregó: «La forma de conseguir que un niño haga lo que debe hacer, o deje de hacer lo que no debe hacer, es siendo claros y definitivos cada vez... La firmeza en la crianza también contribuye a que se tenga un niño más feliz[4]. Finalmente, justo antes de morir a la edad de noventa y tres años, se citó al anciano pediatra con las siguientes palabras: «Está bien que los padres respeten a sus hijos, pero a menudo ellos se olvidan de pedir que éstos les devuelvan el respeto»[5].

El doctor Spock estaba definitivamente en lo cierto. Si usted no toma una posición con su hijo cuando éste es muy pequeño, el niño *se ve obligado* por su naturaleza a empujarlo a usted un poco más. Las horribles batallas son inevitables, especialmente durante los años de la adolescencia. El padre o la madre que titubea y tiene sentimientos de culpa y que está muy ansioso por evitar los enfrentamientos a menudo se encuentra gritando y amenazando a lo largo del día, y finalmente dándole una paliza a su hijo. De hecho, el abuso físico puede ser el resultado final. Sin embargo, si mamá y papá tienen el valor y la convicción de proveer un liderazgo firme desde los primeros días de la niñez, administrándolo dentro de un contexto de verdadero amor, ambas generaciones disfrutarán de una atmósfera de armonía y respeto. ¡Esto es precisamente lo que he estado tratando de enseñar por más de treinta años!

Esta simple explicación contiene una comprensión de los niños que algunos adultos entienden intuitivamente, y que otros nunca captan del todo. El concepto abarca el delicado equilibrio entre el amor y el control, reconociendo que implementar una línea de acción razonable y firme no daña el amor propio; en cambio, representa una fuente de seguridad para un niño inmaduro.

Muchas madres me han dicho a través de los años: «No entiendo a mis hijos. Hacen exactamente lo que les pide su padre, pero a mí no me hacen caso». Puede haber varias razones para esta diferencia. Primero, los padres pueden ser mucho más intimidantes que las madres tan sólo por su «presencia». El hecho es que a menudo los padres son mucho más grandes físicamente y que poseen una voz más profunda que tiene una forma de alentar a un niño para que responda con mayor rapidez a su disciplina. En segundo lugar, a menudo los niños buscan la aprobación de sus padres, y cuando él les expresa su desilusión, lo toman con más seriedad. Finalmente, y lo más pertinente aquí, es que las madres a menudo se agotan y dejan de ser consecuentes con la disciplina, debido a que ellas por lo general pasan más tiempo con sus hijos. Cuando ése es el caso, los niños son lo suficientemente inteligentes como para darse cuenta que papá establece su línea de acción antes que mamá, y se van a comportar de acuerdo a eso.

Existe otro factor: A menudo los niños entienden estas fuerzas mejor que sus padres, quienes están empantanados en medio de las responsabilidades y las preocupaciones propias de los adultos. Es por eso que tantos niños pueden ganar la batalla de las voluntades; ellos ponen su empeño *fundamental* en el juego, mientras que nosotros los adultos sólo jugamos cuando es necesario que lo hagamos. Un padre escuchó a su hija de cinco años, Laura, decirle a su hermanita pequeña: «Ajá le voy a decir a mamá lo que hiciste. ¡No! Se lo voy a decir a papá. ¡Él es peor!». Laura había evaluado las medidas disciplinarias de su padre y de su madre y había concluido que una era más eficaz que la otra.

Su padre había observado que esta misma niña se había vuelto muy desobediente y desafiante. Irritaba a otros miembros de la familia y buscaba formas de evitar obedecer a sus padres. Su papá decidió no enfrentarla directamente por este comportamiento, sino castigarla en forma consecuente por cada ofensa hasta que se calmara. Por tres o cuatro días, él no le permitió a Laura escaparse de ninguna corrección. Le dieron nalgadas, la hicieron quedarse parada en un rincón y la enviaron a su dormitorio. Al final del cuarto día, ella estaba sentada en su cama con su papá y su hermanita menor. Sin ninguna provocación, Laura le tiró del pelo a la niñita. Su padre de inmediato la disciplinó. Laura no lloró, sino que se quedó en silencio por un momento o dos, y luego dijo: «¡Vaya! Ninguno de mis trucos está resultando!».

Si se remonta a los años de su propia niñez, tal vez recuerde hechos similares en los que usted analizaba conscientemente las técnicas disciplinarias de los adultos y estudiaba sus debilidades. Cuando yo era niño, una vez pasé la noche con un amigo bravucón que parecía saberse todos los movimientos que sus padres iban a hacer. Ernesto era como un general del ejército que había descifrado el código de enemigo, lo que le permitía una mayor habilidad que la de sus oponentes en cada ocasión. Después que nos acostáramos en nuestras camas gemelas aquella noche, él me dio una descripción increíble del temperamento de su padre.

Ernesto dijo: «Cuando mi papá se enoja, usa palabras muy malas que te van a sorprender». (Me dio tres o cuatro ejemplos asombrosos). Yo le dije: «No lo puedo creer». El señor Walker era un cristiano muy alto y reservado, quien parecía ser una persona equilibrada. Yo simplemente no podía concebir que él dijera las palabras que Ernesto me había dicho.

«¿Quieres que te lo demuestre?», me preguntó Ernesto con picardía. «Todo lo que tenemos que hacer es seguir riéndonos y hablando en lugar de dormirnos. Mi papá va a venir y nos va a decir que nos callemos una y otra vez, y cada vez que trate de hacernos callar se va a enojar más y más. Entonces vas a escuchar las palabrotas. Espera y verás».

Yo tenía un poco de dudas en cuanto al plan, pero quería ver al majestuoso señor Walker cuando perdiera los estribos. Así que Ernesto y yo mantuvimos a su pobre padre yendo y viniendo a nuestro cuarto como un yoyó durante más de una hora. Y tal y como su hijo lo había predicho, él se volvía más intenso y hostil cada vez que volvía a nuestro dormitorio. Me estaba poniendo muy nervioso y hubiera querido que suspendiéramos la demostración, pero para Ernesto ya no era algo nuevo. Él me decía una y otra vez: «Ya no falta mucho».

Finalmente, cerca de la medianoche sucedió. La paciencia del señor Walker se extinguió. Vino como un tornado por el pasillo hasta nuestro dormitorio, haciendo temblar toda la casa con sus pasos. Entró al dormitorio y se precipitó sobre la cama de Ernesto, dándole unos manotazos al niño que estaba seguro debajo de tres o cuatro frazadas. Entonces de sus labios salió una sarta de palabras que muy pocas veces habían llegado a mis tiernos oídos. Yo estaba horrorizado, pero Ernesto estaba encantado.

Incluso cuando su padre estaba golpeando las frazadas con sus manos y gritando obscenidades, Ernesto se levantó un poco y me gritó: «¿Lo escuchaste? ¿Ah? ¿No te lo dije? ¡Te dije que iba a decir esto!». ¡Es un milagro que el señor Walker no matara a su hijo en ese momento!

Permanecí despierto aquella noche pensando en el episodio y decidí que *nunca* iba a dejar que un niño me manipulara de esa forma cuando yo fuera adulto. ¿Se da cuenta de lo importante que son las técnicas disciplinarias para que un niño respete a sus padres? Cuando una personita que pesa veinte kilogramos puede reducir en forma deliberada a su poderosa madre o padre a una masa de frustración temblorosa y refunfuñona, algo cambia en la relación. Se ha perdido algo precioso. El niño desarrolla una actitud de desdén que de seguro va a explotar durante los tormentosos años de la adolescencia que van a llegar. De todo corazón quisiera que todos los adultos entendieran esa simple característica de la naturaleza humana.

He conocido unos cuantos adultos astutos que tenían una gran habilidad para liderar a los niños. Uno de ellos vivía cerca de nosotros en Arcadia, California. Él era el dueño y director de la escuela de natación de Bud Lyndon, y tenía una comprensión notable de los principios de la disciplina. A mí me gustaba mucho sentarme al costado de la piscina y observar a este hombre cuando trabajaba. Sin embargo, hay unos cuantos expertos en el desarrollo infantil que podrían explicar por qué él tenía tanto éxito con los pequeños nadadores en su piscina. No era una persona de maneras suaves ni delicadas; de hecho, tendía a ser un poco áspero. Cuando los niños no obedecían, les salpicaba agua en la cara y les decía con firmeza: «¿Quién te dijo que te movieras? Quédate donde te puse hasta que te diga que nades». Él llamaba a los muchachos «los hombres del mañana» y usaba otros apelativos parecidos. Su clase era como un regimiento y cada minuto se usaba con un propósito. Sin embargo, ¿lo creería usted? Los niños amaban a Bud Lyndon. ¿Por qué? Porque ellos sabían que él los amaba. Su manera áspera llevaba un mensaje de afecto que tal vez se le escapara al observador adulto. El señor Lyndon nunca avergonzaba a un niño en forma intencional, y encubría al pequeño que nadaba mal. Con delicadeza equilibraba su autoridad con un afecto sutil que atraía a los niños como las flores a las abejas. El señor Bud Lyndon entendía el significado de la disciplina con amor.

Cuando yo estaba en noveno grado, tuve un entrenador de atletismo que tuvo el mismo efecto en mí. Él era lo máximo del momento, y nadie se *atrevía* a desafiar su autoridad. Yo hubiera peleado con leones antes de enfrentarme al señor Ayers. Sí, le tenía miedo. Todos le teníamos miedo. Pero él nunca abusó de su poder. Me trató con cortesía y respeto en una época en que yo necesitaba de toda la dignidad que me fuera posible obtener. Además de aceptar a las personas, había en él una obvia confianza en sí mismo y capacidad para liderar a una manada de zorros adolescentes que se habían devorado a otros maestros menos capaces. Y es por eso que mi entrenador de educación física de noveno grado tuvo una influencia sobre mí mayor que cualquier otra persona cuando yo tenía quince años. El señor Craig Ayers entendía lo que era la disciplina con amor.

No todos los padres y las madres pueden ser como el señor Lyndon o el señor Ayers, y no sugeriría que trataran de serlo. Tampoco sería sabio que un padre o una madre en el hogar desplegara la misma rudeza que es apropiada en el campo de atletismo o en la piscina. Los padres deben hacer que su enfoque disciplinario vaya de acuerdo con sus propios patrones de personalidad y las respuestas que se sienten como naturales. Sin embargo, el principio primordial permanece igual para hombres y mujeres, para padres y madres, para entrenadores y maestros, para pediatras y psicólogos: Involucra la disciplina con amor, una introducción razonable a la responsabilidad y al dominio propio, al liderazgo en la crianza con un mínimo de enojo, al respeto por la dignidad y a la valía del niño, a los límites realistas que se hacen cumplir con firmeza confiada, y a un uso acertado de recompensas y castigos para aquellos que presentan desafío y se resisten. Es un sistema que lleva la aprobación del Creador mismo.

PREGUNTAS Y RESPUESTAS

P: Es fácil para usted decirme que no me enoje con mis hijos, pero hay veces cuando sencillamente me enfurecen. Por ejemplo, es una pesadilla para mí lograr que mi hija de diez años esté lista para ir a la escuela por las mañanas. Se levanta cuando le insisto, pero se entretiene y se pone a jugar tan pronto como salgo de su cuarto. Tengo que aguijonearla, empujarla y hacerle advertencias cada cierto tiempo o si no se le hace tarde. Así que me enojo más y más y por lo general termino insultándola a gritos. Sé que ésta no es la mejor

manera de manejarla, pero ¡me hace enojar tanto! Dígame que hago para que se mueva sin llegar a esto todos los días.
R: Usted está siguiéndole el juego a su hija al asumir la responsabilidad que tiene de alistarse cada mañana. Definitivamente, una niña de diez años debe poder manejar esa tarea por su cuenta, pero es probable que su enojo no logre que ella sea independiente. Permítame ofrecerle una posible solución que ha sido útil para otros padres. Se va a enfocar en una niña llamada Débora.

El problema de Débora de no estar lista a tiempo en las mañanas se relacionaba principalmente a su obsesión en cuanto a su dormitorio. No salía para ir a la escuela a menos que su cama estuviera hecha y cada cosita estuviera en su lugar. Esto no fue algo que su madre le enseñara; Débora siempre había sido muy meticulosa en cuanto a sus posesiones. (Debo agregar que su hermano nunca tuvo este problema). Con mucha facilidad podría haber terminado esas tareas a tiempo si hubiera estado motivada para hacerlo, pero nunca estaba lo suficientemente apurada. Así que mamá comenzó a caer en el mismo hábito que usted describió: advertencias, amenazas, empujándola y finalmente enojándose a medida que el reloj avanzaba hacia la hora que la niña debía salir.

La madre de Débora y yo hablamos sobre el problema y estuvimos de acuerdo en que tenía que haber un mejor método para superar la mañana. En consecuencia, creé un sistema que denominamos «puntos de verificación». Funcionaba así: A Débora se le instruyó que debía levantarse antes de las 6:30 cada mañana. Era responsabilidad de ella poner el despertador y levantarse sola. Tan pronto como se levantaba, de inmediato iba a la cocina, donde había un horario pegado a la puerta del refrigerador. Entonces trazaba un círculo alrededor de «sí» o «no» al primer punto de verificación (levantarse antes de las 6:30) para ese día. Incluso un minuto más tarde se consideraría como un fracaso en cumplir con el punto de verificación. No podía haber sido más simple. O se había levantado o no se había levantado antes de las 6:30.

El segundo punto de verificación ocurría a las 7:10. Para esa hora, Débora debía tener su cuarto arreglado a su propia satisfacción, estar vestida, haberse lavado los dientes y peinado, etcétera, y estar lista para practicar piano. Cuarenta minutos era tiempo más que suficiente para estas tareas, las cuales se podían hacer en 10 ó 15 minutos si ella se quería apurar. Así, la única forma en que podía no lograr el segundo asunto de la lista era pasándolo por alto deliberadamente

Ahora bien, ¿qué significado tenían esos puntos de verificación? ¿Acaso si no lograba cumplirlos habría enojo, ira y crujir de dientes? ¡Por supuesto que no! Las consecuencias eran claras y justas. Si Débora fallaba en alguno de los puntos de verificación, debía irse a dormir treinta minutos más temprano de lo usual esa noche. Si fallaba en dos, debía irse a la cama una hora antes de su horario asignado. Le era permitido leer durante ese tiempo en la cama, pero no podía mirar televisión o hablar por teléfono. Este procedimiento le quitó toda la presión de las mañana a la madre y la colocó sobre los hombros de Débora, que es donde correspondía. Hubo ocasiones cuando mamá se levantaba con el tiempo justo para preparar el desayuno, y encontraba a Debbie sentada al piano, vestida y lista para enfrentar el día.

Este sistema de disciplina puede servir de modelo para los padres cuyos hijos tienen problemas de comportamiento similares. No fue opresivo; de hecho, a Débora pareció gustarle tener una meta que alcanzar. Los límites para lograr un rendimiento aceptable estaban definidos más allá de toda duda. La responsabilidad se hallaba claramente puesta en la niña. Las consecuencias por el incumplimiento eran justas y se imponían con facilidad. Y este sistema no requería de enojo ni de la pérdida de la calma por parte de los adultos.

Usted puede adaptar este sistema para resolver los conflictos espinosos en *su* hogar. El único límite se encuentra en la creatividad e imaginación de los padres.

P: Algunas veces mi esposo y yo estamos en desacuerdo en cuanto a nuestra forma de impartir disciplina y discutimos frente a los niños acerca de lo que es mejor. ¿Cree que esto es perjudicial?
R: Sí, lo creo. Usted y su esposo deben presentar un frente unido, especialmente cuando los niños están observando. Si están en desacuerdo con relación a un asunto, pueden discutirlo más tarde en privado. A menos que los dos lleguen a un consenso, sus hijos van a comenzar a percibir que las normas del bien y del mal son arbitrarias. También van a insistirle al progenitor más firme hasta conseguir la respuesta que quieren. También hay consecuencias más serias para los niños cuando los padres son radicalmente diferentes en su enfoque.

He aquí el punto de peligro: Algunos de los adolescentes más hostiles y agresivos que he visto vienen de grandes grupos familiares en donde los padres se han inclinado en direcciones opuestas en lo que respecta a su disciplina. Suponga que el padre no es cariñoso y está desinteresado en el bienestar de sus hijos. Su enfoque es duro y físico. Él viene a la casa cansado y tal vez les pegue a sus hijos si se le cruzan en el camino. La madre es consentidora por naturaleza. Se preocupa todos los días por la falta de amor en las relaciones padre-hijo/hija. Finalmente, ella comienza a compensar esta carencia. Cuando papá manda al hijo a dormir sin cenar, mamá le lleva a escondidas leche y galletitas. Cuando él dice que no a un pedido en particular, ella encuentra una forma de decir que sí. Ella deja que los hijos hagan lo que les dé la gana porque no le nace enfrentarlos.

Lo que sucede en esas circunstancias es que las figuras de autoridad en la familia se contradicen una a la otra o se anulan la una a la otra. Por lo tanto, el hijo queda atrapado en medio y a menudo crece odiando a ambos padres. No siempre sucede de esta forma, pero la probabilidad para que haya problemas es alta. Se debe buscar el terreno medio entre los extremos del amor y el control si vamos a criar hijos saludables y responsables.

P: Ahora veo que he hecho muchas cosas mal con mis hijos. ¿Puedo deshacer el daño?
R: Dudo que sea demasiado tarde para arreglar las cosas, aunque la capacidad de usted de ejercer influencia sobre sus hijos disminuye con el paso del tiempo. Afortunadamente, se nos permite cometer muchos errores con nuestros hijos. Ellos son resistentes y, por lo general, sobreviven a nuestros errores de juicio. Es muy bueno que sea así, porque ninguno de nosotros puede ser un padre o una madre perfecto. Además, no son los errores ocasionales los que perjudican al niño, es la influencia constante de condiciones destructivas a lo largo de la niñez lo que causa el daño.

P: Mi hija de seis años de pronto se ha vuelto respondona e irrespetuosa en el hogar. Me dijo que «me largara» cuando le pedí que sacara la basura, y me insulta cuando se enoja. Creo que es importante permitirle este desahogo emocional así que no he hecho nada por tratar de suprimirlo. ¿Está de acuerdo con esto?
R: Me temo que no. Su hija sabe muy bien que la está desafiando, y está esperando para ver hasta dónde la va a dejar avanzar. Si usted no rechaza el comportamiento irrespetuoso ahora, puede esperar algunas malas experiencias durante los años de la adolescencia que vendrán en el futuro.

En lo que respecta a su preocupación por el desahogo emocional, tiene razón en que su hija necesita expresar su enojo. Ella debe tener la libertad de decirle casi cualquier cosa a usted siempre y cuando lo haga en forma respetuosa. Es aceptable decir: «Yo creo que tú amas a mi hermano más que a mí», o: «Tú no fuiste justa conmigo, mamá». A estas alturas, existe una línea delgada entre lo que es un comportamiento aceptable y lo que no lo es. Las expresiones de fuerte frustración, aun de resentimiento y enojo de parte de la niña, deben ser incluso alentadas si es que existen. Por cierto que usted no quiere que ella se lo guarde todo dentro de sí. Por otro lado, no debe permitir que su hija recurra a los insultos y a la rebelión abierta. «Mamá, heriste mis sentimientos frente a mis amigas», es una declaración aceptable. «¡Imbécil, ¿por qué no te callaste la boca cuando todas mis amigas estaban aquí?!», es algo totalmente inaceptable.

Si su hija se dirige a usted en forma respetuosa, como se describió en la primera declaración, sería sabio que se sentara con ella y tratara de entender el punto de vista de la niña. Sea lo suficientemente madura como para disculparse si ha sido injusta con ella de alguna forma. Sin embargo, si cree que tiene razón, explíquele con calma por qué actuó de la forma en que lo hizo y dígale cómo puede evitar un choque la próxima vez. Es posible ventilar los sentimientos sin sacrificar el respeto al padre o la madre, y el niño debe aprender a hacerlo. Este medio de comunicación será muy útil más tarde en la vida, especialmente cuando se casen.

ADAPTE LA DISCIPLINA A LAS NECESIDADES DE LOS NIÑOS

Yvonne, una madre que vive en la ciudad de San Antonio, Texas, me escribió lo siguiente: «Yo estaba en la biblioteca con Cristina, mi hija de un año y ocho meses. Le pedí a la bibliotecaria que me ayudara a buscar el libro *Cómo criar a un niño de voluntad firme,* el cual era nuevo en aquella época. Mientras la bibliotecaria estaba escribiendo el pedido para obtenerlo de una biblioteca cercana, Cristina se tiró al suelo y le dio una rabieta porque no la dejé correr entre los estantes. La mujer me miró y me preguntó: «¿Quiere que escriba *URGENTE* en el pedido?».

Si bien los principios generales que he provisto hasta ahora se aplican en forma amplia a los niños, cada uno es diferente, y requiere que sus padres interpreten y apliquen estos principios de manera individual a los complejos patrones de personalidad que son evidentes para cada niño en particular. Lo que se agrega a ese desafío es el hecho de que el blanco está en constante movimiento. Las etapas de desarrollo están cambiando constantemente, así que mamá y papá deben estar preparados para ir de un lado a otro año tras año. Un enfoque que es totalmente apropiado y eficaz a los cinco años de edad, puede ser obsoleto cuando el niño tiene seis o siete años, creando la necesidad de algo completamente diferente. Entonces, de golpe entra en escena la adolescencia, y todo el panorama cambia de nuevo. Lo mejor que puedo hacer para ayudarle a responder a este patrón que está en constante cambio es ofrecer algunas pautas para cada categoría de edad y sugerir que las use para formular sus propias técnicas e interpretación.

Comencemos en la etapa del nacimiento y luego avanzaremos a lo largo de los años de la niñez. Por favor, comprenda que esta deliberación no es, en modo alguno, exhaustiva y que simplemente sugiere la naturaleza general de los métodos disciplinarios en períodos específicos.

DESDE EL NACIMIENTO HASTA LOS SIETE MESES

Para un niño de menos de siete meses de edad no se requiere de ninguna disciplina *directa,* sea cual sea el comportamiento o las circunstancias. Muchos padres no están de acuerdo con esto y se encuentran dándole nalgadas a un bebé de seis meses por moverse cuando le cambian el pañal o cuando llora a medianoche. Éste es un grave error. Un bebé no puede entender su ofensa ni relacionarla con el castigo que resulta de ella. A esta temprana edad, los bebés necesitan que los carguen, que los amen, que los acaricien y que los tranquilicen hablándoles suavemente. Se les debe alimentar cuando tienen hambre y mantenerlos limpios, secos y abrigados. Es probable que los cimientos para la salud física y emocional se coloquen durante el período de los primeros seis meses de vida, el cual debe caracterizarse por la seguridad, el afecto y la ternura.

Por otro lado, es posible crear un bebé quisquilloso y exigente si se corre a tomarlo en brazos cada vez que emite un gimoteo o un suspiro. Los bebés son completamente capaces de aprender a manipular a sus padres a través de un proceso llamado reforzamiento, por medio del cual cualquier comportamiento que produce resultados agradables va a tender a repetirse. Así que un bebé saludable puede mantener a su padre o a su madre corriendo hacia su cuarto doce horas en el día (o en la noche) simplemente con hacer pasar aire a través de su laringe seca. Para evitar esta consecuencia, debe establecer un balance entre darle a su bebé la atención que necesita y convertirlo en un pequeño dictador. No tenga miedo de dejarlo que llore por un período razonable de tiempo (lo que se cree que es saludable para los pulmones). Sin embargo, es necesario escuchar el tono de la voz de su bebé para determinar si está llorando porque en ese momento no está contento o porque tiene un dolor verdadero. La mayoría de los padres aprenden a reconocer esta distinción con bastante rapidez.

Para mantenernos en el tema, debo decir lo que es obvio: Sí, Virginia, ¡*hay* bebés que *son* fáciles de criar y otros que son difíciles! Algunos parecen determinados a destruir el hogar en el cual nacieron; duermen calentitos durante el día y dan alaridos de protesta toda la noche; a menudo sufren de cólico y vomitan mucho en sus ropas (por lo general, camino a la iglesia); controlan sus «movimientos» corporales hasta que usted le pasa su bebé a algún amigo, y entonces la «sueltan». En lugar de acurrucarse cuando lo tiene en brazos, se pone rígido en busca de libertad. Y puede que los padres que poco después del nacimiento de su «tesorito» se preguntaban: «¿Sobrevivirá este bebé?», se encuentren inclinados sobre la cuna a las tres de la madrugada con los ojos que se les salen de las órbitas, preguntándose: «¿Sobreviviremos *nosotros?*».

Por lo general, no pasa mucho tiempo antes que ambas generaciones se recuperen, y este comienzo que produjo tantos trastornos no se convierte en otra cosa que no sea un vago recuerdo para los padres. Y de ese tirano exigente surgirá un ser humano inteligente y amoroso con un alma eterna y un lugar especial en el corazón del Creador. Quiero decirles a los padres extenuados y agobiados: «¡Aguanten firmes! Ustedes están llevando a cabo *la* tarea más importante del mundo».

DE LOS OCHO MESES AL AÑO Y DOS MESES

Muchos niños comienzan a probar la autoridad de sus padres durante el segundo período de siete meses. Los enfrentamientos van a ser de poca importancia e infrecuentes antes que cumplan un año, pero se puede ver el comienzo de luchas futuras. Por ejemplo, nuestra hija Danae desafió a Shirley por primera vez cuando sólo tenía nueve meses. Mi esposa estaba encerando el piso de la cocina cuando Danae gateó hasta el borde del linóleo. Shirley le dijo: «No, Danae», indicándole con la mano a la niña que no entrara a la cocina. Puesto que nuestra hija comenzó a hablar muy temprano, claramente entendía el significado de la palabra *no*. Sin embargo, ella gateó directo sobre la pegajosa cera. Shirley la tomó en brazos y la sentó a la entrada de la cocina, mientras le decía *no* con más firmeza. Sin dejarse desanimar, Danae gateó nuevamente sobre el piso recién encerado. Mi esposa la volvió a tomar en sus brazos y la sentó de nuevo a la entrada de la cocina, esta vez diciéndole *no* con mayor firmeza. Este procedimiento se tuvo que repetir siete veces, hasta que Danae al fin se rindió y se fue gateando y llorando. Hasta donde podemos recordar, éste fue el primer choque directo de voluntades entre mi hija y mi esposa. Muchos más le siguieron a éste.

¿Cómo disciplinan los padres a un niño de un año? ¡Con mucha suavidad y cuidado! Es fácil distraer y desviarles la atención a los niños de esta edad. En lugar de arrancarles una taza de porcelana de las manos, muéstreles una alternativa de colores brillantes, y esté listo para atrapar la taza cuando caiga. Cuando ocurren enfrentamientos inevitables, como ocurrió con Danae gateando hacia el piso encerado, gánelos con firme persistencia, no con castigo. De nuevo, no tenga miedo del llanto del niño, el cual puede llegar a ser un arma poderosa para evitar tomar una siesta o irse a acostar o que le cambien el pañal. Tenga el valor de guiar a su bebé sin ser duro, malo o regañón.

Antes de dejar de hablar acerca de esta dinámica etapa de la vida, debo contarle los descubrimientos de un estudio de diez años realizado con niños y niñas entre los ocho meses y un año y medio de edad. Si bien esta investigación, conocida como el Proyecto Preescolar de la Universidad de Harvard, fue completada hace más de veinticinco años, sus descubrimientos todavía se aplican hasta el día de hoy. Los investigadores, encabezados por el doctor Burton White, estudiaron atentamente a niños y niñas de esta edad durante un período de diez años, esperando descubrir cómo las experiencias en los primeros años de vida contribuyen al desarrollo de un ser humano sano e inteligente. Las conclusiones de este esfuerzo exhaustivo se resumen a continuación, según se reportaron originalmente en el *American Psychological Association Monitor* [El Monitor de la Asociación Americana de Psicología][1].

- Cada vez queda más claro que los orígenes de la competencia humana se encuentran en un período crítico de desarrollo entre los ocho meses y el año y medio de edad. Las experiencias del niño durante esos breves meses influyen más en la competencia intelectual futura que ningún otro período anterior o posterior.
- El factor ambiental individual más importante en la vida de un niño es la madre. Según el doctor White, «ella es la responsable», y tiene más influencia en las experiencias de su hijo que cualquier otra persona o circunstancia.
- La cantidad de lenguaje *vivo* que se le dirige a un niño (no debe confundirse con la televisión, la radio o las conversaciones que el bebé escucha entre otras personas) es vital para el desarrollo de sus habilidades lingüísticas, intelectuales y sociales. Los investigadores concluyeron: «Proveer una vida social plena para un niño entre el año y el año y tres meses es lo mejor que se puede hacer para garantizarles buenas facultades mentales».
- Los niños que tienen acceso libre a las zonas habitables en sus hogares progresan con mucha mayor rapidez que aquellos cuyos movimientos son restringidos.

- La unidad familiar básica (madre, padre e hijos) es la que proporciona el sistema educativo más importante. Si vamos a producir niños capaces y saludables, será fortaleciendo las unidades familiares y mejorando las interacciones que se dan dentro de ellas.
- Los mejores padres y madres en el estudio fueron los que sobresalieron en tres funciones clave:
  1. Eran magníficos diseñadores y organizadores del medio ambiente de sus hijos.
  2. Les permitían a sus hijos que los interrumpieran por breves períodos de treinta segundos, durante los cuales se intercambiaban consultas personales, consuelo, información y entusiasmo.
  3. Eran «personas que disciplinaban con firmeza a la vez que les mostraban gran afecto a sus hijos». (¡Yo mismo no lo podría haber dicho mejor!)

Estos descubrimientos hablan con toda elocuencia sobre los asuntos que son los de mayor importancia para los niños en la primera infancia. Puedo ver dentro de ellos una afirmación y validación de los conceptos a los cuales he consagrado mi vida profesional.

DEL AÑO Y TRES MESES A LOS DOS AÑOS

Se ha dicho que todos los seres humanos pueden ser clasificados en dos categorías generales: los que votarían que sí a las diversas proposiciones de la vida, y los que estarían inclinados a votar que no. ¡Puedo decirle con toda confianza que cada niño de esta edad en el mundo definitivamente votaría que no! Si hay una palabra que caracteriza el período entre el año y tres meses y los dos años, es ¡no! No, no quieren comerse el cereal. No, no quieren jugar con sus bloques de construcción. No, no quieren que los bañen. Y puede estar seguro de que no, no quieren irse a acostar, nunca. Es fácil ver por qué este período de la vida ha sido llamado «la primera adolescencia», debido al negativismo, el conflicto y el desafío que se muestran en esa edad.

El doctor T. Berry Brazelton escribió un libro muy útil titulado *Toddlers and Parents* [Los pequeños y sus padres], el cual incluía una descripción muy perspicaz de los «terribles dos años de edad»[2]. A continuación presento su descripción clásica de un niño típico de año y medio de edad llamado Jorge. Aunque nunca conocí personalmente a este pequeñuelo, lo conozco muy bien ... como también lo va a conocer usted cuando su hijo llegue a esta edad.

Cuando Jorge comenzó a volverse negativo después de haber cumplido un año de edad, sus padres se sintieron como si alguien los hubiera golpeado con un mazo. El buen carácter del niño pareció sumergirse en un mar de negativas. Cuando sus padres le pedían algo, su boca parecía estirarse con una expresión severa, los ojos se le achicaban, y enfrentándolos directamente con su mirada penetrante, simplemente respondía: «¡No!». Cuando le ofrecían helado, algo que le encantaba comer, él precedía su aceptación con un «no». Mientras corría por su ropa para jugar en la nieve, decía «no» cuando le preguntaban si quería salir.

Ahora, el hábito que los padres de Jorge tenían de observarlo para descubrir lo que podía hacer, comenzaba a estropearse. El niño parecía estar peleando con ellos todo el tiempo. Cuando le pedían que hiciera una tarea familiar, su respuesta era: «No puedo». Cuando su madre trató de impedirle que vaciara su cajón de ropa, la respuesta del niño fue: «Tengo que hacerlo». Presionó con fuerza contra cada límite impuesto por su familia, y nunca parecía estar satisfecho, sino hasta que su padre o su madre caía derrotado. Cuando su madre salía del cuarto, él encendía el televisor. Cuando ella regresaba, lo apagaba, regañaba a Jorge con suavidad y se iba. Jorge lo volvía a encender. Ella regresaba de inmediato y trataba de razonar con él, y le preguntaba por qué la desobedecía. Él le respondía: «Tengo que hacerlo». La intensidad de la insistencia de ella a que dejara de encender el televisor aumentó. Él la miró fijamente. Ella volvió a la cocina. Él encendió el televisor. Ella estaba esperando detrás de la puerta, se dio vuelta para darle una palmada en la mano con firmeza. Él suspiró profundamente y dijo: «Tengo que hacerlo». Ella se sentó a su lado, rogándole que la escuchara para evitar un verdadero castigo. De nuevo el niño presentó un rostro adusto con el ceño fruncido, escuchando pero no escuchando. Ella se levantó cansada, él caminó hacia el aparato y lo encendió. Cuando ella regresó con los ojos llenos de lágrimas, para darle unas nalgadas, le dijo: «Jorge, ¿por qué quieres que te dé unas nalgadas? ¡A mí no me gusta hacerlo!», a lo que el niño le respondió: «Tengo que hacerlo». Mientras ella caía rendida en la silla, sollozando suavemente con el niño echado boca abajo sobre su regazo, Jorge estiró la mano para tocarle el rostro mojado por las lágrimas.

Después de este enfrentamiento, la señora Lang estaba extenuada. Jorge percibió esto y comenzó a tratar de ayudar. Corrió a la cocina para buscar el trapeador y el recogedor de basura, los cuales arrastró hasta donde ella estaba sentada en la silla. Este cambio hizo que ella sonriera y lo tomó dándole un fuerte abrazo.

Jorge captó el cambio de humor y fue a saltitos hasta un rincón de la habitación, donde se metió detrás de una silla y dijo: «Escondido». Mientras empujaba la silla hacia fuera, le pegó a una lámpara, la cual cayó al piso haciéndose pedazos. La reacción de su madre fue: «¡No, Jorge!». Él se hizo un ovillo en el suelo, con las manos sobre las orejas y los ojos fuertemente cerrados, como si quisiera tratar de no pensar en todos los estragos que había hecho.

Tan pronto como lo colocaron en su silla alta, comenzó a lloriquear. Ella se sorprendió tanto que dejó de prepararle su comida, y lo llevó para cambiarlo. Esto no arregló el asunto, porque cuando lo trajo de vuelta a su silla, el niño comenzó a moverse y retorcerse. Ella lo bajó y dejó que jugara hasta que el almuerzo estuviera listo. Él se acostó en el piso, gimoteando y chillando en forma alternada. Esto era algo tan inusitado que ella... le tocó la frente para ver si tenía fiebre... Finalmente, volvió y continuó con el almuerzo. Sin una audiencia, Jorge se calmó.

Cuando su mamá lo volvió a colocar en su silla alta, el gimoteo de Jorge comenzó de nuevo. Le colocó el plato delante con la comida cortada en pedazos para que él la tomara con su tenedor. Arrojó el tenedor al suelo y comenzó a empujar su plato, negándose a comer. La señora Lang estaba perpleja, decidió que el niño no se sentía bien y le ofreció su helado favorito. De nuevo, el niño se quedó sentado sin hacer nada, rehusando comer solo. Cuando le ofreció un poco de helado, sumisamente se dejó dar unas pocas cucharadas. Entonces le pegó a la cuchara y la hizo saltar de la mano de su madre y alejó el recipiente con helado. La señora Lang estaba segura de que Jorge estaba enfermo.

La señora Lang sacó a Jorge de su posición en combate, y lo colocó en el suelo para que jugara por unos momentos mientras ella almorzaba. Esto, por supuesto, tampoco era lo que él quería. Continuó molestándola, pidiéndole comida del plato de ella, la cual devoró de inmediato. Su ansiedad deshizo la teoría que tenía de la enfermedad. Cuando no le hizo caso y continuó comiendo, el niño redobló sus esfuerzos. Fue debajo del fregadero para buscar la botella de lejía, la cual le trajo cuando ella se lo ordenó. Se cayó hacia delante en el piso y lloró en voz alta como si se hubiera lastimado. Comenzó a gruñir como si fuera a evacuar y comenzó a ponerse los pantalones. Ésta era una forma casi segura de sacar a su madre de su propia actividad, porque ella había comenzado a tratar de «saber la hora» y lo sentaba en el inodoro. Esta era una de sus señales pidiendo atención, así que lo llevó con rapidez al baño. Él le sonrió con satisfacción, pero no quiso evacuar. La señora Lang se sintió como si la atacaran por todos los frentes, y que no podía ganar por ninguno.

Cuando volvió a sus propias tareas, Jorge hizo la evacuación que había estado prediciendo[3].

Ésta, amigos míos, no fue una descripción de un típico niño de esta edad. Jorge era un clásico niño de voluntad firme. Él se estaba divirtiendo a expensas de su madre, y ya casi la había evaluado y conocía su reacción. Dentro de unos momentos hablaré de cómo se debería manejar a un niño así.

El cuadro pintado por el doctor Brazelton se ve bastante sombrío, y debemos admitirlo, hay veces cuando un niño de dos años puede echar abajo la paz y la tranquilidad de un hogar. (A nuestro hijo, Ryan, le encantaba soplar burbujas en el recipiente de agua del perro, un juego que nos horrorizaba). Sin embargo, con todas sus luchas, no hay ninguna otra época en la vida que sea más encantadora que este período de dinámico florecimiento y descubrimientos. Cada día, el niño aprende palabras nuevas, y las curiosas expresiones verbales de esta edad se recordarán por medio siglo. Es un tiempo de emoción por los cuentos de hadas, por los juegos imaginativos y por los cachorritos lanudos. Y lo más importante, es un tiempo precioso de amor y de ternura que va a pasar demasiado rápido. Hay millones de padres mayores con niños ya grandes hoy, que darían todo lo que tienen para poder vivir otra vez esos burbujeantes días con sus niños pequeños.

Permítame hacer unas pocas recomendaciones en cuanto a la disciplina que, espero, le sean útiles cuando un pequeño está con ganas de pelear. Sin embargo, debo apresurarme a decir que el negativismo de este período turbulento es tanto normal como saludable, y *nada* hará que un niño de año y medio actúe como uno de cinco años. El tiempo es la única «cura» verdadera.

Hablemos sobre Jorge ahora. Esta clase de comportamiento es a lo que se refería la señora Susanna Wesley cuando escribió: «Para formar la mente de los niños, lo primero que hay que hacer es conquistar la voluntad, y traerlos a un temperamento obediente. Toma mucho tiempo hacerlos llegar a comprender esto, y con los niños se debe proceder lentamente a medida que lo pueden soportar; pero la sujeción de la voluntad es algo que debe hacerse de inmediato, y ¡cuanto antes mejor!» No estoy seguro que la señora Lang haya logrado ese propósito.

Cuando ocurren momentos de enfrentamiento con un niño pequeño como Jorge, se puede comenzar a darle palmadas suaves en el trasero o en la mano entre el año y tres meses y el año y medio de edad. Deben ser poco frecuentes y se deben reservar para la clase de desafío que mostró en cuanto al aparato de televisión. Él entendía lo que su madre esperaba de él, pero se negó a obedecer. Este comportamiento es a lo que me he estado refiriendo como desafío intencional. Claramente, Jorge estaba burlándose de su madre y probando los límites de la resistencia de ella. La señora Lang no manejó bien la situación. No la estoy criticando. Entiendo muy bien su frustración y estoy seguro de que la mayoría de las madres hubieran respondido en forma similar. Sin embargo, era preciso que ella ganara la batalla en forma decisiva a fin de evitar interminables repeticiones a lo largo del camino, pero fracasó en cuanto a lograr esto.

Fíjese de nuevo en los errores que cometió esta madre. Cuando Jorge volvió a encender el televisor después que ella lo había apagado y había dado una orden clara, la señora Lang «lo regañó con suavidad». Él lo encendió de nuevo y ella «regresó de inmediato a tratar de razonar con él». A continuación le preguntó por qué la desobedecía. Él le respondió: «Tengo que hacerlo» y volvió a encender el televisor. Finalmente, mamá «se dio vuelta para darle una palmada en la mano con firmeza.». Darle una palmada en la mano a Jorge fue lo correcto, pero llegó demasiado tarde. Debió haberlo hecho después de advertirle una sola vez y que él hubiera desobedecido de nuevo. Las otras medidas de la señora Lang no sólo fueron ineficaces, sino que empeoraron la situación. Es una pérdida de tiempo total «razonar» con un niño pequeño en un momento de desafío, y por cierto que uno no se queja ni le pregunta «¿Por qué?». Nunca se va a recibir una respuesta satisfactoria a esa pregunta. Si Jorge hubiera sido algunos años mayor y hubiera dicho la verdad, le habría respondido: «Porque quiero volverte loca, es por eso». La señora Lang acabó por rogarle a su hijo de voluntad firme que la escuchara y obedeciera, y luego lloró cuando él la forzó a castigarlo. Todas esas cosas eran lo que no debía hacerse.

Me he concentrado en esta historia porque se aplica a millones de padres que han sido guiados a creer que el castigo suave es algo dañino para los niños, y que aun cuando es aplicado, debe ser el último recurso después de regañarlos, quejarse, rogar, llorar, de explicarles en forma repetida y tratar de hacerlos razonar. Estas respuestas al mal comportamiento descarado socavan la autoridad y colocan al niño al mismo nivel que el padre o la madre. Es algo embriagante para un pequeño de dos años enfrentarse a una persona adulta poderosa y reducirla a las lágrimas.

La señora Lang debió haber regresado a la habitación después que Jorge encendió el televisor por segunda vez y darle una palabra de consejo a su pequeño hijo. Debió haber puesto sus manos a ambos lados de la cabeza del niño, y mirándolo directamente a los ojos, decirle con firmeza: «Escúchame, Jorge. Mamá no quiere que toques el aparato de televisión de nuevo. ¿Me escuchas? NO LO TOQUES DE NUEVO. ¿Entiendes?». En ese momento, ella habría estado estableciendo los límites en forma vívida en la mente de Jorge. Entonces, si él regresaba al aparato para el asalto número tres, ella debió haber estado cerca. La respuesta de darle una palmada en la mano debió haber ocurrido en ese momento. No hubiera sido necesario explicar ni razonar. Hubiera sido suficiente que su madre le había dado una orden. La mayoría de los niños hubieran llorado y las lágrimas habrían extinguido el temperamento rebelde del que Jorge estaba dando muestras. En la mayoría de los casos, ése hubiera sido el fin del asunto. Si Jorge era muy fuerte, podría haber puesto a su madre a prueba de nuevo. Sin gritar, ni llorar ni mendigar, ella simplemente habría tenido que resistir más que él, sin importar el tiempo que llevara. Recuerde que el doctor Brazelton dijo que Jorge nunca parecía estar satisfecho sino hasta que su madre caía derrotada. Es por eso que mamá nunca debió haber dejado que eso sucediera. Este niñito debió haber salido del incidente con la espeluznante creencia de que *mamá habla en serio. No me gusta lo que me sucedió. Es mejor que haga lo que ella me dice.*

Esta respuesta de parte de la madre *debe* darse sin maltratar al niño en forma física o emocional. Mis muchos años de haber trabajado con padres y madres me han convencido que una mujer frustrada como la señora Lang es mucho menos propensa a hacer algo impensable si se le da el poder para que haga algo enseguida, antes de que se convierta en una gresca, en vez de esperar hasta que esté demasiado nerviosa como para controlarse.

Mi advertencia a los padres es que no castiguen a sus hijos pequeños por un comportamiento que es natural y necesario para su aprendizaje y desarrollo. Por ejemplo, la exploración del medio ambiente es de mucha importancia para su estimulación intelectual. Usted y yo miramos un objeto de cristal y obtenemos toda la información que buscamos por medio de esa inspección visual. Sin embargo, los niños pequeños expondrán el objeto a todos sus sentidos. Lo van a tomar en las manos, lo van a oler, lo van a degustar, lo van a agitar en el aire, lo van a golpear contra la pared, lo tirarán al otro lado de la habitación y escucharán el bonito ruido que hace cuando se hace añicos. Por medio de este proceso, aprenden un poco sobre la gravedad, las superficies ásperas y las lisas, la naturaleza frágil del cristal, y algunas cosas sorprendentes en cuanto al enojo de su madre o su padre. (Esto no es lo que Jorge estaba haciendo. Él no estaba explorando, estaba desobedeciendo).

¿Estoy acaso sugiriendo que a los niños, sean éstos de voluntad firme o no, se les permita destruir una casa y todo lo que ésta contiene? No, pero tampoco es justo esperar que estos pequeños curiosos mantengan sus deditos quietos. Los padres deben poner esos objetos que son frágiles o particularmente peligrosos fuera del alcance de los niños, y luego colocar a su paso objetos fascinantes de todo tipo. Déjeles que exploren todas las cosas que son irrompibles. Nunca los castigue por tocar algo, sin importar su valor, *que ellos no sabían que no debían tocar.* Con respecto a los objetos peligrosos, tales como tomacorrientes y cocinas, así como algunos otros objetos que no han de tocar como los controles del televisor, es posible y necesario enseñarles y hacerles cumplir el mandato de «¡No toques!». Después de aclarar lo que se espera, una palmada en la mano, por lo general, va a desalentar a que se repitan los episodios.

Se han escrito libros enteros en cuanto a la disciplina de los niños. Yo mismo he escrito dos. Sólo he tocado este tema para dar un vistazo al enfoque apropiado para manejar a los niños, incluso a un revolucionario declarado como Jorge.

DE DOS A TRES AÑOS DE EDAD

Tal vez el aspecto más frustrante en cuanto a criar niños que tienen entre dos y tres años es la tendencia que tienen a derramar líquidos, a destrozar cosas, a comer cosas horribles, a caerse, a echar cosas por el inodoro, a matar cosas y a meterse en problemas. También siempre se las arreglan para hacer cosas que nos avergüenzan, como estornudarle encima al hombre sentado cerca de él en un restaurante. Durante estos primeros años de vida, cualquier silencio inexplicable que dura más de treinta segundos puede ser causa repentina de gran pánico en un adulto. ¿Qué madre no ha experimentado la emoción de haber abierto la puerta de su cuarto para encontrar al Torbellino Teresa cubierta de lápiz labial desde la punta de la cabeza hasta la alfombra sobre la cual está parada? A su lado, hay una impresión roja de su mano que ha puesto en el centro de la alfombra. En toda la habitación se percibe el aroma de Chanel No. 5, con el cual ha ungido a su hermanito menor. ¿No sería interesante alguna vez celebrar una convención nacional en la que participen todas las madres que han experimentado traumas similares?

Cuando mi hija tenía dos años de edad, quedó fascinada la primera vez que me vio afeitarme de mañana. Quedó cautivada observándome ponerme la crema de afeitar en el rostro y usar la hoja de afeitar. Esto debió haber sido mi primera clave que algo iba a suceder. A la mañana siguiente Shirley entró al baño y encontró a nuestro perro, Siggie, sentado en su lugar favorito, la lanuda tapa del inodoro cubierta de tela de toalla. ¡Danae le había cubierto la cabeza de espuma y en forma sistemática le estaba afeitando el pelo de su brillante cráneo! Shirley gritó: «¡Danae!», lo cual hizo que Siggie y su barbera salieran disparados en busca de un lugar donde esconderse. Era algo cómico ver al pequeño perro salchicha en el dormitorio con rasguños y lugares sin pelo en la cabeza.

Cuando Ryan era de la misma edad, tenía una habilidad increíble para ensuciar las cosas. Podía volcar algo y derramarlo con más rapidez que ningún otro niño que hubiera visto, especialmente durante la hora de la comida. (Una vez, mientras comía un sándwich de mantequilla de maní, metió la mano desde la parte de abajo. Cuando sus dedos emergieron completamente cubiertos de mantequilla de maní en la parte de arriba del sándwich, Ryan no los reconoció y se dio un tremendo mordisco en el dedo índice). Debido a su inclinación destructiva, Ryan escuchó la palabra «sucio» repetidamente de los labios de Shirley y de los míos. Una tarde, mientras tomaba una ducha, dejé la puerta un poco abierta y se mojó el piso del baño. Como se podía esperar, Ryan entró corriendo y pisó el agua. Me miró y dijo con la voz más severa que pudo: «¿De quién es todo esto sucio aquí?».

A fin de que usted conserve su propia salud mental, es *preciso* que mantenga el sentido del humor durante esta etapa entre los dos y tres años. Pero también debe proceder con la tarea de inculcar obediencia y respeto por la autoridad. Así que la mayoría de los comentarios que aparecen en la sección anterior a ésta también se aplican a los niños entre el año y diez meses y los tres años de edad. Aunque el niño en esta etapa es muy diferente física y emocionalmente que cuando tenía año y medio, la tendencia a probar y a desafiar la autoridad paterna y materna es aún muy evidente. De hecho, cuando los niños pequeños ganan constantemente los primeros conflictos y enfrentamientos, se hacen mucho más difíciles de manejar en su segundo y tercer año de vida. Entonces una falta de respeto por la autoridad que dura toda la vida a menudo comienza a asentarse en sus jóvenes mentes. Por lo tanto, jamás exagero al enfatizar en la importancia de inculcar dos mensajes bien claros en su hijo antes que éste llegue a los cuatro años de edad.

- «Te amo mucho más de lo que tú puedes entender. Eres un tesoro para mí, y le doy gracias a Dios todos los días por permitirme criarte».
- «Debo enseñarte a que me obedezcas porque te amo. Ésta es la única forma en que puedo cuidarte y protegerte de las cosas que te podrían causar daño. Leamos lo que la Biblia nos dice: "Hijos, obedezcan en el Señor a sus padres, porque esto es justo" (Efesios 6:1).

Vale la pena repetir el principio general que aparece a través de todo este libro. La crianza saludable de los hijos puede reducirse a esos dos ingredientes esenciales: amor y control. Deben operar en un sistema de verificación y equilibrio. Cualquier concentración de amor que excluya el control, por lo general produce falta de respeto y desprecio. A la inversa, un niño se resiente mucho en un hogar con una atmósfera autoritaria y opresiva, y siente que no lo aman y tal vez siente incluso que lo odian. El objetivo de estos primeros años es alcanzar el equilibrio entre la misericordia y la justicia, el afecto y la autoridad, el amor y el control.

Específicamente, ¿cómo se disciplina a un niño de dos o tres años que es terco y desobediente? Un enfoque posible es hacer que el niño se siente en una silla y piense en lo que ha hecho. A menudo se hace referencia a este concepto como «tiempo de descanso». La mayoría de los niños a esta edad desbordan energía y odian pasar diez minutos aburridos con sus inquietos cuerpecitos pegados a una silla. Para algunas personas, esta forma de castigo es más eficaz que unas nalgadas y se recuerda por más tiempo.

Algunos padres a los que les he recomendado el «tiempo de descanso», me han preguntado: «¿Y qué pasa si no se quedan en la silla?». Lo mismo me preguntan con respecto a la tendencia de los niños de salirse de la cama después que se les ha acostado para que duerman de noche. Éstos son ejemplos del enfrentamiento directo que he estado describiendo. Los padres que no pueden exigirle a un pequeño que se quede en una silla por unos pocos minutos o que no se salga de la cama al final del día todavía no gobiernan al niño. No hay mejor momento que éste para cambiar la relación.

Yo sugeriría que acostaran al niño y le dieran un pequeño discurso tal como: «Roberto, ahora mamá está hablando en serio. ¿Me estás escuchando? *No* te salgas de la cama. ¿Me entiendes?». Entonces cuando sus piececitos tocan el piso, dele un solo golpe en las piernas o en las nalgas con una palmeta o una correa. (Más adelante voy a explicar por qué, en mi opinión, usar un objeto neutral es mejor que usar las manos). Ponga la palmeta sobre la cómoda donde el niño la pueda ver, y prométale un nuevo golpe si se vuelve a salir de la cama. Salga confiadamente del dormitorio sin hacer ningún otro comentario. Si él se sale de nuevo, cumpla su promesa y ofrezca la misma advertencia si no se queda en la cama. Repita el procedimiento hasta que el niño reconozca que usted es el que manda. Entonces, dele un abrazo, dígale lo mucho que lo ama, y recuérdele la importancia de descansar para no enfermarse, etc.

Su propósito en este doloroso ejercicio (doloroso para ambas partes) no sólo es mantener al niño en la cama, sino confirmar su liderazgo en la mente de él. Mi opinión es que a demasiados padres les falta el valor para ganar estos enfrentamientos y de allí en adelante pierden el equilibrio y se mantienen a la defensiva para siempre. Recuerde: Usted es el jefe bondadoso. Actúe de esa forma.

DE LOS CUATRO A LOS OCHO AÑOS

Para cuando el niño llega a los cuatro años de edad, la disciplina debe centrarse no sólo en su comportamiento, sino en las *actitudes* que motivan dicho comportamiento. La tarea de darle forma a esta expresión de la personalidad puede ser relativamente simple o increíblemente difícil, dependiendo del temperamento básico de un niño en particular. Algunos pequeños son por naturaleza tiernos, amorosos y confiados, mientras que otros sinceramente creen que el mundo está contra ellos. Algunos disfrutan en dar y en compartir, mientras que sus hermanos pueden ser egoístas y exigentes. Algunos sonríen todo el día mientras que otros se quejan desde la pasta de dientes hasta el brécol.

Además, estos patrones de actitud no son constantes todo el tiempo. Tienden a alternarse de manera cíclica entre la rebelión y la obediencia. En otras palabras, una época de conflicto intenso y de desafío (si se maneja en forma apropiada) da paso a un período de amor y de cooperación. Entonces, cuando mamá y papá se relajan y se felicitan a sí mismos por hacer un trabajo maravilloso en cuanto a la crianza de su hijo, el pequeño camaleón vuelve a cambiar de color.

Tal vez algunos pregunten: «¿Y qué? ¿Por qué debemos preocuparnos por las actitudes de un niño?». Por cierto que hay muchos especialistas en la crianza infantil que sugieren que se pasen por alto las actitudes negativas, incluyendo las que son de un tono definitivamente desafiantes. He aquí un ejemplo de lo que algunos dicen:

> Esta [recomendación de que los padres pasen por alto la desobediencia] da mejores resultados con el comportamiento que irrita, pero que no es dañino, como el del uso de malas palabras o las rabietas. Pasar por alto en forma eficaz involucra no hablarle o mirar al niño ni usar lenguaje corporal alguno que indique que le estamos prestando atención[4].

Otro partidario de este enfoque simplista es el doctor Luther Woodward, cuyas recomendaciones han sido parafraseadas en un libro que afortunadamente ya está fuera de circulación, titulado *Your Child from Two to Five* [Su niño de los dos a los cinco años][5]. Éste era el imprudente consejo del doctor Woodward:

> ¿Qué hace cuando su pequeño le dice que usted es «un malvado» o amenaza echarlo por el inodoro? ¿Lo regaña, lo castiga ... o en forma sensata lo pasa por alto?[6]

El doctor Woodward recomendaba un método positivo de comprensión como la mejor y más rápida manera de ayudar a un niño a superar este período de violencia verbal. Él escribió: «Cuando los padres se dan cuenta plenamente que en algunas ocasiones todos los pequeñitos se sienten enojados y destructivos, estarán en mejor capacidad de reducir estos arranques. Una vez que el niño de edad preescolar se deshace de esta hostilidad, el deseo de destruir desaparece y los sentimientos instintivos de amor y afecto tienen una oportunidad de brotar y de crecer. Una vez que el niño llega a los seis o siete años de edad, los padres pueden hacerle saber con toda razón que ellos esperan que ya esté superando la etapa de hablarles descaradamente»[7].

El doctor Woodward entonces advirtió a sus lectores que el consejo permisivo que estaba ofreciendo no iba a ser popular entre los que estuvieran observando cómo éste se aplica a los niños. Escribió: «Pero este método requiere de una perspectiva amplia y de mucha compostura, especialmente cuando los amigos y familiares expresan su desaprobación y le advierten que está criando un niño consentido»[8].

En este caso, es probable que sus amigos y familiares estuvieran en lo cierto. Esta sugerencia (publicada durante los indulgentes años cincuenta, y típica de otros escritos de aquella era) se basa en la posición errada de que los niños desarrollarán actitudes dulces y amorosas si los adultos les permiten y alientan sus arranques emocionales y sus actitudes descaradas durante la niñez. No dio buen resultado con la generación del doctor Woodward y tampoco va a dar buenos resultados con los hijos de usted. Es muy probable que el niño que ha estado llamando a su madre «una malvada» (o algo peor) durante seis o siete años, no ceda ante el liderazgo de los padres durante los turbulentos años de la adolescencia. Para entonces, la oportunidad de darle forma a la voluntad de un niño de voluntad firme ya habrá pasado hace mucho tiempo, y lo que se puede esperar con una certeza casi total es un comportamiento rebelde.

Yo expresé mis puntos de vista divergentes en cuanto a este asunto en mi libro *Atrévete a disciplinar, Nueva Edición*, de la siguiente manera:

Creo que si se quiere que los niños sean amables, agradecidos y agradables, se les debe enseñar a que tengan esas cualidades, no esperar a que surjan. Si queremos ver honestidad, veracidad y generosidad en nuestros hijos, esas características deben ser los objetivos conscientes de nuestro proceso de instrucción inicial. Si es importante producir jóvenes ciudadanos respetuosos y responsables, debemos empezar a moldearlos de acuerdo a eso. La cuestión es obvia: *La herencia no equipa a un niño con las actitudes adecuadas; los niños aprenderán lo que se les ha enseñado.* No podemos esperar que el comportamiento deseado aparezca como por arte de magia si no hemos hecho nuestra tarea desde el principio[9].

Temo que muchos padres hoy están fracasando en lo que respecta a enseñarles a sus hijos actitudes que los lleven a vivir vidas responsables y de éxito.

¿Pero cómo puede uno darle forma a las actitudes de un niño? La mayoría de los padres encuentran que es más fácil lidiar con la desobediencia directa que con las características desagradables del temperamento o la personalidad. Permítame replantear las sugerencias para los niños de dos años de edad, y ofreceré un sistema que se puede usar con aquellos niños que son particularmente desagradables.

El modelo que los padres establecen para la enseñanza de las actitudes que éstos quieren inculcar en sus hijos es algo que no tiene sustituto. Alguien escribió: «Es muy probable que las huellas que un niño sigue son las que sus padres pensaron que habían logrado cubrir». Es verdad. Nuestros hijos nos están observando con mucho cuidado, y en forma instintiva imitan nuestro comportamiento. Por lo tanto, casi no podemos esperar que sean amables y generosos si nosotros somos constantemente cascarrabias y egoístas. No podremos enseñarles que demuestren aprecio si nosotros nunca decimos por favor o gracias en el hogar o fuera de él. No produciremos hijos honestos si les enseñamos a que le mientan por el teléfono a alguien que está tratando de cobrarnos una cuenta diciéndole: «Dile que papá no está en casa». En estos asuntos, nuestros hijos disciernen rápidamente la brecha que hay entre lo que decimos y lo que hacemos. Y de las dos elecciones, por lo general se identifican con nuestro comportamiento y pasan por alto nuestras palabras vacías.

La mayoría de las actitudes favorables que deben enseñarse son en realidad extrapolaciones de la ética judeo-cristiana, incluyendo la honestidad, el respeto, la amabilidad, el amor, la dignidad humana, la obediencia, la responsabilidad, la reverencia, y otras más. ¿Y de qué forma se transmiten estos principios que han transcendido el tiempo a la siguiente generación? La respuesta la proveyó Moisés en las palabras que escribió hace más de tres mil años en el libro de Deuteronomio: «Grábate en el corazón estas palabras que hoy te mando. Incúlcaselas continuamente a tus hijos. Háblales de ellas cuando estés en tu casa y cuando vayas por el camino, cuando te acuestes y cuando te levantes. Átalas a tus manos como un signo; llévalas en tu frente como una marca; escríbelas en los postes de tu casa y en los portones de tus ciudades» (Deuteronomio 6:6-9).

En otras palabras, no podemos inculcar estas actitudes durante un breve período de oración de dos minutos a la hora de acostarse o durante sesiones formales de adiestramiento. Debemos *vivirlas* desde la mañana hasta la noche. Deben enfatizarse durante nuestras conversaciones informales, acentuarse con ilustraciones, demostraciones, elogios y reprimendas. Por último, permítame sugerir un enfoque para usarse con el niño de voluntad firme o negativo (de seis años de edad o más) para quien otras formas de instrucción han sido ineficaces. Me refiero específicamente al niño agrio, que se queja siempre y que está haciéndose desdichado a sí mismo y está haciendo desdichada al resto de su familia. El problema en disciplinar a tal niño es la necesidad de definir los cambios que se desean y luego reforzar las mejoras cuando éstas se dan. Las actitudes son abstracciones que tal vez un niño de seis u ocho años no entienda completamente, y necesitamos un sistema que aclare la meta en la mente de él.

Para lograr este fin, he desarrollado un cuadro de actitud (véase la ilustración en la página siguiente) que traduce estas peculiaridades sutiles en términos concretos, matemáticos. Sírvase tomar nota que el sistema que propongo a continuación *no* es apropiado para el niño que simplemente está pasando por un mal día o da muestras temporales de enfado o de desagrado relacionado con enfermedad, fatiga o circunstancias del medio ambiente. Más bien, es una medio de rehabilitación para ayudar a cambiar las actitudes persistentemente negativas e irrespetuosas, haciendo que el niño sea consciente de su problema.

```
┌─────────────────────────────────────────────────────────────┐
│ ▌▌▌▌▌▌▌▌▌▌    MI CUADRO DE ACTITUD    ▌▌▌▌▌▌▌▌▌▌             │
```

MI CUADRO DE ACTITUD

FECHA _____

	1. Excelente	2. Buena	3. Aceptable	4. Mala	5. Terrible
Mi actitud hacia mamá—					
Mi actitud hacia papá—					
Mi actitud hacia mi hermana—					
Mi actitud hacia mis amigos—					
Mi actitud hacia el trabajo—					
Mi actitud a la hora de acostarme—					

TOTAL DE PUNTOS _____

CONSECUENCIAS

6-9 puntos = La familia junta participará de una actividad divertida
10-18 puntos = No pasa nada, ni bueno ni malo
19-20 puntos = Tengo que quedarme en mi habitación por una hora
21-22 puntos = Recibo una nalgada
23 puntos ó más = Recibo dos nalgadas

Este cuadro de actitud debe prepararse y luego reproducirse, puesto que se necesita uno para cada día. Coloque una X en el cuadrado correspondiente para cada categoría y luego sume los puntos que se «ganaron» a la hora de acostarse. Aunque este proceso de evaluación que se hace de noche tiene la apariencia de ser objetivo para el niño, es obvio que los padres pueden influir en su resultado considerándolo de antemano (a esto se le llama hacer trampa). Tal vez mamá y papá quieran que Miguel o Rebeca reciba 18 puntos la primera noche, apenas escapando del castigo, pero dándose cuenta que debe mejorar al día siguiente. Sin embargo, debo enfatizar que este sistema va a fracasar rotundamente si el niño no recibe el castigo que merece, o si se esfuerza por mejorar y no recibe la diversión familiar que le fue prometida. Este enfoque no es otra cosa que un método de aplicar recompensas y castigos a las actitudes de una forma que los niños pueden entender y recordar.

Para los niños que todavía no entienden completamente el concepto de los números, podría ser de utilidad marcar los totales del día en un gráfico acumulativo, tal como el que se presenta a continuación:

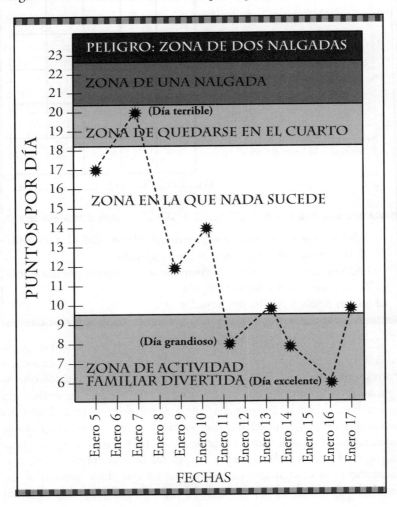

No espero que a todo el mundo le guste este sistema ni que lo apliquen en su hogar. De hecho, los padres de niños dóciles y felices van a estar perplejos sobre por qué debería necesitarse de algo así alguna vez. Sin embargo, los padres de niños hoscos y de mal carácter lo van a comprender con mayor rapidez. Tómelo o déjelo, según amerite la situación.

DE NUEVE A DOCE AÑOS

Lo ideal es que el fundamento ya haya sido colocado durante los primeros nueve años de edad, lo cual permita ahora aflojar un poco las líneas de autoridad. Cada año que pasa debe traer consigo menos reglas, menos disciplina directa, y más independencia para el niño. Esto no quiere decir que de pronto se emancipa a un niño de diez años de edad; lo que quiere decir es que al niño se le permite tomar más decisiones sobre su vida diaria de lo que se le permitía cuando tenía seis años. También quiere decir que debe tomar más responsabilidad cada día de su vida.

El castigo físico debería ser menos frecuente durante este período inmediatamente antes de la adolescencia. Los estudios muestran que el castigo corporal pierde su eficacia después de la edad de diez años, y debe ser discontinuado. Sin embargo, como sucede con todos los seres humanos, existen excepciones a las reglas. Algunos niños de voluntad firme definitivamente demandan recibir unas nalgadas, y sus deseos deben ser concedidos. Sin embargo, los niños dóciles deben haber experimentado su última tanda de castigo corporal hacia el final de su primera década (o incluso hasta cuatro años antes). Algunos ni siquiera lo necesitaron alguna vez.

El objetivo general durante este período final de la preadolescencia es enseñarle al niño que sus acciones tienen consecuencias inevitables. Una de las desgracias más grandes en una sociedad permisiva es que falla en conectar esos dos factores: el comportamiento y las consecuencias. Con demasiada frecuencia, un niño de tres años le grita insultos a su madre, pero ésta se queda pestañeando perpleja o simplemente pasa por alto el comportamiento. Un niño de primer grado lanza un ataque contra su maestra, pero la escuela es indulgente debido a la edad del niño o teme que le hagan una demanda judicial y no hace nada al respecto. A un niño de diez años lo pescan robando caramelos en una tienda, pero lo dejan ir luego de una reprimenda. Un jovencito de quince años toma sin permiso las llaves del automóvil de la familia, pero su padre paga la fianza y lo saca de la cárcel cuando lo arrestan.

Una joven de diecisiete años maneja como una loca, y sus padres pagan las primas de seguro más altas después que ella choca el vehículo de la familia contra un poste telefónico. Como ve, a través de toda la niñez, algunos padres amorosos parecen determinados a intervenir entre el comportamiento y las consecuencias, rompiendo la conexión y previniendo el valioso aprendizaje que podría haber tenido lugar.

Así que es posible que un joven entre a la etapa de la vida adulta sin saber en realidad que la vida puede ser dura, que cada movimiento afecta directamente el futuro y que el comportamiento irresponsable al final produce sufrimiento y dolor. Una de las cosas más tristes es ver a una persona adulta que no aprendió que los comportamientos tienen consecuencias inevitables y que comete error tras error que podría haberse evitado con mucha facilidad. Una persona así solicita su primer trabajo y llega tarde tres veces durante la primera semana de trabajo; entonces, cuando la despiden en medio de un diluvio de palabras llenas de enojo, se vuelve amargada y frustrada. Era la primera vez en su vida que mamá y papá no pudieron venir corriendo a rescatarla de estas circunstancias desagradables. O alguien se casa y tiene hijos, pero va de un trabajo a otro tratando de «encontrarse a sí mismo» mientras la familia pasa dificultades financieras. (Desdichadamente, muchos padres todavía les resuelven los problemas financieros a sus hijos cuando éstos tienen más de veinte años y a veces hasta cuando tienen más de treinta.) ¿Cuál es el resultado? Esta sobreprotección produce lisiados emocionales que a menudo desarrollan características duraderas de dependencia y a una forma de adolescencia perpetua.

¿Cómo se conecta el comportamiento con las consecuencias? Los padres deben estar dispuestos a dejar que los hijos experimenten una cantidad razonable de dolor cuando se comportan en forma irresponsable. Cuando Carlos pierde el autobús escolar, déjelo que camine dos o tres kilómetros y llegue a la escuela a media mañana (a menos que factores de seguridad prohíban esto). Si Karina por descuido pierde el dinero para su almuerzo, déjela que no almuerce ese día. Obviamente, es posible llevar este principio demasiado lejos, y ser duro e inflexible con un niño inmaduro. Pero el mejor enfoque es esperar que los niños asuman la responsabilidad que es apropiada para su edad y que prueben en ocasiones el amargo fruto que produce la irresponsabilidad.

Permítanme ofrecer una ilustración que se le puede leer a un niño o una niña de once o doce años. La siguiente historia fue publicada unos días después que ocurrió un eclipse solar:

Tipton, Indiana (UPI): Ann Turner, de quince años de edad, es una prueba viviente del peligro de intentar observar un eclipse solar sin protección para los ojos. Ahora está ciega.

El 7 de marzo, a pesar de las advertencias que había leído, Ann «echó una mirada rápida por la ventana» en su casa mientras se producía el eclipse solar.

«Por alguna razón, simplemente me quedé mirando fijamente a través de la ventana», le dijo a Pat Cline, reportera del *Tipton Daily Tribune*. «Estaba fascinada con lo que estaba ocurriendo en el cielo.

»Mientras observaba el eclipse, no sentí ningún dolor ni sensación alguna de incomodidad. Estuve allí tal vez por unos cuatro o cinco minutos cuando mamá me descubrió e hizo que me alejara de la ventana».

Ann dijo: «Vi manchas delante de mis ojos, pero que no les di importancia». Poco tiempo después, estaba caminando por el centro de la ciudad y de pronto, al ver una señal de tránsito, se dio cuenta de que no podía leerla.

Asustada, Ann se dio vuelta y se dirigió a su hogar. Mientras se acercaba al porche, se dio cuenta de que «estaba caminando en medio de la oscuridad».

Estuvo demasiado asustada y no le dijo nada a su familia sino hasta el día siguiente, aunque «tenía una intuición o sospecha que algo terrible estaba sucediendo».

«Lloré y lloré», dijo ella. «No quería quedarme ciega. Dios sabe que yo no quería vivir en tinieblas por el resto de mi vida.

»Yo esperaba que la pesadilla terminara y que pudiera ver de nuevo, pero la oscuridad continuó empeorando. Tenía miedo. Había desobedecido a mis padres y no había hecho caso de las demás advertencias. No podía dar marcha atrás y cambiar las cosas. Era demasiado tarde».

Cuando el señor Coy Turner y su esposa se enteraron de lo que había pasado, llevaron a Ann a especialistas. Pero los doctores les dijeron que no podían ayudar a Ann a recobrar la vista. Dijeron que ella ha quedado ciego en 90% y solamente puede ver líneas borrosas de objetos grandes en la periferia de lo que solía ser su campo normal de visión.

Con la ayuda de un tutor, Ann está continuando con
su educación. Está aprendiendo a adaptarse a un mundo
de oscuridad[10].

Después de leerle esta dramática historia a su hijo, podría ser sabio
decirle: «Esto tan terrible le sucedió a Ann porque ella no creyó en lo
que le habían dicho sus padres y otros adultos. En cambio, confió en
su propio juicio. Y te leí esto para ayudarte a entender que tal vez pronto te encuentres en una situación similar a la de Ann. Cuando llegues
a tus años de adolescente, vas a tener muchas oportunidades de hacer
algunas cosas que te he dicho que son dañinas. Por ejemplo, alguien
puede tratar de convencerte que tomes drogas ilegales que en el
momento van a parecerte inofensivas pero que al final terminarán
resultando en toda clase de problemas para la salud. Otra persona,
incluso podría ser un maestro, te puede decir que está bien que experi-
mentes sexualmente con alguien en tanto que lo hagas "en forma segura", y puede que termines con una enfermedad que va a hacer estragos
en tu cuerpo y causarte numerosos problemas a ti y a la persona con
quien finalmente te cases. Al igual que Ann, tal vez no te des cuenta de
las consecuencias sino hasta que sea demasiado tarde. Es por eso que va
a ser muy importante para ti que *creas* en las advertencias que te han
sido enseñadas en lugar de confiar en tu propio juicio. Muchos jóvenes
cometen errores durante la adolescencia que los afectarán el resto de sus
vidas, y yo quiero ayudarte a evitar esos problemas. Pero la verdad del
asunto es que sólo tú puedes marcar tu curso y elegir tu camino. Puedes
aceptar lo que te dicen tus ojos, como hizo Ann, o puedes creer en lo
que tu madre y yo te hemos dicho, y lo que es más importante, en lo
que leemos en la Palabra de Dios. Confío en que tomarás la decisión
adecuada, y va a ser maravilloso verte crecer».

Hay tantas cosas que deben decirse acerca de la parte final de esta
etapa de la niñez, pero las limitaciones del tiempo y del espacio me
obligan a seguir adelante. En conclusión, el período entre los once y los
doce años de edad a menudo representa la etapa final del acercamien-
to y del amor sin pretensiones entre padre/madre e hijo/hija hasta que
el niño llega a ser un joven adulto. Disfrútela al máximo, porque créame, van a llegar días mucho más tumultuosos. (He elegido reservar la
deliberación acerca de la disciplina para los adolescentes para otro capítulo debido a la importancia del tema).

Voy a concluir con una ilustración final. Una vez mi esposa Shirley me acompañó en uno de mis viajes para dar una conferencia, lo cual requirió que dejáramos a Danae y Ryan por una semana completa con sus abuelos. Los padres de Shirley son personas amorosas y aman mucho a nuestros hijos. Sin embargo, dos pillos que se mantienen en perpetuo movimiento, saltando, riéndose, pueden ponerle los nervios de punta a *cualquier* adulto, especialmente un adulto que está tratando de disfrutar de sus años dorados. Cuando regresamos de nuestro viaje, le pregunté a mi suegro cómo se habían portado los niños y si les habían dado algún problema. Con su peculiar acento del estado de Dakota del Norte, me respondió: «¡Oh, no! Son niños buenos. Pero lo importante es que hay que mantenerlos al aire libre».

Tal vez ése haya sido el mejor consejo en cuanto a la disciplina que jamás se haya dado. Muchos problemas de comportamiento se pueden prevenir simplemente evitando las circunstancias que los crean. Y en especial para los niños que crecen en ciudades congestionadas, tal vez lo que más necesitamos es «mantenerlos al aire libre». No es una mala idea.

PREGUNTAS Y RESPUESTAS

P: Mi hijo de cinco años está desarrollando un problema con la mentira, y no sé cómo manejarlo. ¿Qué puedo hacer para lograr que diga la verdad?

R: La mentira es un problema que todos los padres deben tratar. Todos los niños distorsionan la verdad de cuando en cuando, y algunos de ellos se convierten en mentirosos empedernidos. Responder en forma apropiada es una tarea que requiere una comprensión del desarrollo infantil y las características de una persona en particular. Le voy a ofrecer algunos consejos generales que tendrán que modificarse para que se apliquen a casos específicos.

En primer lugar, debe entender que un pequeño puede entender o no la diferencia entre las mentiras y la verdad. La línea entre la fantasía y la realidad es muy delgada en la mente de un niño de edad preescolar. Así que antes de reaccionar con torpeza, asegúrese de saber qué es lo que él entiende y cuál es su intención.

Para aquellos niños que claramente están mintiendo para evitar consecuencias desagradables o para obtener algún tipo de ventaja, los padres deben hacer uso de esa circunstancia para tener un momento de enseñanza. Se le debe dar el mayor énfasis a decir la verdad en toda situación. Es una virtud que debe enseñarse, no sólo cuando se ha dicho una mentira, sino también en otros momentos. En su tiempo devocional con sus hijos, lean juntos Proverbios 6:16-19: «Hay seis cosas que el SEÑOR aborrece, y siete que le son detestables: Los ojos que se enaltecen, la lengua que miente, las manos que derraman sangre inocente, el corazón que hace planes perversos, los pies que corren a hacer lo malo, el falso testigo que esparce mentiras, y el que siembra discordia entre hermanos».

Estos son versículos muy poderosos que pueden servir de base para períodos devocionales con los niños. Explíqueles quién era Salomón, por qué sus enseñanzas son tan importantes para nosotros, y de qué manera nos ayuda la Biblia. Es como una linterna en una noche oscura que guía nuestros pasos, y que nos mantiene en el buen camino. Incluso nos protege mientras dormimos, si la atamos a nuestro corazón para siempre. Aprendan de memoria Proverbios 6:16-19 juntos, para que se pueda hacer referencia a él en otros contextos. Úselo como un trampolín para hablar sobre las virtudes y el comportamiento que le agrada a Dios. Cada uno de los versículos se puede aplicar a situaciones diarias para que los niños puedan llegar a asumir la responsabilidad de lo que dicen y hacen.

Volviendo al asunto específico de la mentira, señálele a su hijo que mentir se encuentra en una lista de las siete cosas que Dios odia más, y dos de ellas tienen que ver con la insinceridad. Decir la verdad es algo que a Dios le importa mucho, y por lo tanto, nos debe importar a nosotros. Esto explicará por qué usted va a insistir en que su hijo aprenda a decir la verdad aun cuanto duela mucho hacerlo. Su meta es colocar un cimiento que le ayudará a subrayar un compromiso a la sinceridad en el futuro.

La próxima vez que su hijo diga una mentira descarada, puede volver a mencionar lo que trataron y los versículos bíblicos que son la base para ello. En algún momento, cuando sienta que el nivel de madurez de su hijo lo amerite, debe comenzar a insistir en que diga la verdad e imponerle un castigo leve cuando no lo haga. En forma gradual, a lo largo de un período de años, debe poder enseñarle la virtud de la veracidad a su hijo.

Por supuesto, puede socavar todo lo que está tratando de establecer si no es sincero frente a sus hijos. Créame, lo van a notar y se van a comportar de la misma forma. Si papá puede distorsionar la verdad, va a tener muy poca autoridad para evitar que sus hijos hagan lo mismo.

P: Me gusta su idea de equilibrar el amor con la disciplina, pero no estoy segura de poder hacerlo. Mis padres fueron extremamente severos con nosotros, y estoy determinada a no cometer el mismo error con mis hijos. Pero tampoco quiero ser una consentidora. ¿Puede ayudarme a encontrar el terreno medio entre ambos extremos?
R: Tal vez ayudaría aclarar la meta general de su disciplina si la colocamos en forma negativa. No se trata de producir niños perfectos. Aun si implementa un sistema de disciplina en el hogar que no tenga errores, algo que nadie ha logrado hacer en la historia, sus hijos todavía seguirán siendo niños. A veces van a ser tontos, haraganes, egoístas y, sí, irrespetuosos. Tal es la naturaleza de la especie humana. Nosotros como adultos tenemos las mismas debilidades. Más aun, cuando se trata de los niños, ésa es la forma en que estamos hechos. Los niños son como los relojes; hay que dejarlos que sigan funcionando. ¡Mi punto es que el propósito de la disciplina en la crianza no es producir pequeños robots que se puedan sentar con las manos juntas en la sala de estar teniendo pensamientos patrióticos y nobles! Aun si lo pudiéramos lograr, no sería sabio tratar de hacerlo.

El objetivo, tal y como lo veo, es tomar la materia prima con que nuestros bebés llegan a este mundo y moldearla poco a poco, dándole forma para que lleguen a ser adultos maduros, responsables y temerosos de Dios. Es un proceso que dura veinte años y que involucra progreso, contratiempos, éxitos y fracasos. Cuando el niño cumple trece años, jurará por algún tiempo que él se ha olvidado de todo de lo que usted creyó que le había enseñado: buenos modales, amabilidad, gracia y estilo. Pero luego la madurez comienza a encargarse del asunto, y los pequeños brotes que se habían plantado hacía mucho tiempo comienzan a emerger. Es una de las experiencias más maravillosas de la vida observar ese florecimiento en la última parte de la niñez.

P: ¿Cree que existe una relación entre la crianza permisiva y la violencia durante la adolescencia, especialmente en el hogar?
R: Sin ninguna duda. La violencia en los adolescentes, en el hogar y en público, tiene muchas causas, pero la crianza permisiva es una de ellas. Hace muchos años me topé con un artículo que puse en mis archivos. Aunque ahora se trata de una nota antigua, todavía responde a la pregunta que me ha hecho. A continuación voy a citar una parte de él:

Dos científicos del Instituto de Psiquatría y Comportamiento Humano de la Escuela de Medicina de la Universidad de Maryland han identificado lo que ellos llaman *un nuevo síndrome de violencia familiar: la violencia hacia los padres.*

El término incluye tanto el ataque físico como las graves amenazas de daño físico por parte de niños y jóvenes.

Aunque los científicos no lo saben con seguridad, sospechan que el síndrome no es algo poco común.

Según lo que hallaron, esto parece ocurrir en familias de todas las clases en las que «uno de los padres o ambos, han abdicado a la posición ejecutiva», y nadie, excepto posiblemente el niño que maltrata, está a cargo.

Un elemento casi universal en las familias es que niegan la gravedad del comportamiento agresivo del niño.

Por ejemplo, un padre que por poco pierde la vida cuando su hijo lo empujó escaleras abajo insistió en que el muchacho no tenía problemas con su temperamento.

El doctor Henry T. Harbin y el doctor Dennis Madden encontraron que una de las características más notables de los casos que estudiaron era la respuesta tolerante de los padres a los ataques.

En un caso, un joven de dieciocho años apuñaló a su madre, y no le atravesó el corazón por dos centímetros y, sin embargo, ella estaba bastante conforme con dejar que él continuara viviendo en el hogar.

En lugar de hacer valer la autoridad paterna/materna frente a las amenazas o los ataques, los padres con frecuencia cedieron a las demandas de los hijos.

Aun si sus vidas estaban en peligro, los padres no siempre llamaban a la policía, y cuando se les interrogaba más tarde, con frecuencia mentían para proteger a sus hijos, y su imagen como padres y madres eficientes.

Los investigadores dicen que enfrentar el comportamiento aberrante de los hijos implica admitir el fracaso.

Otra razón para la negación era «para mantener una ilusión, un mito de armonía familiar», para evitar pensar lo impensable: Que la familia se estaba desintegrando.

Los investigadores creen que «Despierta una ansiedad y una depresión masivas en los padres admitir que sus hijos realmente han intentado matarlos».

Cuando se les preguntó a los padres quién quisieran ellos que estuviera a cargo de una familia hipotética, muy pocos dijeron que las madres o los padres debían hacer las reglas y algunos dijeron que todos en una familia deben ser iguales.

Si los niños violentos que estaban en tratamiento en alguna clínica especial querían dejar la terapia o abandonar sus estudios, los padres con frecuencia les respondían: «Lo que tú quieras».

El doctor Harbin dijo que lo ideal es que ambos progenitores tengan mano dura, pero que en todo caso, «alguien tiene que estar a cargo»[11].

P: ¿No es acaso nuestra meta producir niños que tengan dominio propio y confianza en sí mismos? Si es así, ¿cómo es que el enfoque que usted da en cuanto a la disciplina externa impuesta por los padres se traduce en control interno?

R: Muchas autoridades sugieren que los padres adopten un enfoque pasivo en cuanto a sus hijos por la razón implicada en su pregunta: Quieren que sus hijos se disciplinen solos. Pero puesto que a los jóvenes les falta la madurez para generar dominio propio pasan por la niñez dando traspiés sin experimentar ni la disciplina interna ni la externa. Así que entran a la vida adulta sin nunca haber completado una tarea desagradable o aceptado una orden que no les gustara o cedido a la disciplina de las personas mayores. ¿Podemos esperar que una persona así ejerza control de sí misma cuando sea un adulto joven? No lo creo. Esa persona ni siquiera sabe el significado de la palabra.

Mi creencia es que los padres deben introducir a sus hijos a la disciplina y al control de sí mismos por cualquier medio razonable disponible, incluyendo el uso de disciplina externa, cuando son pequeños. Cuando se requiere de ellos que se comporten en forma responsable, los niños adquieren una experiencia valiosa en cuanto a controlar sus impulsos y sus recursos. Año tras año, la responsabilidad se transfiere poco a poco de los hombros de los padres directamente a los hijos e hijas. Con el tiempo, ellos van a actuar basándose en lo que han aprendido de niños, en su iniciativa propia.

Como ilustración, a los niños se les debe exigir que mantengan sus cuartos relativamente limpios y ordenados cuando son pequeños. Entonces en algún momento durante la mitad de la adolescencia, su propio sentido de disciplina debe actuar y proveer la motivación para continuar con la tarea. Si no es así, los padres deben cerrar las puertas de sus dormitorios y dejarlos que vivan en un basurero, si ésa es su elección.

En pocas palabras, la autodisciplina no les llega en forma automática a los que nunca la han experimentado. El dominio propio debe aprenderse, y para eso, debe enseñarse.

OCHO

EL CASTIGO CORPORAL Y EL NIÑO DE VOLUNTAD FIRME

ATRASADO EN SU LECTURA

Al hombre que lee el medidor de la luz el niño mordió,
Al cocinero un puntapié le dio.
Ahora, antisocial es el niño.
(Según las palabras del libro).

El reloj y la lámpara el niño rompió,
Y el árbol también cortó.
(En los capítulos 2 y 3 toda tendencia destructiva se trató).

El niño le tiró la leche encima a la mamá,
Y gritó que le diera más.
(Notas sobre la reafirmación personal,
en el capítulo 4 encontraremos más).

El niño sus zapatos y sus medias arrojó
Y todo en la lluvia se mojó.
(Negación, eso es normal,
demasiado en serio no la hay que tomar).

El niño en el cuarto del abuelo se llegó a meter,
Y la caña de pescar le rompió.
Eso fue para que le prestaran atención.
(La página 89 sírvase ver).

El abuelo una zapatilla tomó,
Y al niño sobre sus rodillas colocó.
(El abuelo, desde 1923, ningún libro ya leyó)[1].

137

El querido abuelo. Tal vez haya sido un poco anticuado en cuanto a sus ideas, pero ciertamente sabía cómo manejar al niño. Y también sabían cómo hacerlo la mayoría de los miembros de su generación. Mucho antes de 1923, las mamás y los papás jamás hubieran tolerado comportamiento rebelde alguno de parte de los niños de voluntad firme. Tampoco les hubieran permitido que desafiaran a las personas mayores ni que acosaran a otros miembros de la familia. El uso de drogas y las relaciones sexuales a una edad temprana les hubiera creado un problema muy grande a los niños que probaran esas cosas. Desdichadamente, en su fervor por hacer que sus hijos se comportaran de forma apropiada, los padres de la época victoriana tenían una tendencia a ser *demasiado* duros, *demasiado* intimidadores y a castigar *demasiado*. Muchos de ellos eran opresivos con pequeñitos vulnerables que no hacían otra cosa sino ser niños.

Quisiera poder decir que nosotros en el siglo XXI somos más ilustrados y menos propensos a dañar a nuestros hijos que nuestros antepasados, pero no es así. Crecer es una aventura peligrosa para millones de pequeñuelos alrededor del mundo que están sufriendo desgracias terribles de parte de las personas que deberían estar protegiéndolos y cuidándolos.

No hay tema que me produzca más angustia que la tragedia del maltrato infantil, el cual es deprimentemente común hoy en día. Es probable que un niño que vive a un kilómetro o dos de su casa esté experimentando maltrato físico o emocional de alguna forma u otra. Ocurre tanto en las familias pobres como en las ricas, aunque la incidencia es más alta en los vecindarios de las zonas urbanas deprimidas. Allí y en cualquier otro lugar, los padres y las madres que son adictos al alcohol y a las drogas ilegales son los más propensos a dañar o descuidar a sus hijos.

Durante los años como profesor de pediatría en la escuela de medicina de una universidad, vi un torrente continuo de niños que habían sido quemados, golpeados, maltratados, y con huesos rotos que eran traídos a la sala de emergencias de nuestro hospital. Sus mentes infantiles habían sido deformadas por las horribles circunstancias de sus vidas. La frecuencia del maltrato es aun mayor hoy en día. Uno de los traumas más comunes que se ven en todo hospital infantil se produce cuando padres o madres enojados sacuden a los niños violentamente de los brazos, dislocándoles los hombros o los codos.

Por supuesto que los niños enfermos algunas veces sufren terriblemente, pero muchos de ellos experimentan alguna medida de apoyo emocional que los ayude a lidiar con las circunstancias que están viviendo. Sin embargo, para muchos de esos niños que han sido golpeados por algún familiar, no hay nadie que se preocupe, nadie que entienda. No hay nadie a quien el niño pueda ir para expresar sus anhelos y sus temores. No pueden escapar. No pueden explicar por qué los odian. Y muchos de ellos son demasiado pequeños incluso como para llamar pidiendo ayuda.

Una de tales tragedias involucró a una niña de seis años llamada Elisa Izquierdo, quien fue encontrada muerta en un edificio de apartamentos en la parte sur de Manhattan, Nueva York, en 1995[2]. El personal de rescate descubrió que la niña tenía en todo el cuerpo manchas muy rojas, producidas ya sea por correazos o quemaduras de cigarrillo. Había moretones enormes cerca de la zona de sus riñones, en la cara y alrededor de las sienes. Sus órganos genitales habían sido dañados severamente, y el hueso de su dedo meñique de la mano derecha aparecía a través de la piel. Michael Brown, uno de los bomberos que trató de revivir a Elisa, dijo: «En mis veintidós años de trabajo ... éste es el peor caso de maltrato infantil que he visto»[3]. La madre de Elisa, una adicta al crack, admitió que hacía dormir a la niña en su propia orina y excrementos, y que le pegó tan fuerte que la niña voló por el aire y se dio contra una pared de concreto con la cabeza, dejándola lisiada en forma permanente. Además, le introducía culebras dentro de la garganta para «sacarle» los demonios a la niña, la colocaba de cabeza y usaba el cabello rizado de la niña como trapeador, y usaba un cepillo de pelo para dañarle los órganos genitales a la indefensa niñita[4].

En otro caso, un padre mató a su hijo de tres años para que su novia volviera con él. El hombre colocó una bolsa de plástico de las que se usan para la basura sobre la cabeza del niño después de haberle sellado la boca con cinta adhesiva para tuberías. El padre dijo que el niño estaba llorando cuando él salió, pero que de todas formas él se fue de la casa en su automóvil[5].

Obviamente, éstos son casos extremos de maltrato físico que nos horrorizan a todos. Pero el descuido emocional y el rechazo también pueden dejar profundas cicatrices y heridas en la mente y en el cuerpo de los niños, resultando algunas veces en síntomas físicos décadas después. En 1997, la doctora Linda Russek y el doctor Gary Schwart, investigadores de la Universidad de Harvard, publicaron un estudio que reveló que los niños que perciben una falta de cariño y de intimidad paterna-materna temprano en la vida enfrentan problemas de salud más tarde en la vida[6]. El estudio, que duró cuarenta años, reveló que 91% de los hombres en edad universitaria que reportaron falta de intimidad con sus madres tenían un riesgo mayor de desarrollar enfermedades al corazón, úlceras al duodeno, alta tensión arterial o alcoholismo[7]. En contraste, el estudio reveló que sólo 45% de los que participaron en el estudio y que sentían que sí tenían una relación cercana con sus madres habían sufrido de alguna de estas enfermedades[8]. Los doctores Russek y Schwartz encontraron una relación similar entre la falta de intimidad con el padre y problemas de salud posteriores. Los investigadores concluyeron:

> Los efectos de los sentimientos de ternura y de intimidad parecen ser adictivos... Dado que los padres y las madres son la fuente significativa de apoyo social en los primeros años de vida, la percepción de amor y del cuidado paterno-materno tal vez tenga consecuencias importantes en cuanto a la salud biológica y psicológica a lo largo de la vida[9].

Otros estudios también han demostrado una conexión entre el estrés en la familia y una serie de problemas físicos. Por ejemplo, una investigación publicada en *Archives of Disease in Childhood* (Archivos de Enfermedades en la Infancia) relacionó el estrés con el crecimiento lento en los niños[10]. Los investigadores encontraron que «un total de 31,1% de los niños que habían experimentado conflictos familiares eran más bajos en estatura comparados con el 20,2% de los que no los habían experimentado»[11]. Su hipótesis fue que «el estrés reduce la producción de hormonas de crecimiento y aumenta la secreción de hormonas de estrés (glucocorticoides, las cuales entonces pueden dañar el hipocampo [cerebral] «, e interferir con el aprendizaje y las funciones de memoria del cerebro[12].

Éste y otros estudios ofrecen evidencia contundente de que los cimientos que se colocan en la niñez pueden afectar a una persona a lo largo de toda su vida adulta.

Dada la delicada relación entre los padres y sus hijos y la creciente frecuencia de ataques emocionales y físicos en los niños, lo último que quiero hacer es proveer una racionalización o justificación para cualquier cosa que pudiera dañarlos o herirlos. Permítame decirlo una vez más: Yo no creo en la disciplina dura, opresiva o degradante, aun si es bien intencionada. Tal forma de crianza destructiva es la antítesis de todo lo que creo y defiendo. A riesgo de sonar presumido, permítame decir que de todos los honores y distinciones que he recibido a través de los años, el que más valoro es una pequeña estatua de bronce de un niño y una niña. El brazo de uno de los niños está extendido como si buscara la amorosa mano de un adulto. La inscripción en la base de esta estatua, que me fue dada por una organización que se dedica a la prevención del maltrato infantil, me nombró «El amigo de los niños» ese año en particular.

Considerando toda esta vida dedicada al bienestar de los niños, ¿por qué recomendaría el castigo corporal como un método de manejo de los niños? Es una pregunta muy buena, especialmente en vista de los muchos artículos y las muchas editoriales que aparecen en los medios de comunicación hoy en día condenando rotundamente su uso. Convencer al público que el castigo corporal es universalmente dañino ha llegado a convertirse en una cruzada implacable para ciertos elementos de los medios de comunicación liberales. Yo creo que sus esfuerzos han estado terriblemente equivocados.

Me apresuro en reconocer que el castigo corporal *puede* ser dañino si se usa mal. *Es* posible... y aun fácil... producir un niño agresivo que ha observado episodios de violencia en su hogar. Si sus padres le dan palizas con regularidad, o si es testigo de violencia física entre adultos enojados, el niño se va a dar cuenta de cómo se juega ese juego. Por lo tanto, el castigo corporal que no se aplica de acuerdo a pautas que se han pensado muy bien y con mucho cuidado, tiene el potencial de llegar a ser peligroso. El hecho de ser padre o madre no les da el derecho de abofetear e intimidar a un niño sólo porque papá tuvo un mal día o porque mamá está de mal humor. Es esta clase de disciplina injusta la que causa que algunas autoridades bien intencionadas rechacen por completo el castigo corporal.

Sin embargo, sólo porque una técnica útil pueda ser usada mal no es razón para rechazarla por completo. Muchos niños necesitan desesperadamente esta solución a su desobediencia. En esas situaciones cuando el niño entiende bien lo que se le ha pedido que haga o que no haga pero se niega a ceder al liderazgo de los adultos, unas nalgadas dadas en forma apropiada es la ruta más corta y eficaz para un ajuste de actitud. Cuando el niño baja la cabeza, aprieta los puños y deja bien claro que va a arremeter con todo lo que tiene, la justicia debe hablar en forma rápida y elocuente. Esta respuesta no crea agresión en los niños, sino que los ayuda a controlar sus impulsos y vivir en armonía con las diversas formas de autoridad benevolente a lo largo de la vida.

Hay otra razón por la que creo que el uso apropiado del castigo corporal es algo que beneficia a los niños. Como sabemos, los niños de voluntad firme pueden irritar mucho a sus padres. La mayoría de ellos ya saben muy bien cómo presionar las teclas adecuadas (o las indebidas) para hacer que sus padres pierdan completamente los estribos. Un padre dijo que no había ninguna otra cosa en su experiencia como adulto que lo pudiera enfurecer más que el comportamiento rebelde día tras día de su hijo de diez años. Dada esa clase de interacción volátil, estoy convencido de que un niño decidido y testarudo en las manos de un padre inmaduro o emocionalmente inestable es una receta para el desastre. Las posibilidades que ese pequeño tiene de recibir daños físicos son enormes, y se vuelven aun mayores si los padres han sido despojados de la capacidad de controlar el comportamiento desafiante antes que se les salga de las manos.

Cuando los que ofrecen consejos permisivos convencen a los padres que pueden y deben manejar a sus hijos hablándoles y razonando con ellos durante esos enfrentamientos pico a pico, los padres se sienten cada vez más frustrados cuando el mal comportamiento se intensifica. Finalmente, muchísimos de ellos explotan, y cuando lo hacen, cualquier cosa puede suceder. Estoy convencido de que el maltrato infantil a menudo surge de ese escenario de una u otra forma. Cuanto mejor y más seguro es que los padres administren una medida sensata y cuidadosa de nalgadas a un niño (o aun un palmetazo oportuno o dos), antes que el niño y sus padres pierdan el control. Es aun más ventajoso para un niño inteligente y de voluntad firme saber que las nalgadas son una opción, guiándolo a desistir antes de ir demasiado lejos. Al privarles a los padres de esta posibilidad, los consejeros y los psicólogos bien intencionados en forma inadvertida acondicionan a los niños de voluntad firme para el desastre en el hogar.

Por lo tanto, las recomendaciones que ofrezco en este libro tienen la intención no sólo de ayudar a los padres a criar a sus hijos en forma apropiada, sino que también quiero proteger a los niños de sufrir daños. La disciplina firme, cuando se aplica con amor, ayuda a brindar esa protección.

A continuación presento un ejemplo del castigo corporal administrado en forma apropiada y con los resultados deseados. Me lo transmitió un padre de familia, William Jarnagin, un contador público colegiado, quien me escribió la siguiente carta. Habla muchísimo en cuanto al enfoque apropiado entre las relaciones entre padres e hijos:

Estimado doctor Dobson:
Esta nota es para agradecerle por su labor para fortalecer a la familia estadounidense. Mi esposa y yo recientemente hemos leído cuatro de sus libros y hemos sacado muchísimo provecho de ellos.

    Por favor, permítame relatarle una experiencia reciente con nuestro hijo, David, que tiene seis años. El pasado viernes por la noche, mi esposa, Becky, le dijo que recogiera unas cáscaras de naranja que había dejado sobre la alfombra, lo cual es algo que él sabe que «no se hace» en nuestra casa. Él no respondió, y como resultado recibió una nalgada en el trasero, y de inmediato comenzó a tener una rabieta totalmente desafiante.

    Puesto que había observado todo el incidente, pedí que me trajeran mi palmeta y la apliqué en forma apropiada, entonces vi que él recogía las cáscaras de naranja y las colocaba en el lugar apropiado. Lo mandé de inmediato a que se acostara, puesto que ya había pasado su hora de irse a dormir. Después de unos minutos, cuando sus emociones tuvieron oportunidad de calmarse, fui a su dormitorio y le expliqué que Dios les había mandado a todos los padres y madres que verdaderamente aman a sus hijos que los disciplinaran en forma apropiada, etc., y que nosotros lo amábamos mucho y que por lo tanto no íbamos a permitir ese comportamiento desafiante.

    A la mañana siguiente, después que me había ido al trabajo, David le dio a su madre la siguiente carta, junto con un montoncito de diez moneditas de un centavo:

De David y Deborah
Para mamá y papá
La tercera casa de la Calle Ross
Selmer, Tennasse
39718
Queridos mamá y papá
Aquí tienen dies sentavos
Por darme con la palmeta
cuando lo realmente lo nesesité
Eso ba tanbién por Deborah.
Los quiero mucho.
Con amor, su ijo David
Y su ija Deborah

Ah, de paso, Deborah es nuestra hija de un año cuya adopción debe quedar concluida durante el próximo mes de junio. Siga con la buena obra que está haciendo y Dios lo bendiga.

Sinceramente,
William H. Jarnagin

El señor William Jarnagin entiende la respuesta apropiada de un padre al desafío intencional de parte de un hijo. No es ni duro, ni degradante, ni peligroso, ni caprichoso. Más bien, representa la disciplina firme y amorosa que es necesaria para el mejor bienestar del niño. Qué afortunado es el niño cuyos padres todavía entienden ese concepto eterno.

Si ha leído mis libros anteriores que ofrecen consejos para criar a los hijos incluyendo *Atrévete a disciplinar, nueva edición,* tal vez esté al tanto que llevo tratando este tema del castigo corporal en forma extensa desde hace muchos años[13]. Más que volver a repetir todas esas recomendaciones y explicaciones, me gustaría dedicar el resto de este capítulo a un artículo muy profundo escrito por dos famosos médicos, el doctor Den A. Trumbull, y el doctor S. DuBose Ravenel. Este artículo estaba en realidad dirigido a médicos y se publicó en la revista *Physician* [Médico] de Enfoque a la Familia[14]. Esta reseña informativa que se presenta a continuación, resume la investigación actual y responde a ocho argumentos que se escuchan con frecuencia contra el castigo corporal.

■■■■■■

DAR NALGADAS O NO DAR NALGADAS
Una mirada a una antigua pregunta que deja perplejos a muchos doctores

POR EL DR. DEN A. TRUMBULL, Y EL DR. S. DUBOSE RAVENEL.

Los doctores en medicina general aconsejan a los padres sobre muchos asuntos relacionados con la crianza de los hijos. En la lista de los asuntos más difíciles se encuentra el de las nalgadas disciplinarias. A pesar de los años de aceptación tradicional, las sociedades de profesionales, incluyendo la *American Academy of Pediatrics* [La Academia Estadounidense de Pediatría, AAP], han sugerido hace poco que las nalgadas pueden ser dañinas para los niños. Sin embargo, recientemente la AAP dio un giro sorprendente al publicar un informe especial que sugiere que puede que las nalgadas no sean perjudiciales para la salud de un niño. En un suplemento a la edición de la revista *Pediatrics* [Pediatría] del mes de octubre de 1996, los doctores que comparten la presidencia de la AAP, Stanford Friedman y Kenneth Schonberg, de la Escuela de Medicina Albert Einstein, hicieron un resumen de los hallazgos en una conferencia auspiciada por la AAP el año pasado que fue dedicada a la revisión de la investigación sobre las nalgadas. «Si se administran dentro del ambiente de afirmación de una vida familiar relativamente "saludable", las nalgadas, en sí mismas y de por sí, no son perjudiciales para un niño, ni son algo que pueda predecir futuros problemas», informaron.

Los hallazgos de la AAP reconocen que muchos doctores han creído por años lo que John Lyons, de la Escuela de Medicina de la Universidad del Noroeste, encontró en la revisión de su investigación: Los estudios demuestran efectos beneficiosos y no perjudiciales de la práctica de dar nalgadas. Sin embargo, estos hallazgos no cambian el hecho de que la oposición a que los padres les den nalgadas a sus hijos ha estado creciendo en círculos selectos de la sociedad en los últimos quince años. No hay duda que mucha de esta oposición parte de una sincera preocupación por el bienestar de los niños. El maltrato infantil es una realidad, y las historias de tal maltrato son horrorosas. Pero si bien la disciplina aplicada con amor y eficacia no es dura ni abusiva, tampoco debe ser débil e ineficaz. De hecho, las nalgadas disciplinarias pueden caer dentro de los límites de la disciplina con amor y no deben ser tildadas de maltrato.

O eso es lo que la mayoría de los estadounidenses parecen pensar. De acuerdo a una reciente encuesta de investigación llamada *Voter/Consumer (votante/consumidor)* llevada a cabo a pedido del Consejo de Investigación Familiar, 76% de los más de mil estadounidenses encuestados dijeron que las nalgadas eran una forma eficaz de disciplina en sus hogares durante su niñez. Estos resultados llegan a ser más notables por el hecho de que casi la mitad de las personas que contestaron la encuesta en realidad crecieron en hogares en los cuales nunca recibieron nalgadas. Tomando ambos resultados juntos, más de cuatro de cada cinco estadounidenses que recibieron nalgadas de parte de sus padres cuando eran niños dicen que era una forma eficaz de disciplina.

Algunos críticos afirman que darle nalgadas a un niño es maltrato y que contribuye a que sean adultos disfuncionales. Estas acusaciones surgen de estudios que no logran distinguir entre las nalgadas dadas en forma apropiada y otras formas de castigo.

Las formas abusivas de castigo físico tales como puntapiés, puñetazos y palizas a menudo son incluidas en el mismo grupo junto con las nalgadas leves. Más aun, los estudios por lo general incluyen, e incluso enfatizan, el castigo corporal a adolescentes en vez de centrarse en los niños de edad preescolar, en quienes las nalgadas son más apropiadas y eficaces. La borrosa distinción entre las nalgadas y el maltrato físico, y entre niños de edades diferentes, les da a los críticos la ilusión de tener datos que condenan todas las formas de nalgadas disciplinarias.

Hay varios argumentos que comúnmente se presentan en contra de las nalgadas disciplinarias. Irónicamente, la mayoría de ellos pueden usarse en contra de otras formas de disciplina. Cualquier forma de disciplina (el tiempo de descanso, las restricciones, etc.), usada de manera inapropiada y con enojo, puede distorsionar la percepción de la justicia de un niño y dañar su desarrollo emocional. A la luz de esto, examinemos algunos de los argumentos infundados que promueven quienes se oponen a las nalgadas.

ARGUMENTO 1: Muchos estudios psicológicos muestran que las nalgadas son una forma inapropiada de disciplina.
CONTRAPUNTO: En 1993, John Lyons, Rachel Anderson y David Larson, doctores en medicina e investigadores del Instituto Nacional de Investigación del Cuidado de la Salud, llevaron a cabo una revisión sistemática de la bibliografía de investigación sobre el castigo corporal. Encontraron que 83% de los 132 artículos identificados publicados en revistas clínicas y psicológicas eran editoriales, reseñas o comentarios basados en opiniones, desprovistos de nuevos hallazgos empíricos. Más aun, la mayoría de los estudios empíricos contenían defectos en cuanto a su metodología, ya que agrupaban el impacto del maltrato junto con las nalgadas. Los mejores estudios demostraban efectos beneficiosos y no perjudiciales de la aplicación de nalgadas en ciertas situaciones. Basándose en esta revisión, el doctor Robert E. Larzelere publicó una reseña exhaustiva en cuanto a la bibliografía sobre el castigo corporal en el suplemento a la revista *Pediatrics* [Pediatría] , en octubre de 1996. También encontró que no había datos suficientes como para condenar el uso de las nalgadas por parte de los padres.

ARGUMENTO 2: El castigo físico establece la justificación moral de pegarles a otras personas que hacen algo que está mal.
CONTRAPUNTO: La creencia que «las nalgadas enseñan a dar golpes» ha ganado popularidad durante la última década, pero no está apoyada por evidencia objetiva alguna. Se debe hacer una distinción entre dar golpes de manera abusiva y en forma de maltrato, y dar nalgadas que no son una forma de maltrato. La capacidad de un niño para diferenciar los golpes de las nalgadas disciplinarias depende en gran parte de la actitud del padre o de la madre hacia las nalgadas y del procedimiento que ellos siguen para darlas. No hay evidencia en la bibliografía médica que indique que unas nalgadas suaves aplicadas a un niño desobediente por un padre o una madre amoroso le enseñe a un niño a tener un comportamiento agresivo.

El asunto crítico es cómo se aplica la disciplina de las nalgadas (o, de hecho, cualquier otro castigo), más que si se usa este método o no.

El maltrato físico a manos de un padre enojado y fuera de control dejará heridas emocionales duraderas y cultivará la amargura en un niño. Sin embargo, el uso equilibrado y prudente de las nalgadas disciplinarias es un factor que disuade a algunos niños de mostrar un comportamiento agresivo. Los investigadores del Centro de Investigación Familiar de la Universidad Estatal de Iowa estudiaron a trescientas treinta y dos familias para examinar, tanto el impacto del castigo corporal como la calidad de la participación de los padres en cuanto a tres resultados de la adolescencia: la agresividad, la delincuencia y el bienestar psicológico. Los investigadores encontraron una gran relación entre la calidad de la crianza y cada uno de estos tres resultados. Sin embargo, al castigo corporal no se le relacionó en forma negativa con ninguno de ellos. Este estudio demuestra que la calidad de la crianza de los hijos es el principal factor determinante para tener resultados favorables o desfavorables.

Según un estudio realizado por Dan Olweus del cual se informa en la revista *Developmental Psychology* [Psicología del Desarrollo] en 1980, la agresividad infantil se encuentra más relacionada a la indulgencia materna y a las críticas negativas que incluso a la disciplina física que raya en el abuso.

No es algo realista esperar que los niños nunca le van a pegar a nadie si los padres tan sólo excluyeran las nalgadas de sus opciones disciplinarias. La mayoría de los pequeños que comienzan a caminar (y mucho antes de recibir nalgadas) intentan, de manera natural, pegarles a otros cuando hay un conflicto o se sienten frustrados. La continuación de este comportamiento se determina en gran parte por la forma en que responde el padre o la madre, o la persona que tiene a los pequeños a su cargo. Si se les disciplina de la manera adecuada, la tendencia a pegar se hará menos frecuente. Si este comportamiento se pasa por alto o se le disciplina en forma indebida, es muy probable que la tendencia a pegar persista e incluso aumente. Por lo tanto, en vez de contribuir a crear más violencia, el dar nalgadas puede ser un componente útil en un plan general para enseñarle a un niño, en forma eficaz, que deje de pegarles a los demás de manera agresiva.

ARGUMENTO 3: Puesto que los padres a menudo se abstienen de castigar hasta que su enojo y su frustración llega a un cierto punto, los niños aprenden que el enojo y la frustración justifican el uso de la fuerza física.

CONTRAPUNTO: Un estudio realizado en 1995 y publicado en la revista *Pediatrics* [Pediatría], indica que la mayoría de los padres que dan nalgadas no las dan en forma impulsiva, sino que resueltamente les dan nalgadas a sus hijos creyendo que éstas son eficaces. Más aun, el estudio no reveló correlación significativa alguna entre la frecuencia de las nalgadas y el enojo reportado por las madres. En realidad, las madres que informaron estar enojadas no eran las mismas que daban nalgadas.

Los golpes propinados en respuesta a una reacción y a un impulso después de perder el control debido a la ira es, sin duda alguna, la forma indebida de hacer uso del castigo corporal por parte de un padre o una madre. Sin embargo, eliminar toda forma de castigo corporal en un hogar no remediaría tales situaciones explosivas. Tal vez hasta podría aumentar el problema.

Cuando las nalgadas eficaces son eliminadas del repertorio disciplinario de un padre o una madre, lo que le queda es dar la lata, rogar, rebajar y gritar tan pronto como las medidas disciplinarias fundamentales, tales como el tiempo de descanso y las consecuencias lógicas, han fracasado. En contraste, si las nalgadas dadas en forma apropiada se usan de manera preventiva junto con otras medidas disciplinarias, se puede lograr un mejor control de un niño particularmente desafiante y habrá una menor probabilidad que se den momentos de exasperación.

ARGUMENTO 4: El castigo físico es dañino para un niño.
CONTRAPUNTO: Cualquier forma de disciplina: física, verbal o emocional, puede dañar a un niño cuando es llevada a un extremo. Cuando un padre regaña o reprende a un niño en forma excesiva, lo daña emocionalmente. El uso excesivo del aislamiento (como los tiempos de descanso) por períodos de tiempo irrazonables puede humillar a un niño y arruinar la eficacia de la medida.

Obviamente, el castigo físico excesivo o indiscriminado es dañino y representa maltrato. Sin embargo, unas nalgadas dadas a un niño desobediente en forma apropiada y después de haberle dado la advertencia correspondiente, no son algo dañino cuando se dan de una forma amorosa y controlada.

Sin el uso prudente de las nalgadas para disciplinar a un hijo desafiante, un padre corre el riesgo de ser inconsecuente y de racionalizar el comportamiento del niño. Esta forma inconsecuente de crianza confunde y daña al niño y pone en peligro la relación entre padres e hijos. No hay evidencia suficiente para probar que la disciplina de dar nalgadas en forma apropiada sea perjudicial para un niño.

DISCIPLINA: La preparación que corrige, moldea o perfecciona el carácter moral.

La disciplina (sin importar el método) es eficaz solamente cuando involucra:
• la verdad expresada con amor;
• la confesión por parte de la persona culpable;

- el perdón de parte del padre o la madre que es responsable de aplicar la disciplina;
- la solución del problema original; y
- la seguridad de la continuidad del amor.

ARGUMENTO 5: Las nalgadas le enseñan a un niño que «el que tiene el poder es el que tiene la razón», que el poder y la fuerza son lo más importantes, y que los mayores pueden imponer su voluntad sobre los menores.
CONTRAPUNTO: El poder paterno o materno se ejerce comúnmente en la crianza cotidiana de los hijos, y dar nalgadas es sólo un ejemplo. Otras situaciones en las cuales los padres aplican el poder y las restricciones incluyen:

- el niño pequeño que insiste en correr alejándose de su padre o madre en un centro comercial lleno de gente o en un estacionamiento
- el niño que comienza a caminar y que se niega a sentarse en su asiento especial del automóvil
- el pequeño paciente que rehúsa quedarse quieto mientras le aplican una vacuna o le curan una herida.

A veces, el control sobre un niño es necesario para garantizar su seguridad, su salud y un comportamiento apropiado. Los estudios clásicos sobre la crianza infantil han demostrado que cierto grado de afirmación del poder y de control es esencial para la crianza óptima de los hijos. Cuando el poder se ejerce dentro del contexto del amor y para el beneficio del niño, éste no lo va a percibir como una intimidación ni como algo que lo rebaja.

ARGUMENTO 6: Dar nalgadas es una solución inefectiva al mal comportamiento.
CONTRAPUNTO: Aunque rara vez se ha estudiado el uso específico de dar nalgadas en forma apropiada, hay evidencias de su eficacia, tanto a corto como a largo plazo. Se ha demostrado que el uso de consecuencias negativas (entre las que se incluye dar nalgadas) combinado con el razonamiento, disminuye la repetición del mal comportamiento en los niños y las niñas en edad preescolar.

En pruebas de campo clínicas donde se ha estudiado la aplicación de las nalgadas por parte de los padres, se ha encontrado en forma constante que esta medida reducía la frecuencia subsiguiente del incumplimiento con los tiempos de descanso. Las nalgadas, como un medio para hacer respetar los tiempos de descanso, son un componente de varios programas bien investigados de adiestramiento para padres y de libros de texto populares sobre la crianza infantil.

La doctora Diana Baumrind del Instituto de Desarrollo Humano de la Universidad de California, Berkeley, llevó a cabo un estudio de una década de duración con familias que tenían hijos entre los tres y los nueve años de edad. La doctora Baumrind encontró que los padres que empleaban un estilo de disciplina equilibrado de control firme (incluyendo las nalgadas) y de aliento positivo experimentaban los resultados más favorables con sus hijos. Los padres que tomaban enfoques extremos en la disciplina (modelos autoritarios que hacían uso de castigos excesivos con menos aliento, o modelos permisivos que hacían uso de muy poco castigo y no daban nalgadas) eran los menos exitosos.

La doctora Baumrind concluyó que la evidencia de este estudio «no indicaba que el refuerzo negativo o el castigo corporal en sí fueran procedimientos perjudiciales o ineficaces, sino más bien que el total de los patrones de control en la crianza determinaban los efectos de estos procedimientos en el niño».

Este enfoque de crianza equilibrada y autoritaria que emplea el uso ocasional de nalgadas es propugnado por varios expertos en la crianza infantil. En las manos de padres amorosos, unas nalgadas dadas a un pequeño desafiante dentro del contexto apropiado es un motivador poderoso para corregir el comportamiento y un factor eficaz para disuadirlo de la desobediencia.

ARGUMENTO 7: Dar nalgadas lleva a un padre o una madre a hacer uso de otras formas perjudiciales de castigo corporal que llevan al maltrato físico infantil.

CONTRAPUNTO: El potencial de maltrato cuando padres amorosos usan las nalgadas disciplinarias en forma apropiada es muy bajo. Puesto que los padres sienten un afecto natural por sus hijos, son más propensos a dar menos nalgadas de las debidas que a darlas en exceso. Tanto los datos empíricos como la opinión profesional se oponen a cualquier relación causal entre las nalgadas y el maltrato infantil.

Las encuestas indican que entre 70 y 90% de los padres de niños en edad preescolar hacen uso de las nalgadas y, sin embargo, la incidencia de maltrato físico infantil en los Estados Unidos es aproximadamente de 5%. Según las estadísticas, ambas prácticas están muy lejos la una de la otra. Más aun, según el Comité Nacional para prevenir el Abuso Infantil, durante la década pasada las denuncias por maltrato de niños han aumentado en forma constante mientras que la aprobación para que los padres den nalgadas a sus niños ha disminuido en forma constante.

Enseñarles a los padres la forma adecuada de dar nalgadas puede reducir el maltrato infantil, según el doctor Robert E. Larzelere en su artículo en el que le hace una revisión al castigo corporal en la revista

Debating Children's Lives [Debatiendo sobre las vidas de los niños], publicado en 1994. Los padres que están mal equipados para controlar el comportamiento de un hijo, o los que asumen un enfoque más permisivo (rehusándose a hacer uso de las nalgadas), tal vez sean más propensos a los ataques explosivos contra su pequeño, de acuerdo a la investigación.

El maltrato a los hijos a manos de los padres es un proceso interactivo que involucra la competencia paterno-materna, los temperamentos de los padres y de los hijos, y las demandas que impone la situación. Los padres que maltratan tienen más enojo, frustración, depresión y son más impulsivos, y enfatizan el castigo como la forma predominante de disciplina. Los niños maltratados son más agresivos y menos dóciles que los niños de familias que no los maltratan. Existe menos interacción entre los miembros de una familia donde hay maltrato, y una madre que maltrata da muestras de un comportamiento más negativo que positivo. La etiología de la crianza basada en el maltrato tiene factores múltiples y no puede dársele la sencilla explicación que tiene el uso que hace un padre o una madre de las nalgadas.

En respuesta a la oposición a dar nalgadas que apareció en un ejemplar de 1995 de la revista *Pediatrics* [Pediatría], los doctores Lawrence S. Wissow y Debra Roter, del departamento de pediatría de la Universidad Johns Hopkins, reconocen que todavía no se ha establecido un vínculo definitivo entre dar nalgadas y el maltrato infantil.

Finalmente, el experimento sueco de reducir el maltrato infantil por medio de la prohibición a dar nalgadas parece estar fracasando. En 1980, un año después que se adoptara esta prohibición, la tasa de maltrato físico infantil era el doble de la de los Estados Unidos. Según un informe de 1995 de la organización gubernamental Estadísticas Suecia, las denuncias policiales por maltrato infantil por parte de familiares se cuadruplicaron desde 1984 a 1994, mientras que los informes de violencia entre los adolescentes aumentaron a casi seis veces más.

La mayoría de los expertos están de acuerdo en que las nalgadas y el abuso infantil no son la misma cosa, sino que son entidades completamente diferentes. En cuanto a la crianza de los hijos, lo que más determina el resultado del esfuerzo disciplinario es quién «hace uso» de la disciplina y cómo hace uso de ésta y no tanto la medida que se usa en sí. Está claro que se puede hacer un uso seguro de las nalgadas en la disciplina a los pequeños con resultados excelentes. El uso apropiado de las nalgadas puede reducir el riesgo de maltrato a un niño por parte de su padre o su madre.

ARGUMENTO 8: Nunca es necesario dar nalgadas.

CONTRAPUNTO: Todos los niños precisan una combinación de aliento y de corrección durante su crianza para llegar a ser personas socialmente responsables. Para que la corrección sea un factor disuasivo en el comportamiento desobediente, la consecuencia impuesta sobre el niño debe pesar más que el placer del acto desobediente. Para los niños muy dóciles, será suficiente aplicar formas de corrección más suaves, y tal vez las nalgadas nunca sean necesarias. Pero para aquellos niños más desafiantes que se niegan a obedecer o a ser persuadidos por consecuencias más leves como el tiempo de descanso, las nalgadas son útiles, eficaces y apropiadas.

Resumen

Las nalgadas disciplinarias deben evaluarse desde una perspectiva objetiva y basada en los hechos. Deben distinguirse de las formas perjudiciales y abusivas de castigo corporal. Las nalgadas disciplinarias apropiadas pueden desempeñar un papel importante en el desarrollo óptimo de un niño o una niña y se ha encontrado en posibles estudios que son parte del estilo de crianza que se relaciona con los mejores resultados. No existe evidencia convincente que las nalgadas leves sean perjudiciales. De hecho, el uso de las nalgadas está sustentado por la historia, por la investigación y por la mayoría de los médicos de medicina general[15].

■■■■■

Mi profundo agradecimiento a los doctores Trumbull y Ravenel por permitirnos publicar este artículo tan instructivo. Ambos doctores son pediatras certificados por la junta de pediatras y ejercen la práctica privada, y son miembros de la Sección de Pediatría del Desarrollo y del Comportamiento de la Academia Estadounidense de Pediatría.

Voy a concluir presentando la correspondiente «Guía para padres y madres», también escrita por el doctor Trumbull. Presenta nueve pautas específicas en cuanto al uso de las nalgadas disciplinarias.

■■■■■

GUÍA PARA PADRES Y MADRES
Pautas para las nalgadas disciplinarias

Si su hijo es indisciplinado, y está a punto de volverse loco, tome un descanso y considere las siguientes pautas antes de darle unas nalgadas a su pequeño.

1. Las nalgadas deben ser aplicadas en forma selectiva por un mal comportamiento obvio y deliberado, particularmente el que proviene del desafío persistente de un hijo al mandato de su padre madre. Sólo deben aplicarse cuando el niño recibe por lo menos la misma cantidad de aliento y alabanza por su buen comportamiento como de corrección por el comportamiento problemático.

2. Inicialmente, se deben usar formas de disciplinas más leves, tales como la corrección verbal, los tiempos de descanso, y las consecuencias lógicas, seguidas por las nalgadas cuando la desobediencia continúa. Las nalgadas han demostrado ser un método eficaz para hacer respetar los tiempos de descanso con el niño que rehúsa obedecer.

3. Sólo un padre o una madre (y en situaciones excepcionales, otra persona que tenga una relación íntima de autoridad con el niño) debe administrar las nalgadas.

4. Las nalgadas no deben administrarse en forma impulsiva ni cuando el padre o la madre está fuera de control. Las nalgadas siempre deben estar motivadas por el amor, con el propósito de enseñar y de corregir, nunca por la venganza.

5. Las nalgadas son inapropiadas antes del año y tres meses de edad, y por lo general no son necesarias hasta el año y medio. Deben ser menos necesarias después de los seis años, y raramente, si acaso alguna vez, usadas después de los diez años.

6. Después de los diez meses de edad, tal vez sea necesaria una palmada en la mano de un niño obstinado que gatea o que comienza a caminar, a fin de detener un mal comportamiento grave cuando han fallado la distracción y el quitarle el objeto. Esto es particularmente apropiado cuando el objeto prohibido es inamovible y peligroso, tal como la puerta de un horno caliente o un tomacorriente.

7. Las nalgadas siempre deben ser una acción planeada, no una reacción del padre o de la madre, y deben seguir un procedimiento deliberado.
   • Al niño se le debe advertir que recibirá nalgadas por un problema de comportamiento que se ha señalado.
   • Las nalgadas siempre deben administrarse en privado (el dormitorio o el baño) para evitar la humillación pública o la vergüenza.
   • Se deben administrar una o dos nalgadas en el trasero. A esto le sigue abrazar al niño y con calma repasar la ofensa y el comportamiento que se desea, en un esfuerzo por restablecer una relación cariñosa.

8. Las nalgadas sólo deben dejar un enrojecimiento pasajero en la piel y nunca deben causar heridas físicas.

9. Si las nalgadas aplicadas en forma apropiada son ineficaces, se debe intentar otras formas apropiadas de disciplina, o el padre o la madre debe buscar ayuda profesional. Un padre o una madre nunca debe aumentar la intensidad de las nalgadas[16].

PREGUNTAS Y RESPUESTAS

P: Tengo que pelear con mi hija de nueve años para lograr que haga *cualquier cosa* que no quiera hacer. Es algo tan desagradable que he decidido no enfrentarme a ella. ¿Por qué debo intentar obligarla a trabajar y a ayudar en el hogar? ¿Cuál es la desventaja si tan sólo sigo la corriente y la dejo salirse con la suya?

R: Por supuesto que es normal que los niños de nueve años no quieran trabajar, pero aun así necesitan hacerlo. Si permite que un patrón de irresponsabilidad prevalezca durante los años formativos de su hija, puede que ella se atrase en su desarrollo hacia las responsabilidades totales de la vida adulta. Cuando tenga diez años, no podrá hacer nada que no le guste puesto que nunca se le ha exigido que siga con una tarea hasta que la haya completado. No sabrá cómo darle a otra persona porque sólo ha pensado en sí misma. Se le hará muy difícil tomar decisiones o controlar sus propios impulsos. Dentro de unos pocos años, se verá forzada a entrar en la adolescencia y luego a la edad de adulta sin preparación alguna para la libertad y las obligaciones que encontrará entonces. Su hija habrá tenido muy poca preparación para esas apremiantes responsabilidades de la madurez.

Obviamente, he presentado el peor de los panoramas que podría darse con referencia a su hija. Usted todavía tiene mucho tiempo y muchas oportunidades para ayudarla a evitar ese resultado. Sólo espero que su deseo de armonía en el hogar no la lleve a hacer lo que será perjudicial para su hija en los años venideros.

P: Tenemos una hija adoptada que llegó a nuestro hogar cuando tenía cuatro años de edad. Es muy difícil de manejar y prácticamente hace lo que quiere. Si nosotros la hiciéramos obedecer, sería algo muy desagradable para ella, y con franqueza, no sentimos que tenemos

el derecho de hacer eso. Ha pasado por muchas dificultades en su corta vida. Además, nosotros no somos sus verdaderos padres. ¿Cree que ella va a estar bien si sólo le damos mucho amor y mucha atención?

R: Me temo que tiene una fórmula para tener graves problemas con esta niña en el futuro. El peligro radica en que ustedes se ven como padres sustitutos o «suplentes», sin derecho a guiarla. Esto es un error. Puesto que han adoptado legalmente a esta niña, ustedes *son* sus «verdaderos» padres, y tal vez el que no puedan verse de esa forma sea lo que está alentando el comportamiento desafiante que ha mencionado. Éste es un error común que cometen los padres de niños adoptados que son mayorcitos. Les tienen demasiada lástima a sus pequeños como para enfrentarlos. Creen que la vida ya ha sido demasiado dura con ellos, y que no deben empeorar las cosas con disciplina y castigos ocasionales. Como resultado, actúan en forma vacilante y son permisivos con un niño que está clamando para que lo guíen.

Los niños que han sido transplantados a un nuevo hogar tienen la misma necesidad de guía y de disciplina que los que se quedan con sus padres biológicos. Una de las formas más seguras de hacerlos sentir inseguros es tratarlos como que son diferentes, raros o frágiles. Si los padres ven a un hijo como un pobre desamparado que debe ser protegido, el niño tenderá a verse a sí mismo de la misma manera.

Los padres de niños enfermos o discapacitados a menudo cometen este mismo error. Les es más difícil implementar la disciplina debido a la ternura que sienten por el pequeño. Por lo tanto, un niño con una enfermedad grave del corazón o que padece una enfermedad mortal puede llegar a convertirse en un diablillo, simplemente porque no se han establecido ni defendido los límites acostumbrados de comportamiento. Debe recordarse que la necesidad de ser guiado y gobernado es casi universal durante la niñez, y que ésta no disminuye con los demás problemas y dificultades en la vida. En algunos casos, los demás problemas aumentan el deseo de tener límites, ya que es por medio del control amoroso que los padres le dan seguridad y un sentido de valía personal a un niño.

Volviendo a su pregunta, le aconsejo que ame a esa niñita con todo su corazón, y que la obligue a cumplir con las mismas normas de comportamiento que obligaría a cumplir a sus hijos biológicos. Recuerde, ¡ustedes *son* sus padres!

P: Hay una niña que vive cerca de nosotros que no está siendo maltratada físicamente, pero a quien sus padres están destrozando emocionalmente. Usted no podría creer los gritos y las acusaciones que salen de su casa. Hasta ahora, los Servicios de Protección al Menor no han intervenido para rescatar a esa pequeña. ¿No es ilegal maltratar a un niño de esta forma?

R: En la mayoría de los estados es ilegal maltratar a un niño emocionalmente, pero puede que sea difícil definir lo que es una mala crianza. Desdichadamente, no es ilegal criar a un niño sin amor, a menos que se pueda probar el abandono del pequeño. Por general, tampoco es ilegal humillar a un niño. Puede que estas formas de rechazo sean aun más dañinas que algunas formas de maltrato físico, pero son más difíciles de probar y a menudo no se pueden llevar ante la ley. Cuando ocurre maltrato emocional, como es el caso de esa niñita que vive cerca de ustedes, tal vez no haya forma de rescatarla de esa situación trágica. Sin embargo, yo denunciaría el caso a los Servicios de Protección al Menor, con la esperanza que intervinieran.

P: ¿Qué consejo les daría a los padres que reconocen que tienen dentro de sí la tendencia a maltratar a sus hijos? Tal vez tengan temor de dejarse llevar cuando están dándole nalgadas a un hijo desobediente. ¿Cree que ellos deben evitar el castigo corporal como una forma de disciplina?

R: Eso es exactamente lo que creo. Cualquier persona que alguna vez haya maltratado a un niño, o que alguna vez haya sentido que está perdiendo el control durante la administración de unas nalgadas, no debe colocarse en esa situación. Cualquiera que tenga un temperamento violento que en ocasiones se vuelve difícil de controlar no debe hacer uso de ese enfoque. Cualquiera que secretamente disfruta del castigo corporal tampoco debe ser quien lo administre. Y probablemente los abuelos (incluyendo al abuelo del poema en el capítulo 8), tampoco deben darles nalgadas a sus nietos, a menos que los padres les hayan dado permiso para hacerlo.

P: ¿Cree usted que se le debe dar nalgadas a un niño por cada acto de desobediencia o de desafío?

R: Por supuesto que no. El castigo corporal debe ser algo que no ocurre con frecuencia. Hay un tiempo apropiado para que un niño se siente en una silla para pensar en cuanto a su mal comportamiento, o se le puede quitar un privilegio, enviarlo a su cuarto para un tiempo de descanso, o hacerlo trabajar cuando él había planeado jugar. En otras palabras, debe variar su respuesta al mal comportamiento, siempre tratando de mantenerse un paso adelante del niño. Su meta es reaccionar continuamente de una forma que beneficie al niño y que esté en relación con su «crimen». A este respecto, no hay sustituto para la sabiduría y el tacto en el papel de padre o madre.

P: ¿En qué parte del cuerpo administraría el castigo corporal?
R: Como su nombre lo indica, las nalgadas deben ser administradas en el trasero, donde es muy poco probable que se pueda producir un daño permanente. No creo que deba abofetear a un niño en el rostro o jalonearlo de los brazos. Si aplica el castigo sólo en las nalgas, es menos probable que le ocasione algún daño físico.

P: ¿Cuánto tiempo cree que se debe dejar a un niño llorar después de ser castigado o de habérsele dado nalgadas? ¿Hay un límite?
R: Sí, creo que debe haber un límite. En tanto que las lágrimas representen una expresión genuina de emoción, debe permitirse que fluyan. Pero el llanto puede cambiar rápidamente de sollozos interiores a una expresión de protesta con la intención de castigar al enemigo. El verdadero llanto por lo general dura dos minutos o menos, pero puede llegar a durar cinco. Pasado ese tiempo, el niño está simplemente quejándose, y el cambio puede reconocerse en el tono y en la intensidad de su voz. Yo le exigiría que dejara el llanto en señal de protesta, por lo general ofreciéndole un poco más de lo que le causó las lágrimas originales. Con los niños más pequeños, el llanto puede detenerse fácilmente llevando su interés hacia cualquier otra cosa.

P: Existe cierta controversia en cuanto a si un padre debe dar nalgadas con la mano o con algún otro objeto, como por ejemplo un cinturón o una palmeta. ¿Qué recomienda usted?
R: Yo recomiendo un objeto neutral de algún tipo. Para los que no están de acuerdo en este punto, los alentaría a que hicieran lo que les parece adecuado. Para mí esto no es un asunto crítico. La razón por la cual sugiero una vara (una rama de árbol pequeña y flexible) o una palmeta es porque la mano debe ser vista como un objeto de amor, para sostener, para abrazar, para dar palmaditas de afecto y para acariciar. Si

usted acostumbra a disciplinar de repente con la mano, su hijo tal vez no esté seguro de cuándo va a recibir castigo y puede desarrollar la costumbre de estremecerse cada vez que usted hace un movimiento inesperado. Esto no es un problema si usted se toma el tiempo para usar un objeto neutral.

Mi madre siempre usaba una varita, la cual no podía causar ningún daño permanente. Pero ardía lo suficiente como para mandar un mensaje muy claro. Un día cuando la llevé hasta el límite de su paciencia, me mandó al patio de la casa para que cortara mi propio instrumento de castigo. Yo le traje una varita que tendría unos 18 centímetros de largo. Mi madre no habría podido causarme más que unas pequeñas cosquillas con esa ramita. Nunca más me mandó a cumplir con ese tonto encargo de nuevo.

P: ¿Existe una edad cuando se pueda comenzar a aplicar las nalgadas?
R: No existe excusa para darles nalgadas a los bebés o a los niños menores de un año y tres meses o un año y medio de edad. ¡Zarandear a un bebé puede causarle daño cerebral y aun la muerte! Pero a mitad de su segundo año de vida (al año y medio), los niños llegan a ser capaces de entender lo que les está diciendo que hagan o que no hagan. Entonces, con mucha suavidad, se les puede hacer responsables de cómo se comportan. Suponga que un niño de voluntad firme quiere tocar un enchufe eléctrico o algo que lo va a lastimar. Usted le dice «¡No!», pero él tan sólo lo mira y continúa hacia el objeto. Usted puede ver la sonrisa pícara en el rostro del niño mientras piensa: *«¡Lo voy a hacer de todas maneras!»*. Mi consejo es que le hable en forma firme para que sepa que está llegando al límite. Si persiste, dele un golpecito en los dedos con la suficiente intensidad como para que le arda. Una pequeña cantidad de dolor logra mucho en esa edad y comienza a introducir al niño a la realidad del mundo físico y a la importancia de escuchar lo que le dice.

A lo largo del siguiente año y medio, establézcase gradualmente como un jefe benevolente: exprese con claridad lo que quiere decir, y hágalo cumplir. Contrario a lo que tal vez haya leído en la literatura popular, este enfoque firme y amoroso *no* va a dañar a un niño de esta edad ni va a hacer de ella una persona violenta. Todo lo contrario, es muy probable que produzca un niño saludable y confiado.

P: Les he dado nalgadas a mis hijos cuando me desobedecen, y no parece haber dado resultado. ¿Fracasa este enfoque con algunos niños?

R: Los niños son tan diferentes que algunas veces es difícil creer que todos pertenecen a la misma familia humana. Algunos niños pueden sentirse aplastados tan sólo con una mirada severa; otros parecen requerir medidas fuertes y aun dolorosas para causar en ellos una impresión vívida. Por lo general, esta diferencia resulta del grado en que el niño necesita de la aprobación y la aceptación de los adultos. La tarea primordial de los padres es ver las cosas como las percibe el niño, y así ajustar la disciplina a las necesidades particulares de éste. Por lo tanto, es apropiado castigar a un niño cuando sabe que se lo merece.

Como respuesta directa a su pregunta, las medidas disciplinarias por lo general fracasan debido a errores fundamentales en su aplicación. Es posible obtener la mitad de los resultados con el doble de castigo. He realizado un estudio de situaciones en las cuales los padres me han dicho que sus hijos no toman en cuenta el castigo y continúan con su mal comportamiento. Hay cuatro razones básicas para esta falta de éxito:

1. El error más común es la disciplina aplicada en forma caprichosa. Cuando las reglas cambian todos los días y cuando el castigo por el mal comportamiento es caprichoso e inconsecuente, el esfuerzo para cambiar el comportamiento se ve socavado. No hay consecuencia inevitable que se tenga que esperar. Esto anima al niño a tratar de probar si puede vencer a los adultos. En cuanto a la sociedad en general, esto también alienta el comportamiento criminal entre los que creen que no van a enfrentar a la justicia.

2. A veces, un niño tiene una voluntad más firme que la de su padre o su madre, y ambos lo saben. Tal vez sea lo suficientemente fuerte como para darse cuenta que un enfrentamiento con su mamá o su papá en realidad es una lucha de voluntades. Si puede aguantar la presión y no ceder durante una gran batalla, puede eliminar esa forma de castigo como un medio dentro del repertorio de su padre o su madre. ¿Estudia detenidamente él este proceso de manera consciente? Por general no, pero lo entiende en forma intuitiva. Se da cuenta que *no se debe* permitir que unas nalgadas tengan éxito. Así que endurece su cuellito, se pone obstinado y muestra sus agallas. Tal vez hasta rehúse llorar y puede que diga: «No me dolió». El padre o la madre concluye con exasperación: «Las nalgadas no dan resultado con mi hijo».

3. Puede que las nalgadas sean demasiado suaves. Si no producen dolor, no motivan a un niño a evitar las consecuencias la próxima vez. Una palmada con la mano en el trasero de un niño de dos años que usa pañales no es un factor disuasivo en absoluto. Asegúrese de que el niño recibe el mensaje, al tiempo que usted tiene cuidado de no ir demasiado lejos.
4. Las nalgadas no son eficaces para unos cuantos niños. Un niño que sufre de trastorno por déficit de atención e hiperactividad (TDAH), por ejemplo, puede ser más desenfrenado y difícil de controlar después del castigo corporal. Asimismo, un niño que ha sido maltratado puede identificar la disciplina amorosa con el maltrato pasado. Finalmente, un niño muy sensible puede necesitar un enfoque diferente. Permítame enfatizar de nuevo que cada niño es único. La única forma de criarlo bien es entender a cada niño como una persona individual y diseñar técnicas de crianza que encajen con las necesidades y características de ese niño en particular.

P: ¿Cree que finalmente el castigo corporal va a ser prohibido por la ley?
R: No dudo que se hará un esfuerzo para ponerle fin. De hecho, en 1982 se hizo un intento por prohibir legalmente el castigo corporal en California, hasta que los padres les dijeron a los políticos que no se metieran en eso[17]. La tragedia del maltrato infantil ha hecho muy difícil que la gente entienda la diferencia entre el salvajismo contra los niños, y las formas constructivas y positivas de castigo. También, hay muchos «defensores de los derechos de la niñez» en el mundo occidental que no van a descansar hasta que hayan obtenido el derecho legal de decirles a los padres cómo deben criar a sus hijos. En Suecia, el castigo corporal y otras formas de disciplina ya han sido prohibidas por la ley[18]. Los tribunales en el Canadá han considerado esa decisión, pero han decretado en forma contraria[19]. Los medios de comunicación en los Estados Unidos se han esforzado por convencer al público que las nalgadas, de todo tipo, equivalen al maltrato infantil y por lo tanto deben ser prohibidas por la ley. Si se prohíbe el castigo corporal, será un día muy triste para las familias, ¡y especialmente para los niños!

HERMANOS AMARGADOS Y HERMANAS HOSCAS

Si SE LES PIDIERA A LOS PADRES que dijeran cuál es la característica más irritante en cuanto a la crianza de sus hijos, estoy seguro de que la rivalidad entre hermanos ganaría con facilidad. Tiene la capacidad de hacer que adultos que en otras circunstancias son personas cuerdas y con dominio propio se vuelvan medio locos. Los niños no se conforman con sólo odiarse unos a otros en privado. Se atacan unos a otros como pequeños guerreros, movilizando sus tropas y buscando un punto débil en la línea de defensa. Discuten, se pegan, se dan puntapiés, gritan, se tironean, se burlan unos de otros, se acusan y sabotean las fuerzas enemigas. Conocí a un niño que estaba profundamente molesto por estar resfriado mientras que sus otros hermanos estaban sanos, ¡así que en secreto se sonaba la nariz en la boquilla del clarinete de su hermano! Los grandes perdedores de tal combate, por supuesto, son los padres, quienes deben escuchar el ruido del campo de batalla y luego tratar de curar a los heridos.

Por supuesto que la rivalidad entre hermanos no es algo nuevo. Fue responsable del primer asesinato del que se tiene registro (cuando Caín mató a Abel) y desde aquel entonces y hasta ahora ha estado presente en prácticamente todos los hogares que tienen más de un hijo. La fuente que yace bajo este conflicto son los tradicionales celos y la competencia entre los niños. Willard y Marguerite Beecher describieron una ilustración excelente de esta irritante situación en su libro titulado *Parents on the Run* [Padres dominados]. Ellos escribieron:

Una vez se creía que si los padres le explicaban a un niño que iba a tener un hermanito, éste no se iba a sentir contrariado. Sus padres le decían que habían disfrutado tanto con él que ahora querían aumentar esa felicidad. Se suponía que esto evitaría los celos competitivos y la rivalidad. Pero no resultó. ¿Por qué tendría que haber resultado? De más está decir, que si un hombre le dice a su esposa que la ha amado tanto que ahora planea traer a otra mujer al hogar para «aumentar su felicidad», ella no sería inmune a los celos. Por el contrario, la pelea recién comenzaría, de la misma forma que sucede con los niños[1].

Podemos aprender algunas lecciones valiosas sobre los hermanos y cómo interactúan entre sí a partir de un principio elemental de la física: Un objeto caliente que se encuentra cerca de otro más frío aumentará la temperatura de éste último. ¿Capta la figura? Un hijo rebelde por lo general hace que el niño dócil sea más difícil de manejar. Esto es especialmente cierto si el niño de voluntad firme es el mayor. No es raro que los padres se den cuenta de que su hijo amante de las diversiones y llevadero esté comenzando a mostrar algunas de las actitudes agresivas y el comportamiento de su hermano más fuerte. De hecho, todos los miembros de una familia reciben la influencia, por lo general para mal, de algún pequeño particularmente difícil.

Hay otro factor que puede producir irritación y frustración a los padres. Los niños de voluntad firme y los niños dóciles, por lo general, sienten profundos celos los unos de los otros. A las personas más fuertes no les gustan sus hermanos remilgados que hacen todo bien y que son castigados con muchísima menos frecuencia. Los niños dóciles, por otro lado, se cansan y se hartan de ver que el hermano rebelde se enfrenta a mamá y papá y con frecuencia sale ganador. También se espera que los niños dóciles «tan sólo se conformen» algunas veces, porque los padres están agotados de pelear (y de perder) con el niño rebelde. Aquí se aplica el viejo proverbio que dice que «la bisagra que suena es la que recibe el aceite». Los niños de voluntad firme tienden a salirse más con la suya porque nunca cejan y sus padres se exasperan sólo tratando de aguantar la situación.

Describí este efecto interactivo en mi libro *Tener hijos no es para cobardes,* especialmente porque se relaciona con la salud y el bienestar del niño dócil en el mundo de un hermano de voluntad firme. El niño dócil «a menudo tiene dificultades conteniéndose frente a sus hermanos, [y] es más propenso a interiorizar su enojo y a buscar maneras de darle otras salidas»[2].

Esto representa una amenaza grave (pero muy callada) al bienestar del niño dócil. Mi mayor preocupación por este niño es la facilidad con que se le puede subestimar, pasar por alto, explotar o perjudicar en el hogar. ¿No ha visto familias con dos hijos en las cuales uno era un cartucho de dinamita que explotaba con regularidad, mientras que el otro era un absoluto encanto? Bajo tales circunstancias, no es raro que un padre dé por sentado a su hijo cooperador. Si hay un trabajo desagradable que hacer, se espera que él lo haga. Mamá y papá simplemente no tienen la energía para pelear con el tigre.

Si se ha de escoger a uno de los hijos para alguna experiencia agradable, es probable que se escoja al más malcriado de los dos. Gritaría a todo pulmón si lo excluyeran. Cuando las circunstancias exigen que se sacrifique a uno de los niños o que se prescinda de éste, usted sabe quién va a ser elegido. Los padres que favorecen al niño de voluntad firme de esta forma son conscientes que son injustos, pero su sentido de justicia ha cedido ante las presiones de lo que es práctico. Simplemente están demasiado agotados y frustrados como para arriesgarse a irritar al hijo más fuerte.

Las consecuencias de tal injusticia deben ser obvias. Aun cuando el niño dócil sigue el programa y no se queja, puede que acumule una cantidad de resentimiento a lo largo de los años. ¿No es esto lo que parece que le ocurrió al hermano del hijo pródigo, según lo describe Jesús en Lucas 15:11-32? Él era el trabajador, responsable y dócil de la familia. Aparentemente, su hermano menor era irresponsable, inconstante y de voluntad muy firme. Si se nos permite extrapolarnos un poco del relato bíblico, parecería que quizá no había mucho amor entre estos dos hermanos, aun antes de la partida impulsiva del hijo pródigo.

El hermano mayor disciplinado sintió celos de su malcriado hermano que recibió todo lo que había pedido. Sin embargo, el hermano mayor no dijo nada. No quería disgustar a su padre, a quien respetaba mucho. Entonces llegó ese increíble día cuando el hermano menor exigió que le dieran toda su herencia de una sola vez. El hijo dócil escuchó por casualidad la conversación y se quedó espantado. *¡Qué audacia!*, pensó. Entonces, para su gran asombro, escuchó que su padre le concedía la petición al *playboy*. Podía escuchar el ruido que producía el conteo de las numerosas monedas de oro. El hermano mayor estaba furioso. Sólo podemos suponer que la partida del hermano menor implicaría que el hermano mayor tendría que hacer el doble de las tareas y trabajar más horas en los campos. No era justo que la carga cayera sobre él. Sin embargo, no dijo nada. Las personas dóciles tienen la inclinación de guardarse sus sentimientos dentro, pero son capaces de guardar un gran resentimiento.

Y pasaron los años lentamente mientras el hermano mayor trabajaba para mantener la hacienda. Para entonces el padre había envejecido, lo que significaba una mayor presión sobre el hijo primogénito. Todos los días éste trabajaba desde el amanecer hasta el ocaso, bajo el candente sol. En ocasiones, pensaba en su hermano que estaba dándose la gran vida en un país lejano, y por un breve momento se sentía tentado. Pero, no, él haría lo bueno. Complacer a su padre era lo más importante en su vida.

Entonces, como recordaremos, al holgazán de voluntad firme se le acabó el dinero y sentía muchísima hambre. Pensó en la comida que preparaba su madre y en el calor de la chimenea de su padre. Se ciñó sus harapos y comenzó el largo viaje de regreso a su hogar. Cuando todavía estaba lejos, su padre corrió para alcanzarlo, abrazándolo y colocando las ropas reales sobre sus hombros. Se mató el becerro más gordo y se planeó una gran fiesta. Eso fue la gota que colmó el vaso. El hermano dócil no pudo aguantar más. El hijo pródigo había conseguido por medio de su locura lo que el hermano mayor no había podido conseguir por medio de su disciplina: la aprobación y el afecto de su padre. ¡Su espíritu estaba herido!

Quedará en manos de los teólogos determinar si mi interpretación de esta parábola es fiel al significado de la Escritura. Sin embargo, de esto estoy seguro: Los hermanos de voluntad firme y los hermanos dóciles han interpretado este drama desde los días de Caín y Abel, y el hermano responsable a menudo siente que es el perdedor. Guarda sus sentimientos dentro y luego paga un precio por mantenerlos allí. Cuando es adulto, es más propenso a tener úlceras, tensión alta, colitis, jaquecas y una amplia gama de otras enfermedades psicosomáticas. Además, su sentido de absoluta impotencia puede llevar a que su ira se mantenga oculta. Y ésta puede surgir en formas menos obvias de búsqueda de control.

No es necesario ni saludable permitir que los niños se destruyan unos a otros y que les hagan la vida muy desdichada a los adultos que están a su alrededor. La rivalidad entre hermanos es difícil de curar, pero ciertamente puede ser tratada. En este sentido, permítame ofrecerle tres sugerencias que deben ser útiles para lograr por lo menos un estado de neutralidad armada en el hogar.

1. No inflame los celos naturales de los niños

La rivalidad entre hermanos es prácticamente inevitable, sobre todo entre niños de voluntad firme, pero por lo menos mamá y papá pueden evitar situaciones que la empeoren. Una de esas banderas rojas es comparar a los niños unos con otros de manera desfavorable, puesto que siempre están buscando una ventaja competitiva. La pregunta que se encuentra en la mente de un niño no es: «¿Cómo estoy haciendo las cosas?» sino: «¿Cómo estoy haciendo las cosas en comparación con Miguel [o Víctor o Sara]?». El asunto no es la rapidez con que puede correr un niño sino quién cruza la meta primero. A un niño no le interesa saber cuánto mide, lo que le interesa de manera vital es quién es el más alto. En forma sistemática, los niños se miden con sus compañeros en todo, desde la habilidad para andar en monopatín hasta quién tiene más amigos. Ambos sexos son especialmente sensibles a cualquier fracaso que pueda ocurrir y del que se hable abiertamente dentro de su propia familia. En consecuencia, los padres que quieran un poco de paz en el hogar deben cuidarse de hacer comentarios comparativos que en forma rutinaria favorecen a un hijo por encima del otro. Violar este principio es sentar las condiciones para aumentar aun más la rivalidad entre los hermanos.

Tal vez una ilustración ayude a aclarar esto. Cuando yo tenía unos diez años de edad, me encantaba jugar con dos perros que les pertenecían a dos familias del vecindario. Uno de ellos era una mezcla de bulldog de nariz chata que tenía una actitud muy mala y un coeficiente intelectual perruno muy bajo. Su único gran talento era que lo enloquecía correr tras las pelotas de tenis y traerlas de vuelta. El otro perro era un dulce y pasivo terrier escocés que se llamaba Baby. No hacía ningún truco en absoluto, excepto ladrar desde la mañana hasta la noche. Un día, mientras le estaba tirando la pelota al bulldog, se me ocurrió que podría ser interesante tirarla en la dirección de Baby. Ésa resultó ser una idea realmente tonta. La pelota rodó debajo del terrier escocés con el otro perro rezongón persiguiéndola locamente. El bulldog fue directo a la garganta de Baby y no la soltaba. Fue una escena terrible. Los vecinos llegaron corriendo de todos lados mientras el terrier escocés ladraba aterrorizado. Tomó diez minutos y fue necesaria una manguera del jardín para que los adultos pudieran lograr que el bulldog soltara su presa. Para ese entonces, Baby estaba casi muerto. Pasó dos semanas en el hospital veterinario, y yo caí en desgracia durante todo ese tiempo. Todo el pueblo me odiaba.

He pensado en esa experiencia muchas veces y desde entonces he reconocido su aplicación a la mayoría de las relaciones humanas. De hecho, es igual de simple precipitar una pelea entre personas como lo es entre perros. Todo lo que se necesita es lanzar una pelota, simbólicamente, en la dirección de uno de los rivales y luego dar un paso hacia atrás y observar la pelea. Esto se puede lograr repitiendo los comentarios negativos que uno haya hecho acerca del otro o echándole el anzuelo al primero en presencia del segundo. En el mundo de los negocios se puede lograr asignándoles territorios similares a dos gerentes. Se van a hacer pedazos mutuamente en donde coincidan sus responsabilidades. Por cierto, que esto sucede todos los días.

Este principio se aplica en especial a los hermanos. Es muy fácil hacerlos enemigos mortales. Todo lo que un padre o una madre debe hacer es lanzar la pelota en la dirección equivocada. El antagonismo natural y la competitividad de los niños harán el resto.

A los niños y a los adolescentes los pone particularmente tensos el asunto del atractivo físico y las características corporales. Alabar a un hijo a expensas del otro es algo que produce mucho conflicto. Por ejemplo, suponga que a Raquel se le permite escuchar este comentario casual acerca de su hermana: «Sin duda, Rebeca va a ser una muchacha muy bella». El simple hecho de que Raquel no fue mencionada probablemente determinará que ambas muchachas se conviertan en rivales. Si hay alguna diferencia significativa en cuanto a belleza entre las dos, puede estar seguro que Raquel ya ha llegado a esta conclusión: *Claro, yo soy la fea.* Cuando sus temores son confirmados por sus compañeros, entonces se generan los resentimientos y los celos.

La belleza es el factor más significativo en cuanto al amor propio de los niños y los adolescentes. Cualquier cosa que los padres digan sobre este asunto a oídos de los niños debe examinarse con mucho cuidado. Tiene el poder de hacer que los hermanos se odien entre sí.

La inteligencia es otro asunto muy importante para los niños. No es raro escuchar a los padres decir frente a sus hijos: «Creo que Alicia es má inteligente que Marcos». ¡Pum! Aquí viene otra batalla. Algunas veces a los adultos les cuesta darse cuenta del poder que puede tener esa clase de comparación en la mente de un niño. Aun cuando los comentarios no hayan sido planeados y se hayan expresado a la ligera, éstos transmiten cómo se ve a un niño dentro de la familia. Todos somos vulnerables al poder de esa pequeña información.

Los niños y las niñas (especialmente los adolescentes) son extremadamente competitivos con respecto a los atributos físicos y a las habilidades atléticas. Los que son más lentos, más débiles y tienen menos coordinación que sus hermanos o hermanas rara vez pueden aceptar con dignidad y gracia ser «los segundos». Por ejemplo, considere la siguiente nota que me dio la madre de dos hijos varones. Fue escrita por su hijo de nueve años a su hermano de ocho, después que el menor le había ganado al mayor en una carrera.

> *Querido Santiago:*
> *Yo soy el mejor y tú eres el peor. Yo le puedo ganar a cualquiera en una carrera y tú no le puedes ganar a nadie en una carrera. Yo soy el más inteligente y tú eres el más estúpido. Yo soy el mejor jugador y tú eres el peor. También eres un cerdo. Yo le puedo pegar a cualquiera. Y ésa es la verdad. Y éste es el final de la historia.*
>
> *Atentamente,*
> *Ricardo*

Esta nota me hizo gracia porque los motivos de Ricardo estaban muy mal disimulados. Él había sufrido una gran humillación en el campo del honor, así que llegó a su hogar y levantó los estandartes de la batalla. Es probable que haya pasado las siguientes ocho semanas buscando oportunidades para lanzarle golpes bajos a su hermano. Así es la naturaleza humana.

He aquí otro ejemplo: Una de mis asistentes en Enfoque a la Familia tiene un hermano mayor que era un niño prodigio de la música. Para cuando tenía seis años, este hermano mayor tocaba sonatas de Mozart en el piano, mientras que sus hermanos menores apenas si podían tocar «Palitos chinos». En todos los recitales, podían escuchar aclamaciones por las habilidades de su hermano, y luego un comentario hecho a la ligera: «Oh, tú también hiciste buen trabajo».

Después de siete años de implorar y de rogar, el hermano menor finalmente convenció a su madre que nunca iba a compararse con su hermano en el piano y que necesitaba encontrar su propia identidad tocando el saxofón. Unas pocas semanas después, trajo su saxofón a casa y comenzó a practicar. Por supuesto, dado que recién estaba aprendiendo las notas, no estaba listo para tocar como solista en la banda. Su hermano mayor, con quien siempre había tenido una buena relación (y con quien la tiene hasta ahora), vino a donde estaba él, tomó el saxofón, y en un instante tocó como alguien que hubiera estado practicando durante quince años. El hermano menor, completamente humillado, comenzó una pelea a muerte con su hermano. Con el tiempo, el hermano menor llegó a ser bastante bueno tocando el saxofón, y desarrolló una identidad propia saludable. Pero un niño con menos seguridad podría haberse escondido dentro del caparazón del resentimiento y negado a tratar de hacer nada que pudiera percibir como un riesgo. Hay mucho del comportamiento humano que gira en torno a estos principios bastante simples.

¿Estoy sugiriendo, entonces, que los padres eliminen todos los aspectos de individualidad dentro de la vida familiar o que la competencia saludable deba desalentarse? Por supuesto que no. La competencia nos lleva a alcanzar lo mejor dentro de nosotros. Sin embargo, lo que digo es que en cuestiones de belleza, de inteligencia, de habilidad atlética, y de cualquier otra cosa que se valore en la familia o el vecindario, los niños deben saber que a los ojos de sus padres, ellos son respetados y valen tanto como sus hermanos. Los elogios y las críticas *en el hogar* deben distribuirse tan equitativamente como sea posible, aunque es inevitable que algunos niños tendrán más éxito en el mundo exterior que otros. Por último, debemos recordar que los niños no construyen fortalezas alrededor de sus puntos fuertes, las construyen para proteger sus puntos débiles. Así que, cuando un niño comienza a hacer alardes y a jactarse delante de sus hermanos y a atacarlos, está revelando las amenazas que siente en ese momento. Nuestra sensibilidad a esas señales ayudará a disminuir los celos potenciales entre nuestros hijos.

2. Establezca un sistema viable de justicia en el hogar

La rivalidad entre hermanos también llega a su peor nivel cuando hay reglas inadecuadas o que se aplican de manera inconsecuente para gobernar la interacción entre los niños; cuando «los que rompen las leyes» no son descubiertos, y si son atrapados, son puestos en libertad sin tener un juicio. Es importante entender que las leyes en una sociedad se han establecido y se cumplen con el propósito de proteger a las personas unas de las otras. De la misma forma, una familia es una sociedad pequeña con las mismas exigencias de derechos a la propiedad y de protección física.

Para propósitos de ilustración, supongamos que yo vivo en una comunidad donde no hay ley establecida alguna. No hay policías y no hay tribunales donde se puedan apelar los desacuerdos. Bajo esas circunstancias, mi vecino y yo podemos maltratarnos el uno al otro impunemente. Él se puede llevar mi cortadora de césped y lanzar piedras a mis ventanas, mientras que yo le robo los duraznos de su árbol favorito y apilo mis hojas en su lado de la cerca. Esta clase de mutuo antagonismo tiene una forma de hacerse más intensa día por día, haciéndose más violenta con el paso del tiempo. Cuando se le permite que siga su curso natural, como sucedió en los albores de la historia estadounidense, el resultado final puede ser el odio feudal y el asesinato.

Cada familia es similar a la sociedad en cuanto a su necesidad de la ley y del orden. Ante la falta de justicia, los hermanos «del vecindario» comienzan a atacarse los unos a los otros. El niño mayor es más grande y más fuerte, lo que le permite oprimir a sus hermanos menores. Pero el miembro menor de la familia no está desarmado. Él puede vengarse rompiéndole los juguetes y las posesiones preciadas del hermano mayor y también entrometerse cuando los amigos de aquel lo visitan. El odio mutuo irrumpe entonces como un volcán en erupción, vomitando su contenido destructivo sobre todos los que se encuentran a su paso.

Sin embargo, con demasiada frecuencia, a los niños que apelan a sus padres para que éstos intervengan se les deja para que resuelvan el conflicto entre ellos mismos. Puede que mamá y papá no tengan el suficiente control disciplinario como para hacer cumplir lo que han dictado. En otras familias, están tan exasperados con las constantes peleas entre los hermanos que rehúsan involucrase. Aun en otras familias, exigen que el hermano o la hermana mayor viva dentro de una situación de injusticia que se ha admitido «porque tu hermana es menor que tú». Así, atan de manos al niño mayor y lo dejan completamente indefenso contra la malicia del hermano menor. Y en las muchas familias de hoy en día en las que tanto el padre como la madre trabajan fuera del hogar, puede que los hijos estén ocupados destrozándose en el hogar sin contar con supervisión alguna.

Lo voy a repetir: Una de las responsabilidades más importantes de los padres es establecer un sistema equitativo de justicia y un equilibrio de poder en el hogar. Debe haber reglas razonables que se hagan cumplir de manera justa con cada uno de los miembros de la familia. Para propósitos de ilustración, permítame darle el comienzo de una lista de «leyes» sobre las cuales se construya un escudo protector alrededor de cada niño. Nunca se podrán implementar a la perfección, pero se puede comenzar por ahí:

- *Nunca* se le permite a un niño burlarse de otro de forma destructiva. ¡Así de simple! Ésta debe ser una regla inflexible sin excepciones.

- El dormitorio de cada niño es su territorio privado. Debe haber cerraduras en ambas puertas, y el permiso para entrar es un privilegio revocable. (Las familias que tienen más de un niño en cada dormitorio pueden asignar un espacio privado vital disponible para cada niño).
- Dentro de lo posible, al niño mayor no se le permite tomarle el pelo ni fastidiar al niño menor.
- Al niño menor se le prohíbe hostigar al niño mayor.
- No se les exige a los niños que jueguen juntos cuando prefieren estar solos o con otros amigos.
- Los padres serán los mediadores de cualquier conflicto auténtico tan pronto como sea posible, teniendo cuidado de ser imparciales y aplicar completa equidad.

Como sucede con cualquier sistema de justicia, este plan requiere (1) el respeto por el liderazgo de los padres, (2) la disposición de los padres a ser mediadores, (3) la firmeza razonable a lo largo del tiempo, y (4) hacer cumplir las reglas y castigar cuando lo requiera la ocasión. Cuando este enfoque se lleva a cabo con amor, el tono emocional del hogar puede ser cambiado de uno de odio a otro (por lo menos) de tolerancia.

3. Reconozca que el "blanco" oculto de la rivalidad entre hermanos es usted

El tercer principio general tiene que ver con entender cómo piensan los niños. El conflicto de los niños a veces se convierte en una manera de manipular a sus padres. Las discusiones y las peleas proveen una oportunidad para que ambos niños capten la atención de los adultos. Se ha escrito: «Algunos niños han preferido que los quieran por haber hecho algo muy malo a que no los quieran en absoluto». En este sentido, un par de niños odiosos pueden en forma tácita ponerse de acuerdo para molestar a sus padres hasta que obtengan una respuesta, aun si se trata de una reacción de enojo.

Un padre me contó sobre una ocasión en que su hijo y su sobrino comenzaron a discutir y luego a darse puñetazos. Ambos padres estaban cerca y decidieron dejar que la pelea siguiera su curso natural. Durante la primera tregua en la acción, uno de los niños echó una mirada de soslayo hacia los pasivos hombres y dijo: «¿Nadie nos va a detener antes que nos lastimemos?». ¿Se da cuenta? La pelea era algo que ninguno de los dos niños quería. Su violento combate estaba relacionado directamente a la presencia de los dos adultos y hubiera tomado un curso diferente si los muchachos hubieran estado solos. Los niños van a «captar» la atención y la intervención de sus padres de esta manera.

Ya sea que lo crea o no, esta forma de rivalidad entre los hermanos es de lo más fácil de controlar. Los padres simplemente deben hacer que el comportamiento no le dé resultado favorable alguno a ninguno de los participantes. Yo recomendaría que repase el problema (por ejemplo, una mañana llena de peleas) con los niños y luego diga: «Bueno, ahora escuchen con cuidado. Si ustedes dos quieren agarrárselas entre ustedes y hacerse completamente desdichados el uno al otro, adelante [suponiendo que existe un equilibrio de poder bastante equitativo entre ellos]. Vayan afuera y discutan hasta que queden extenuados. Pero esto no va a ocurrir frente a mí nunca más. ¡Se acabó! Y ustedes saben muy bien que estoy hablando muy en serio cuando digo esto. ¿Nos entendemos mutuamente?».

Una vez que los límites han quedado bien claros, yo actuaría con mucha decisión en el instante en que uno de los dos comenzara a pelear en mi presencia. Si los niños tienen dormitorios separados, enviaría a cada niño a su habitación, al menos por treinta minutos de total aburrimiento sin radio, computadora o televisión. O le asignaría a uno la tarea de limpiar el garaje y al otro de cortar el césped. O haría que los dos tomaran una siesta que no está programada. Mi propósito sería hacer que me creyeran la próxima vez que pidiera paz y tranquilidad.

Sencillamente no es necesario permitirles a los niños destruir el gozo de vivir. Y lo que es más sorprendente, los niños son los más felices cuando sus padres les hacen cumplir límites razonables con amor y dignidad. Pero no hay nada simple cuando se trata de criar hijos. Obviamente, no es una tarea para cobardes.

PREGUNTAS Y RESPUESTAS

P: Estamos planificando nuestra familia con mucho cuidado y queremos que nuestros hijos se lleven la cantidad de años adecuada. ¿Existe una diferencia de edad que proporcione una mayor armonía entre ellos?

R: Los niños que se llevan dos años y son del mismo sexo tienden a ser más competitivos el uno con el otro. Por otro lado, también es más probable que disfruten de la compañía mutua. Si sus hijos se llevan más de cuatro años, habrá menos camaradería entre ellos, pero al menos tendrá un solo hijo en la universidad a la vez. Mi respuesta evasiva a su pregunta refleja mi inclinación personal: Hay muchas razones más importantes para planificar tener un bebé en un momento en particular que las edades de los hijos que ya han nacido. De mayor significado está la salud de la madre, el deseo de los padres de tener otro hijo, las consideraciones financieras y la estabilidad del matrimonio. En mi opinión, la edad relativa de los hijos no es uno de los mayores aspectos determinantes.

P: Mi hija mayor es una estudiante muy buena y saca siempre «A» año tras año. A su hermana menor, que ahora está en sexto grado, la escuela la aburre totalmente y ni siquiera hace el intento por mejorar. Lo frustrante es que la niña menor quizá sea más inteligente que su hermana mayor. ¿Por qué se rehusaría de esta manera a aplicar sus habilidades?
R: Podrían existir muchas razones para la falta de interés académico de su hija menor, pero permítame sugerirle la explicación más probable. A menudo, los niños se negarán a competir cuando piensan que probablemente saldrán segundos en vez de primeros. Por lo tanto, puede que un hermano menor evite desafiar a su hermano mayor en el ámbito donde éste muestre mayor habilidad. Si el hijo número uno es un gran atleta, puede que el hijo número dos esté más interesado en coleccionar mariposas. Si la hija número uno es una pianista destacada, la hija número dos tal vez desprecie la música y se dedique al tenis. Éste es el panorama exacto que describí en la historia de mi asistente y su hermano mayor. El hermano menor no tenía el deseo (o la habilidad) de competir contra el hermano mayor con respecto al piano, y desesperadamente quería hacer otra cosa en la que no se le comparara desfavorablemente.

Por supuesto que esta regla no siempre es válida, porque depende del temor que el niño le tenga al fracaso y de la forma en que estima sus posibilidades de competir exitosamente. Si su confianza es grande, tal vez entre abiertamente en el territorio que le pertenece a su hermano mayor, resuelto a que le vaya aun mejor. Sin embargo, la respuesta más típica es buscar una nueva esfera de compensación que todavía no haya sido dominada por la superestrella de la familia.

Si esta explicación concuerda con el comportamiento de su hija menor, entonces sería sabio aceptar algo menos que la perfección en cuanto a su rendimiento escolar. No es necesario que los hermanos encajen en el mismo molde, ni podemos forzarlos a que lo hagan.

P: Soy una madre soltera con dos hijos varones de voluntad firme que se están destrozando mutuamente. Creo que podría lidiar con su rivalidad de hermanos si tan sólo recibiera algo de aliento y de ayuda práctica al tratar con los asuntos cotidianos. La presión de trabajar, de cocinar la cena y de desempeñar el papel de dos padres me deja sin energía e imposibilitada de lidiar con sus constantes peleas. ¿Qué clase de aliento nos puede ofrecer a los que estamos criando a nuestros hijos solos? Cada día parece más difícil que el anterior. ¿Puede ayudarnos a presentar nuestro caso a los que no entienden lo que enfrentamos?

R: De acuerdo al Resumen Estadístico de los Estados Unidos, actualmente hay 12 millones de hogares con padres o madres que crían a sus hijos solos en los Estados Unidos[3]. En mi opinión, ¡los padres y madres que están solos tienen el trabajo más difícil del universo! El mismo Hércules temblaría ante la gama de responsabilidades que personas como usted deben manejar todos los días. Ya es bastante difícil que un padre y una madre dentro de un matrimonio sólido y con finanzas estables satisfagan las demandas de la crianza. Es evidencia de heroísmo el que una madre o un padre que está solo realice esa tarea de manera excelente a lo largo de los años.

El problema mayor que enfrentan los padres o las madres solos, especialmente una madre joven como usted, es la cantidad abrumadora de trabajo que debe hacerse. Ganarse la vida, preparar las comidas, cuidar a los hijos, ayudarlos con las tareas escolares, limpiar la casa, pagar las cuentas, hacer reparar el automóvil, manejar los asuntos del seguro, llevar las cuentas del banco, preparar las declaraciones de impuestos a la renta, hacer las compras, etc., puede requerir doce horas o más cada día. La persona debe continuar con este horario siete días a la semana durante todo el año, algunas veces sin apoyo de la familia o de otras personas. Es suficiente como para extenuar a la mujer más fuerte y sana. Entonces, ¿de dónde saca ella tiempo y energía para suplir sus propias necesidades sociales y emocionales, y cómo desarrolla las amistades sobre las que depende esa parte de su vida? Ser padres solos no es más fácil para los hombres, pues se pueden encontrar tratando de peinar a sus hijas pequeñas, y explicándoles la menstruación a las preadolescentes.

Hay sólo una respuesta para las presiones que enfrentan los padres que crían a sus hijos solos. Y es que el resto de nosotros les demos una ayuda a estas mamás y a estos papás. Ellos necesitan mucha ayuda práctica, incluyendo la amistad de familias compuestas por ambos cónyuges que en ocasiones se lleven a los hijos para dejarles un poco de tiempo libre. Las mamás solas necesitan la ayuda de hombres jóvenes que puedan jugar a la atrapada con sus hijos que no tienen padre y que los puedan llevar a los partidos de fútbol en la escuela. Necesitan hombres que les puedan arreglar los frenos de su furgoneta y que les reparen el techo para cuando llueve. Por otro lado, los papás solos necesitan mujeres que puedan ayudarlos a criar a sus hijos, y si tienen hijas, que les enseñen a comportarse como damas.

Los padres y las madres solos precisan compañeros de oración que los hagan responsables en su caminar con el Señor y que lleven sus cargas con ellos. Necesitan una familia más grande de creyentes que se preocupen por ellos, que los eleven delante del Dios, y que les recuerden sus prioridades. Tal vez lo más importante es que los padres y las madres solos necesitan saber que el Señor conoce muy bien las circunstancias por las que están pasando.

Creo que es responsabilidad de nosotros en la iglesia ayudarle con sus responsabilidades de madre. Este requisito se encuentra implícito en el mandamiento de Jesús de amar y de apoyar a los necesitados en todas las esferas de la vida. Él dijo: «Les aseguro que todo lo que hicieron por uno de mis hermanos, aun por el más pequeño, lo hicieron por mí» (Mateo 25:40). Esto pone las cosas en perspectiva. ¡Jesucristo ve nuestros esfuerzos a favor de un niño que no tiene madre o padre como un servicio directo a Él!

Este mandamiento bíblico se establece de manera aun más clara en Santiago 1:27: «La religión pura y sin macha delante de Dios nuestro Padre es ésta: atender a los huérfanos y a las viudas en sus aflicciones, y conservarse limpio de la corrupción del mundo».

Gracias a Dios, muchas iglesias hoy en día están siendo más sensibles a las necesidades de los padres y las madres que crían a sus hijos solos. Más congregaciones ofrecen programas y ministerios enfocados a las preocupaciones de carácter único de aquellos con necesidades particulares. Yo aconsejaría a todos los padres y las madres solos que busquen una iglesia o un grupo y que se sientan como en su casa y participen allí. La confraternidad y el apoyo cristianos pueden ser la clave para sobrevivir.

EL ADOLESCENTE DE VOLUNTAD FIRME

(¿LOS HAY DE ALGUNA OTRA CLASE?)

POR FIN, AHORA LLEGAMOS A LAS PUERTAS de la adolescencia, ese período dinámico de la vida que viene con un barrito en el rostro y se va con una barba, o para decirlo de otra forma, que viene en bicicleta y se va en automóvil. Es una época emocionante de la vida, pero sinceramente, no me gustaría pasar por todo eso otra vez. Dudo que usted también lo quisiera. Los adultos recordamos con mucha claridad los temores, las burlas y las lágrimas de nuestra tumultuosa juventud. Tal vez por eso es que muchos padres comienzan a estremecerse y a temblar cuando sus hijos se acercan a la adolescencia, especialmente si uno de ellos ha sido el meteorito de la familia.

Uno de los aspectos curiosos de la experiencia adolescente hoy en día, lo cual no era así hace treinta años, es la naturaleza en gran parte homogenizada que ésta muestra alrededor del mundo. Por ejemplo, los adultos que han viajado por el mundo tal vez hayan reconocido una cierta clase de grafito de atomizador pintado en las paredes de edificios, en los puentes y en los trenes por dondequiera que van. Se ve casi igual en Sydney, Chicago, Londres, Moscú o Berlín. De alguna forma los muchachos y muchachas alrededor del mundo saben repetir esas cuadras de letras garabateadas que marcan los territorios de las pandillas. Los adolescentes de lugares muy lejanos también están muy ocupados tratando de imitarse mutuamente en casi todos los demás aspectos. Están determinados a verse igual, a vestirse igual y a «ser» iguales dondequiera que se les encuentre. Los jóvenes incluso tienen su propio idioma internacional, si es que se le puede llamar así, que se adapta a la jerga siempre cambiante del momento.

¿Cuál es el vínculo común que une a los jóvenes? Es la cultura pop mundial que no conoce fronteras geográficas. MTV, que es el canal de televisión por cable de mayor audiencia en el mundo, es el medio principal que empuja hacia esta esclavitud. Su espantoso programa de 24 horas al día se ve ahora en más de 377 millones de hogares todos los días, y los que lo ven son principalmente adolescentes o jóvenes adultos influenciables[1]. El conglomerado de empresas gana miles de millones de dólares comercializando la cultura *pop*, y la rebelión, a una generación. Sus ejecutivos no sólo son completamente conscientes de la influencia que tienen alrededor del mundo, sino que eso es precisamente lo que tratan de lograr. Uno de los anuncios de esta corporación presenta a un adolescente de espaldas, con las letras *MTV* afeitadas en su cabeza. El anuncio dice: «MTV no es un canal. Es una fuerza cultural. La gente no mira MTV, la gente lo ama. MTV ha influido a toda una generación en cuanto a su manera de pensar, hablar, vestirse, y comprar»[2]. Lo sorprendente de este anuncio es que MTV no sólo admite que está tratando de manipular a una generación joven e inmadura; sino que gasta muchísimo dinero haciendo alarde de ello.

MTV no es la única fuerza cultural degradante que está operando en el escenario internacional. La industria estadounidense del entretenimiento también moldea de manera negativa a la comunidad mundial por medio de la distribución de películas, la televisión, los vídeos y la Internet. Es por eso que los jóvenes en Kenia, Fiyi, Santiago y Budapest tienden a suspirar por las mismas estrellas de Hollywood, bailan al son de la misma música *rock* y, desdichadamente, toman como modelos a Madonna, a Britney Spears y a Eminem. Es por eso que los tatuajes, las perforaciones para colocarse joyas en diferentes partes del cuerpo, los peinados extraños y multicolores, así como también las muchachas ligeras de ropa se ven igual sin importar el lugar a donde uno vaya.

Uno de los ejemplos más reprobables e inquietantes de libertinaje dentro de la cultura pop se vio en el 38º Campeonato Anual de Fútbol Americano, llevado a cabo en febrero de 2004 en los Estados Unidos. Se incluyó un espectáculo de medio tiempo totalmente asqueroso, con toques en las entrepiernas, con las letras de las canciones con explícito contenido sexual y de violencia, con movimientos obscenos y con muchachas que parecían prostitutas usando apenas algo más que ligueros. En el espectáculo, si es que se le puede llamar así, aparecían los cantantes *pop* Janet Jackson y Justin Timberlake. Al momento de concluir el espectáculo, Justin Timberlake tiró de la parte superior del traje de

Janet Jackson, revelando un pecho al desnudo. Millones de personas alrededor del mundo, muchos de ellos niños boquiabiertos y adolescentes influenciables, estaban mirando esta lamentable actuación[3]. El programa fue producido y auspiciado por, ¿quién otro podría ser?, MTV y sus secuaces conspiradores de la cadena de televisión CBS y la NFL (Liga Nacional del Fútbol Americano). Con este programa, estos codiciosos ejecutivos contribuyeron una vez más a degradar los ya degenerados valores morales de una generación de jóvenes en todos los países del mundo. No es de extrañarse que la gente decente de otros países odie a los Estados Unidos y considere a esta nación una influencia malévola para sus hijos. Al menos, en lo que respecta a Hollywood y a la industria de la cultura *pop*, ¡tienen toda la razón!

Aun más inquietante es que MTV transmite esta clase de inmoralidad día tras día en la televisión por cable, aunque la mayoría de los padres están demasiado ocupados con sus propios asuntos para notarlo.

Lo que esto significa es que la tarea de criar hijos, especialmente aquellos con mucha rebelión dentro, se ha vuelto mucho más difícil. Hace cien años, cuando el muchacho de voluntad firme Billy Bob Brown, de catorce años de edad e hijo del granjero Brown, comenzaba a mostrarse insolente en la casa, su papá podía llevarlo al terreno de atrás y «hacerlo entrar en vereda». Allí estaban, los dos solos, resolviendo el conflicto. Y por lo general, Billy Bob se daba cuenta rápidamente que tenía que cambiar de actitud, o sufrir las consecuencias. Ahora, la cultura *pop* adolescente impone sobre las relaciones entre padres e hijos una red inmensa y enormemente influyente de ideas, tentaciones, sexualidad, irreverencia y blasfemia, apoyo, y principalmente, una expresión de ira que agrava las dificultades de crecer.

Según el autor y ecologista Bill McKibben: «Si se hubiese tratado de crear una cultura dañina para los niños, no se podría haber superado a la de los Estados Unidos a fines del siglo XX [y sin duda alguna en el siguiente]»[4]. El columnista, autor y presentador de programas de entrevistas en la radio, Michael Medved, lo dijo de esta forma: «Ha habido un cambio de una cultura que apoyaba... a una cultura que ataca deliberadamente»[5]. La cultura occidental es cada vez más radical, sexual y revolucionaria. Está determinada a llevarse a nuestros hijos al infierno, y para detenerla, se requerirá de nuestra mayor sabiduría y experiencia.

Un buen lugar para comenzar es vigilando el acceso que su hijo tiene a los medios de comunicación. De acuerdo a una encuesta reciente, los niños de dos a dieciocho años de edad pasan un promedio de cinco horas y veintinueve minutos mirando televisión, escuchando música, o jugando juegos de computadora y de vídeo todos los días. Ese total aumenta para los niños mayores de ocho años, quienes pasan casi cuarenta horas a la semana dedicados a alguna clase de actividad relacionada con los medios de comunicación. La encuesta también descubrió que 53% de los niños tienen un aparato de televisión en su dormitorio, lo que incluye al 32% de niños entre dos y siete años, y al 65% de niños entre ocho y dieciocho años. Setenta por ciento de todos los niños tienen un radio en su dormitorio y 16% tienen una computadora[6].

¡Qué descripción tan alarmante provee este informe acerca de la niñez estadounidense (y de la niñez en todo el mundo) en el siglo XXI! Todo se relaciona con el ritmo frenético de la vida. Los adultos estamos demasiado extenuados y agobiados para cuidar de aquellos a quienes más amamos. Casi no sabemos lo que están haciendo en el hogar, mucho menos lo que hacen cuando están fuera de éste. ¡Qué lamentable! La organización *Yankelovich Partners, Inc.* dijo que la imagen de las familias reunidas alrededor de un solo aparato de televisión en la sala familiar se está desvaneciendo. En cambio, muchos niños están solos y pueden escoger cualquier cosa que quieran ver. Ann Clurman, socia de dicha organización, dijo: «En esencia, casi todo lo que los niños miran en la televisión entra en sus mentes en una manera tal en la que no hay censuras ni filtros»[7].

En forma muy encarecida lo insto a que quite esos aparatos, sean éstos televisores, computadoras, DVDs, vídeos, radios o caseteras *de los dormitorios.* Colóquelos en la sala familiar, donde puedan vigilarse y donde se pueda regular el tiempo que se pasa usándolos. ¿Cómo puede hacer menos por sus hijos? También es nuestra responsabilidad mirar varias formas de entretenimiento *con* nuestros hijos cuando son pequeños. De lo contrario, nuestros hijos son blancos seguros para los engañadores de nuestra era que quieren controlar sus mentes y corazones.

Escribí con mayor detalle acerca de estos y otros peligros que enfrentan los adolescentes en mi libro *Cómo criar a los varones.* Pueden consultar dicha fuente aquellos que estén buscando más ayuda en esta etapa. Por ahora, he aquí un resumen de lo que se trata en dicho texto:

Bueno, queridos padres, sé que lo que he dicho en este capítulo ha sido inquietante. No es de sorprenderse que muchos se sientan atrapados en medio de las repercusiones de la cultura posmoderna, cuyo único dios es la satisfacción personal y cuyo único valor es el individualismo radical. Sin embargo, deben saber la verdad y lo que pueden hacer para proteger a aquellos que aman... He aquí algunos aspectos a considerar:

En primer lugar, démosles prioridad a nuestros hijos. En el pasado, la cultura actuaba como un medio para protegerlos de imágenes dañinas y de la explotación. Ahora está al acecho, incluso de los más pequeños que se encuentran entre nosotros. Pongamos el bienestar de nuestros niños [y niñas] por encima de nuestra propia conveniencia y enseñémosles la diferencia entre el bien y el mal. Ellos precisan escuchar que Dios es el Autor de sus derechos y libertades. Enseñémosles que Dios los ama y que los hace responsables de alcanzar un elevado nivel moral.

En segundo lugar, hagamos todo lo que esté a nuestro alcance para revertir la plaga de violencia y lujuria que se ha vuelto tan omnipresente a todo lo largo y ancho de nuestro país. Exijamos que los magnates del mundo del entretenimiento dejen de producir contaminantes a la moral. Recuperemos de nuestros tribunales de justicia el sistema de autonomía que tradicionalmente les permitía a los estadounidenses debatir sus diferencias más profundas en forma abierta, y juntos alcanzar soluciones factibles. ¡El individualismo radical nos está destruyendo! El posmodernismo es un cáncer que pudre el alma de la humanidad. La creencia que proclama: «Si se siente bien, ¡hágalo!», ha llenado demasiados hospitales de adolescentes con sobredosis de drogas, demasiadas cárceles de jóvenes sin padres, demasiados ataúdes de jóvenes asesinados, y ha causado demasiadas lágrimas a padres desconcertados.

Finalmente, hagamos un voto juntos hoy, de establecer para nuestros hijos las normas más elevadas de ética y moralidad, y de protegerlos tanto como nos sea posible, del mal y de la muerte. Nuestras familias no pueden ser perfectas, pero *pueden* ser mejores, mucho mejores[8].

Con esto, voy a ofrecerles algunas otras ideas y sugerencias que se relacionan con todos los adolescentes, incluyendo a los que son difíciles de manejar.

1. Deles a los adolescentes el regalo que más desean: ¡el respeto y la dignidad!

Como todos sabemos, el período de los primeros años de la adolescencia es normalmente una época dolorosa en la vida, marcada por rápidos cambios físicos y emocionales. Esta dificultad característica fue expresada por un muchacho de séptimo grado a quien se le había pedido que recitara el discurso histórico de Patrick Henry en un programa especial que conmemoraba el aniversario patrio de los Estados Unidos. Pero cuando el jovencito se puso de pie con mucho nerviosismo ante una audiencia compuesta por padres de familia, se confundió y dijo: «¡Denme la pubertad [en lugar de decir «libertad»] o denme la muerte!». Muchos adolescentes creen con sinceridad que deben escoger entre esas dos dudosas alternativas.

Comúnmente la etapa entre los trece y catorce años representa los veinticuatro meses más difíciles de la vida. De pronto, un niño preadolescente de diez o doce años, despierta a un mundo completamente nuevo a su alrededor, como si sus ojos se abrieran por primera vez. Ese mundo está poblado de compañeros de su misma edad que lo aterran a muerte. Su angustia más grande, la cual aun sobrepasa el temor a la muerte, algo que es remoto e impensable, es la posibilidad del rechazo y la humillación ante los ojos de sus compañeros. Esa inquietante amenaza estará acechando entre bastidores durante muchos años, motivando a los jóvenes a hacer cosas que no tendrán sentido alguno para los adultos que los observan. Es imposible comprender la mente adolescente sin entender este terror al grupo de compañeros de su edad.

La duda y los sentimientos de inferioridad que alcanzan su nivel más alto a esta edad se encuentran relacionados con esta vulnerabilidad social. La valía de un adolescente como ser humano pende en forma precaria de la aceptación del grupo, la cual es notoriamente voluble. Por lo tanto, las evidencias de rechazo o de ridículo de menor cuantía tienen una enorme importancia para los que ya se ven como tontos o fracasados. Es difícil exagerar el impacto de no tener a nadie con quien sentarse en un viaje de estudios auspiciado por la escuela, de no ser invitado a un evento importante, que los del grupo de «elite» se rían de uno, de despertarse una mañana para encontrar que se tiene siete barritos nuevos y brillantes en la aceitosa frente, o de ser humillado por el joven o la joven a quien uno pensaba que le gustaba. Algunos adolescentes enfrentan constantemente esa clase de catástrofes sociales durante sus años de adolescencia. Y hace que algunos de ellos que tienen la voluntad más firme sean verdaderamente malos en el hogar.

El doctor Urie Bronfenbrenner, quien ahora se ha jubilado de su puesto en la Universidad de Cornell, identificó a los primeros años de la adolescencia como el período más destructivo de la vida. El doctor Bronfenbrenner recuerda que durante una audiencia ante el Senado de los Estados Unidos le pidieron que indicara cuáles eran los años más críticos en el desarrollo de un niño. Él sabía que los senadores esperaban que enfatizara la importancia de la experiencia preescolar, reflejando la noción popular de que todo el aprendizaje significativo tiene lugar durante los primeros seis años de vida. Sin embargo, el doctor Bronfenbrenner dijo que nunca había podido dar validez a esa suposición. Estuvo de acuerdo en que los años preescolares son de vital importancia, pero también lo es cada una de las otras fases de la niñez. De hecho, él le dijo al comité del Senado que probablemente los dos primeros años de la secundaria representen la etapa más crítica para el desarrollo de la salud mental de un niño. Es durante este período de dudas en cuanto a su propia capacidad que su personalidad a menudo es atacada y dañada más allá de poder ser reparada. Por lo tanto, dijo el doctor Bronfenbrenner, no es raro que los estudiantes comiencen el primer nivel de la educación secundaria como niños felices y saludables, para luego salir dos años más tarde como adolescentes quebrantados y desalentados[9].

Estoy completamente de acuerdo con él. Tanto los peligros físicos como emocionales acechan por todos lados durante esta etapa. Nunca me voy a olvidar de una vulnerable muchacha llamada Diana que era una estudiante cuando yo estaba en la secundaria. Tomaba clases de danza moderna y se le pidió que actuara en un programa en el que estaría presente todo la secundaria. Diana estaba en noveno grado y todavía no había comenzado a desarrollarse sexualmente. Mientras daba volteretas por el escenario aquel día, ¡sucedió lo impensable! Su blusa sin tirantes de pronto se le cayó (no tenía punto de soporte) hasta la cintura. El cuerpo estudiantil dio un grito ahogado y luego soltó la carcajada. ¡Fue algo horrible! Diana se quedó de pie tratando frenéticamente de cubrir su cuerpo sin ropa durante medio segundo y luego huyó del escenario llorando. Nunca se recuperó totalmente de esa tragedia durante sus años en la secundaria. Y puede estar seguro de que sus «amigos» se aseguraron que así fuera.

Por lo regular, los estudiantes de los dos primeros años de la enseñanza media son muy groseros los unos con los otros, y atacan y destrozan a una víctima débil en forma muy parecida a la que una jauría de lobos mata y devora a un caribú deforme. Según Dorothy Espelage, autora de un estudio a 558 estudiantes de una escuela para niños de los dos primeros años de la secundaria en la región central de los Estados Unidos, estos jovencitos actúan de esta forma porque ellos mismos tienen miedo de ser intimidados. «Los niños no tienen las habilidades para detener [la intimidación]», dijo ella. «Además tienen temor de que si lo intentan, van a llamar la atención. También lo ven como que todo se hace por diversión, pero para las víctimas no es divertido». La doctora Espelage y sus colegas encontraron que 80% de los estudiantes en su estudio dijeron que habían participado en actos que involucraban agresión física, poner a otros en ridículo social, gastar bromas, insultos y amenazas dentro de los últimos treinta días[10].

Otro estudio realizado por investigadores de las Universidades de Georgia y de Minnesota, encontraron que el acoso llega a su punto más elevado cuando los jovencitos pasan de la escuela primaria a los dos primeros años de la escuela secundaria. Sus descubrimientos sugieren que las bromas y las amenazas son sólo parte de su búsqueda de estatus. «Una vez que el dominio ha sido establecido y su lugar con sus nuevos amigos está asegurado, la agresión disminuye», escribieron los autores del estudio[11].

Yo he sido testigo directo de la brutalidad de los jóvenes. Cuando tenía un poco más de veinte años de edad, tuve el privilegio de ser profesor en una escuela pública para niños de los dos primeros años de educación secundaria. Durante dos años, enseñé ciencias y matemáticas a 225 alumnos inquietos todos los días, aunque yo aprendí mucho más de ellos que lo que aprendieron de mí. Allí, en la línea de fuego, mis conceptos de disciplina y del desarrollo infantil comenzaron a solidificarse. Se validaron las soluciones factibles y prácticas, mientras que las elevadas teorías con las que los académicos soñaban explotaron en forma muy parecida a la dinamita que se prueba en el campo de batalla todos los días.

Una de las lecciones más importantes que aprendí en esos años fue el vínculo que existe entre la autoestima (o el odio hacia uno mismo) y el comportamiento rebelde. Durante mi carrera en la docencia, observé con mucha rapidez que podía imponer todas las formas de disciplina y reglas del salón de clases a mis estudiantes, siempre que tratara a cada joven con dignidad y respeto. Me gané la amistad de mis alumnos antes y después de las clases, durante el almuerzo, y a través de los encuentros en clase. Era firme, especialmente cuando me desafiaban, pero nunca fui descortés, desconsiderado ni insultante. Defendí a los desvalidos y traté tenazmente de cimentar la confianza y la dignidad de cada jovencito. Sin embargo, nunca comprometí mis estándares de comportamiento. Los estudiantes entraban a mi salón de clase todos los días en silencio. No se comportaban en forma irrespetuosa, no soltaban insultos ni maldiciones, ni se herían con la punta de sus bolígrafos. Sin ninguna duda, yo era el capitán del barco y lo gobernaba con fervor militar.

El resultado de esta combinación de disciplina amable pero firme me ha quedado como uno de los recuerdos más agradables de mi vida profesional. Quería a mis estudiantes y tenía todas las razones para pensar que ellos también me querían a mí. Es más, los extrañaba durante los fines de semana (algo que mi esposa nunca pudo entender totalmente). Al final del último año, cuando estaba empacando mis libros y diciendo adiós, veinticinco o treinta muchachos y muchachas llorosos estuvieron dando vueltas tristes por mi salón de clases durante varias horas y se quedaron de pie llorando en el estacionamiento mientras me alejaba en mi automóvil. Y sí, ese maestro de veintiséis años también derramó algunas lágrimas aquel día. No es de extrañarse que una de mis películas favoritas, estrenada en el año 1996, sea *Mr. Holland's Opus* [Profesor Holland], en la que el personaje principal es un maestro que personifica las características que he descrito. (Por favor, perdóneme por este párrafo en el que me alabo a mí mismo. No me he preocupado por contarle de mis fracasos, los cuales son mucho menos interesantes).

Si usted puede transmitir amabilidad a sus agobiados y atormentados adolescentes, aun a los que son huraños y difíciles, entonces pueden evitarse muchos de los problemas de disciplina que son comunes en la adolescencia. Después de todo, ésta es la mejor forma de tratar con las personas de todas las edades.

Veamos ahora la segunda sugerencia, la que, en efecto, puede ser un medio para implementar la primera.

2. La clave del rompecabezas

A menudo hay algo irracional relacionado con la adolescencia que puede ser muy frustrante para los padres. En esos momentos es muy difícil razonar alguna forma para salir del conflicto. Permítame ofrecerle una ilustración que puede explicar el problema.

Cuando estaba realizando mis estudios de posgrado, me contaron la historia de un estudiante de medicina que, como parte de su preparación profesional, tuvo que pasar algunas semanas en un hospital psiquiátrico. Desdichadamente, había recibido muy poca orientación en cuanto a la naturaleza de las enfermedades mentales, y equivocadamente pensó que podía razonar con sus pacientes para traerlos de vuelta a la realidad. Un paciente esquizofrénico le causó particular interés, porque el hombre creía que estaba muerto.

«Sí, es verdad», le decía el paciente a cualquiera que le preguntara. «Estoy muerto. He estado muerto por años».

El practicante de medicina no pudo resistirse y trató de hablarle al esquizofrénico para sacarlo de su error. Se sentó a hablar con el paciente y le dijo: «Entiendo que usted cree que está muerto. ¿Es así?».

«Sí», le respondió el hombre. «Estoy muerto y requetemuerto».

El practicante continuó: «Entonces, respóndame a esta pregunta: ¿Las personas muertas sangran?».

«No, por supuesto que no», le respondió el esquizofrénico sonando totalmente cuerdo.

El estudiante tomó la mano del paciente y le clavó una aguja en la yema del dedo pulgar. Mientras la sangre salía de la pinchadura, el esquizofrénico dejó escapar un grito ahogado y exclamó: «Bueno, ¿qué le parece? ¡Las personas muertas sí sangran!».

Tal vez haya momentos cuando se encuentre teniendo este mismo tipo de conversación con su perplejo hijo adolescente. Es probable que esto ocurra cuando esté tratando de explicarle por qué debe llegar al hogar a una cierta hora, por qué debe mantener su dormitorio ordenado, por qué no puede tener el automóvil el viernes por la noche, o por qué en realidad no importa que no haya sido invitado a una fiesta ofrecida por el joven más popular de la clase del último año. Estos asuntos son un desafío a la razón, y en cambio, los adolescentes son más propensos a responder a las dinámicas fuerzas emocionales, sociales y químicas que los impulsan. Le puedo asegurar, a partir de la encuesta a 35 mil padres y madres que mencioné anteriormente, que el niño de voluntad firme es especialmente susceptible a estas fuerzas internas y a veces irracionales. Lo más probable es que la irritación que hubiera existido en los pasados doce años empeorará antes que mejorar, cualquiera que ésta haya sido.

Permítame citar de un artículo publicado por la revista *US News & World Report* que ayudará a expresar este fenómeno:

Un día, su hijo [si es dócil por naturaleza] es un hermoso y encantador niño o niña de doce años, que salta de la cama de buen humor, que retira los platos de la mesa sin que se lo pidan y que trae buenas notas de la escuela. Al otro, su hijo rompe en llanto cuando le pide que pase el salero y escucha música electrónica a todo volumen durante horas y horas. ¿Las tareas del hogar? ¡Olvídelo! ¿Las tareas de la escuela? Queda muy poco tiempo después de hablar por teléfono con los amigos durante cinco horas todas las noches. ¿Qué pasa en las mañanas? Su azulejo de felicidad se ha ido volando, y ha sido reemplazado por esta masa gruñona que casi no pude ser levantada de la cama. Bienvenidos a la adolescencia[12].

¿Qué está sucediendo aquí? ¿Por qué la súbita volatilidad e irracionalidad? La respuesta es simple. ¡Son las traviesas hormonas que han comenzado a aparecer! Ellas son la clave para entender casi todo lo que no cuadra durante los años de la adolescencia. Las características emocionales de un adolescente que de repente se vuelve rebelde, o el empeoramiento de éstas, son más bien como el síndrome premenstrual (SPM) o la menopausia severa en las mujeres. ¡Es obvio que por dentro están ocurriendo cambios muy dramáticos! Si esos trastornos fueran causados en su totalidad por factores ambientales, el comienzo de éstos en la pubertad no sería tan predecible. Los cambios emocionales que he descrito llegan de acuerdo a un horario preciso que ha sido programado para coincidir exactamente con el comienzo de la madurez física. Yo sostengo que ambos cambios son impulsados por un ataque hormonal común. Aparentemente, la química del cuerpo humano enloquece por algunos años, afectando tanto la mente como el cuerpo.

¿Entender esto hace que a los padres les sea más fácil tolerar y lidiar con las repercusiones de la pubertad? Probablemente no, pero debe hacerlo. Puede que durante varios años un adolescente no interprete su mundo en forma con precisión. Su juicio social está afectado. Su temor al peligro se encuentra debilitado y su perspectiva de la responsabilidad se ha distorsionado. Por lo tanto, es una buena idea no desesperarse cuando parece que su hijo ha olvidado todo lo que ha tratado de enseñarle, o que jamás lo aprendió. Él está pasando por una metamorfosis que lo ha puesto todo patas arriba. Pero no desista. Él recobrará su equilibrio en el momento apropiado y la relación de ustedes se estabilizará, siempre y cuando *no sea usted el que* pierda la salud mental para ese entonces.

Y ahora, unas palabras de consejo para los padres de una hija de voluntad firme cuya personalidad se vuelve verdaderamente horrible todos los meses. Recomiendo enfáticamente que alienten a su hija a que lleve un gráfico de su ciclo menstrual. Hablen con ella acerca de su SPM y de cómo éste influye en el comportamiento, el amor propio y los estados de ánimo de una mujer. Pídanle que anote cuándo comienza y cuándo termina su período menstrual cada mes, lo mismo que la forma en que se siente antes, durante, y después de su ciclo. (No traiga el tema a colación sino hasta que esté a la mitad de su ciclo). Creo que entenderán que las explosiones emocionales de ella que destrozan a la familia son predecibles y periódicas. La tensión premenstrual en la adolescencia puede producir una ráfaga de tormentas cada veintiocho días. Si saben que están a punto de llegar, pueden retirarse al sótano que sirve de refugio durante las tormentas en cuanto el viento comienza a soplar. Desdichadamente, pareciera que muchos padres nunca se dan cuenta de la regularidad y la previsibilidad de la depresión, la agitación y el conflicto con su hija. Observen el calendario. Les va a decir mucho sobre su hija.

El balance emocional en los varones adolescentes no es tan cíclico como en las muchachas, pero su comportamiento está también bajo la influencia de las hormonas. Todo, desde la pasión sexual hasta la agresión, es motivado por las nuevas sustancias químicas que aumentan vertiginosamente en sus venas.

Habiendo expuesto los argumentos a favor de las influencias hormonales, permítame ahora agregar que nada es tan simple como parece.

Estudios recientes revelan que las hormonas no son las únicas culpables en este asunto. La inmadurez también es causada por el desarrollo incompleto del cerebro durante la adolescencia. Estos hallazgos también se resumieron en el mismo informe de *US News & World Report* que cité anteriormente. He aquí lo que se escribió al respecto:

> Y así como un adolescente es todo piernas un día, y todo nariz y orejas al otro, diferentes partes de su cerebro se están desarrollando en diferentes momentos. Por ejemplo, una de las últimas partes que maduran en el cerebro es la que está a cargo de hacer juicios cabales y de calmar las emociones que son difíciles de controlar. Y los centros

emocionales en el cerebro de un adolescente ya han comenzado a acelerarse, probablemente bajo la influencia de las hormonas del sexo. Este desequilibro puede explicar por qué su inteligente hijo o hija de dieciséis años no lo piensa dos veces antes de subir a un automóvil en el que un amigo ebrio está al volante, o por qué su antes ecuánime hijo o hija de trece años le puede estar dando un abrazo en un instante, y al siguiente está perdiendo el control[13].

Los investigadores también han descubierto que el cerebro de un adolescente pasa por una experiencia llamada poda, en la cual el cerebro se deshace de neuronas y sinapsis que ya no encuentra útiles. Estas neuronas y sinapsis se desarrollan entre las edades de nueve y diez años y luego son eliminadas cuando el cerebro decide cuáles retener. Por lo tanto, hasta que la corteza prefrontal del cerebro no haya pasado por este proceso de poda, la mayoría de los adolescentes no cuentan con toda su capacidad cerebral a su disposición, especialmente con la capacidad para hacer juicios acertados. Esto también puede dar como resultado que los adolescentes tengan problemas en el manejo de múltiples tareas[14].

¿No es esto interesante? Estos hallazgos deben ser de utilidad cuando el niño que trajo al mundo con amor, y por el que daría su propia vida, lo acusa de ser Atila el Huno, y silba como una serpiente cuando le dicen que «no». Este negativismo no es totalmente culpa de usted. Y cuando esta persona crezca, hablará con usted sobre lo cascarrabias que era durante este período.

¿Recuerda a Joy, la madre que participó en un panel del programa radial de *Enfoque a la Familia,* quien nos contó cómo su hija tremendamente rebelde y de voluntad firme le escribió una tierna carta desde la universidad, pidiéndole perdón y diciéndole que ahora ella era su mejor amiga? Ése no es un resultado poco común. Hablaré más sobre este pronóstico optimista en el capítulo final.

En resumidas cuentas, los años de la adolescencia representan un período de transición que pronto pasará. No se desaliente demasiado cuando rujan las tormentas. Mantenga la confianza cuando esté siendo atacado, y haga lo mejor posible para resolver estos conflictos. Y manténgase en contacto con sus hijos por todos los medios que le sea posible, aun cuando tengan dificultades para entenderse mutuamente.

Recuerde que su hijo que antes era un ser agradable y feliz, y que ahora parece que de la noche a la mañana se ha convertido en un anarquista amargado y crítico, tal vez esté también preocupado por lo que le está sucediendo a él. Tal vez se sienta confundido por el resentimiento y el enojo que se han convertido en una parte tan preponderante de su personalidad. Está claro que el adolescente necesita las pacientes palabras tranquilizadoras de padres amorosos que le puedan explicar la normalidad de esta agitación y que lo ayuden a ventilar su tensión interior. ¡Es un trabajo para superpadres!

3. Mantenga abierta la puerta de la comunicación

¿Pero cómo se le puede hablar a una persona que no habla?, alguien cuyo vocabulario consta de siete frases: No sé. No me importa. No me molestes. Necesito dinero. ¿Puedo usar el automóvil? Mis amigos creen que eres injusto. Y: Yo no lo hice. Mantener abierta la puerta de comunicación con un adolescente enojado puede requerir más tacto y habilidad que cualquier otra tarea en la crianza. A menudo, los padres actúan como adolescentes, gritando y chillando, y enfrascándose en incontables batallas que los dejan extenuados y sin una ventaja estratégica. Tiene que haber una forma mejor de comunicarse que gritarse el uno al otro. Permítame proponerle una alternativa.

Para ilustrar, supongamos que Beto ahora tiene catorce años y ha entrado a una etapa de extraordinario desafío. Está rompiendo las reglas a diestro y siniestro y parece odiar a toda la familia. Por supuesto, se enoja cuando sus padres lo disciplinan, pero aun durante los períodos de calma parece estar molesto por el simple hecho de que estén allí. El pasado viernes por la noche llegó a su hogar una hora después del límite acordado y rehusó explicar dónde había estado o por qué había llegado tarde. ¿Cuál sería el mejor curso de acción a tomar por parte de sus padres?

Supongamos que es el padre de Beto. Yo le recomendaría que lo invitara a desayunar a algún restaurante un sábado por la mañana, dejando al resto de la familia en casa. Lo mejor sería si este evento ocurriera durante un período de relativa calma, por cierto que no en medio de algún lío o de alguna batalla intergeneracional. Reconozca que tiene algunos asuntos importantes de que hablar con él que no pueden tratarse en forma adecuada dentro del hogar, pero no le dé ningún indicio sino hasta el sábado en la mañana.

Entonces, en el momento apropiado durante el desayuno, transmítale el siguiente mensaje (o una adaptación del mismo):

A. Beto, quería hablar contigo esta mañana debido a los cambios que están ocurriendo en ti y en nuestro hogar. Ambos sabemos que las últimas semanas no han sido muy agradables. Has estado enojado la mayor parte del tiempo y te has vuelto desobediente y grosero. Y a tu madre y a mí tampoco nos ha ido muy bien. Nos hemos vuelto irritables, y hemos dicho cosas que después hemos lamentado. Esto no es lo que Dios quiere de nosotros como padres ni de ti como nuestro hijo. Tiene que haber una mejor manera de resolver nuestros problemas. Y es por eso que estamos aquí.

B. Como punto de partida, Beto, quiero que entiendas lo que está sucediendo. Tú has entrado a una nueva etapa de tu vida que se llama la adolescencia. Ésta es la fase final de la niñez, y a menudo son unos cuantos años muy tormentosos y difíciles. Casi todos pasan por estos tiempos difíciles durante los primeros años de su adolescencia, y tú estás justo en esa etapa. Muchos de los problemas que enfrentas hoy eran de esperarse desde el día que naciste, simplemente porque crecer nunca ha sido algo fácil. Las presiones que hoy existen sobre los muchachos son aun mayores que las que yo tuve que enfrentar cuando era joven. Te he dicho eso para aclararte lo siguiente: Nuestro amor por ti sigue siendo el mismo de siempre, aun cuando estos últimos meses hayan sido difíciles en nuestro hogar.

C. Verás, lo que en realidad está sucediendo es que has experimentado un poco de libertad. Estás cansado de que te digan lo que tienes que hacer. Dentro de ciertos límites, ésa es una evidencia saludable que estás creciendo y que te estás haciendo hombre. Sin embargo, quieres ser tu propio jefe y tomar tus propias decisiones sin que nadie interfiera. Beto, conseguirás lo que quieres dentro de muy poco tiempo. Pero ahora tienes catorce años, y pronto tendrás quince y diecisiete y diecinueve. Habrás crecido antes que nos demos cuenta, y tu mamá y yo ya no tendremos más responsabilidad por ti. Llegará el día en que te casarás con quien tú quieras, irás a la universidad que tú escojas, y elegirás la profesión o el trabajo que consideres apropiado para ti. Tu madre y yo respetaremos tu madurez, y lo que es más, Beto, cuanto más te acerques a ese día, tanta más libertad planeamos darte. Ahora tienes más privilegios de los que tenías el año pasado, y esa tendencia continuará.

Pronto te daremos tu libertad, y sólo serás responsable ante Dios y ante ti mismo.

D. Pero, Beto, debes entender este mensaje: todavía no eres un adulto. Durante estas últimas semanas, has querido que tu madre y yo te dejemos en paz, que te dejemos estar fuera de casa hasta la madrugada si así lo quieres, que fracases en la escuela, y que no tengas ninguna responsabilidad en el hogar. Y has explotado cuando te hemos negado hasta tus demandas más extremas. La verdad del asunto es que has querido que te demos la libertad de un joven de veintiún años a los catorce, aunque todavía esperas que te planchen las camisas, que te preparen tus comidas y que te paguen tus cuentas. Has querido lo mejor de los dos mundos sin ninguna de las responsabilidades o limitaciones que éstos implican. No funciona así. Por lo tanto, ¿qué debemos hacer? Lo más fácil para nosotros sería dejarte salir con la tuya. No habría más altercados ni conflictos ni frustraciones. Muchos padres de hijos de catorce años simplemente han hecho eso. Pero nosotros no debemos ceder a esta tentación. No estás listo para la independencia total, y nosotros estaríamos demostrando odio (en lugar de amor) por ti si nos rindiéramos en este momento. Nos arrepentiríamos de nuestro error por el resto de nuestra vida, y muy pronto tú también nos culparías. Y como sabes, tienes dos hermanas menores que están observándote muy de cerca, y debemos protegerlas de las cosas que les estás enseñando.

E. Además, Beto, Dios nos ha dado la responsabilidad como padres de hacer lo que es bueno para ti, y Él nos pide cuentas por la manera en que realizamos nuestro trabajo. Quiero leerte un pasaje importante de la Biblia que describe a un padre llamado Elí, un sacerdote en el templo, quien no disciplinó ni corrigió a sus dos hijos adolescentes e indisciplinados. [Lea la dramática historia en 1 Samuel 2:12-17, 22-25, 27-34; 3:11-14; 4:1-4 y 10:22]. Queda bien claro que Dios estaba enojado con Elí por permitirles a sus hijos ser irrespetuosos y desobedientes. No sólo permitió Él que mataran a estos hijos en una batalla, sino que también castigó a su padre por no aceptar sus responsabilidades como tal.

Este mandato a los padres se puede encontrar a través de toda la Biblia: Se espera que los padres les enseñen a sus hijos y los disciplinen cuando sea necesario. Lo que te estoy diciendo es que Dios no nos va a liberar de nuestra responsabilidad si dejamos que te comportes en formas que son dañinas para ti y para los demás. La Biblia también les dice a los padres que no corrijan en exceso ni desmoralicen a sus hijos. Trataremos con más ahínco de cumplir con ese precepto bíblico también.

F. Eso nos lleva a preguntarnos hacia dónde vamos de aquí en adelante. Quiero hacerte una promesa aquí y ahora: Tu madre y yo tenemos la intención de ser más sensibles a tus necesidades y sentimientos de lo que hemos sido en el pasado. No somos perfectos, como muy bien lo sabes, y es posible que sientas que hemos sido injustos una que otra vez. Si eso sucede, puedes expresar tus puntos de vistas y nosotros te vamos a escuchar. Queremos mantener la puerta de la comunicación abierta de par en par entre nosotros. Cuando busques gozar de algún privilegio, me preguntaré: «¿Existe alguna forma en que pueda concederle este pedido a Beto, sin dañarlo a él o a los demás?». Si puedo concederte lo que me pides con la conciencia tranquila, lo voy a hacer. Haré concesiones y seré flexible tanto como me lo permita mi buen juicio.

G. Pero escucha esto, Beto, no podré hacer concesiones en cuanto a algunos asuntos. Habrá ocasiones en las que voy a tener que decir no. Y cuando lleguen esas ocasiones, ten la seguridad que me mantendré tan firme como el Peñón de Gibraltar. No habrá nivel de violencia ni cantidad de rabietas ni portazos que puedan cambiar mi decisión en absoluto. De hecho, si escoges pelear conmigo sobre esos asuntos, te prometo que perderás la batalla rotundamente. Hay que reconocer que estás demasiado grande y crecido para darte unas nalgadas, pero todavía puedo hacer que te sientas incómodo. Y ésa va a ser mi meta. Créeme, Beto, voy a quedarme despierto toda la noche pensando en cómo hacerte la vida miserable. Tengo el valor y la determinación para cumplir con mi tarea durante estos últimos años que te quedan en la casa, y si es necesario, tengo la intención de usar todos mis recursos para lograr este propósito. Así que depende de ti. Podemos tener un tiempo de cooperación en paz en la casa, o podemos pasar esta última parte de tu niñez de manera desagradable y con luchas. De cualquier forma, llegarás a la casa a la hora que se te ha dicho, y continuarás respetándonos a tu madre y a mí.

H. Finalmente, Beto, permíteme enfatizar el mensaje que te di al principio. Te amamos más de lo que te imaginas, y seguiremos siendo amigos durante esta época difícil. Hay mucho dolor en el mundo hoy en día. La vida involucra desilusiones, pérdidas, rechazo, envejecimiento y enfermedad, y finalmente, la muerte. Todavía no has sentido gran parte de ese desasosiego, pero algún día lo probarás, y muy pronto. Así que habiendo ya todo ese sufrimiento fuera, no nos carguemos con más dentro de la casa. Nos necesitamos el uno al otro. Te necesitamos a ti, y, créelo o no, de vez en cuando todavía nos necesitas. Vamos a estar orando por ti todos los días y le pediremos al Señor que te guíe y te dirija. Sé que Él va a responder a esa oración. Y supongo que eso es lo que quería transmitirte esta mañana. Hagamos las cosas mejor de ahora en adelante.

¿Hay algo que sientas la necesidad de decirme?

El contenido de este mensaje debe modificarse para que se amolde a cada situación individual y a las necesidades particulares de cada adolescente. Y la respuesta variará enormemente de un adolescente a otro. Jóvenes francos pueden revelar sentimientos profundos en un momento de comunicación como éste, brindando una oportunidad invalorable para una catarsis y para sacar cosas a la luz. Por otro lado, un adolescente testarudo, desafiante y orgulloso permanecerá estoico y hostil, pero por lo menos las cartas se han puesto sobre la mesa y se han explicado las intenciones de los padres.

4. Manténgalos en movimiento

Y ahora, una palabra de consejo práctico para los padres de adolescentes con una voluntad muy firme. Simplemente no se les debe permitir aburrirse. Si se les da demasiado tiempo en el que no tengan nada que hacer, se está abriendo la puerta a los problemas. Las hormonas que aumentan vertiginosamente y circulan a través de sus jóvenes cuerpos, especialmente la testosterona en los muchachos, a menudo los guiarán en dirección al peligro y a los problemas. Es por eso que los períodos sin supervisión después de la escuela, mientras los padres están en sus centros de trabajo, pueden llevar a un comportamiento dañino. No se trata de ningún consejo nuevo. El viejo proverbio dice: «La ociosidad es madre de todos los vicios». Es verdad. Mi consejo es hacer que esos adolescentes enérgicos y traviesos estén ocupados en actividades constructivas (sin recargarlos demasiado). Vea que se involucren en algún programa juvenil (desde mi punto de vista, una iglesia que cree en la Biblia podría ser el mejor lugar para comenzar), y que participen en deportes, música, pasatiempos, cuidado de animales, empleos de medio tiempo, o que desarrollen intereses académicos tales como la electrónica o la agricultura. Es obvio que implementar esta sugerencia no es algo tan urgente para los padres de los niños dóciles, pero también es una buena idea para ellos. De la forma que sea, debe encontrar un medio de mantener sus larguiruchas piernas en movimiento.

Una forma de lograr esto es dirigir a sus hijos adolescentes a mensajes positivos que son relevantes para sus vidas. Recomiendo enfáticamente, por ejemplo, las revistas para adolescentes, *Breakaway* (para los muchachos) y *Brio* (para las muchachas), de Enfoque a la Familia, las cuales intentan tratar los asuntos que enfrentan los adolescentes usando un lenguaje que ellos pueden entender. Para información sobre estos recursos, siéntase en libertad de comunicarse con Enfoque a la Familia, llamando al 1-800-232-6459, o visite nuestro sitio en la Internet: www.family.org, para más información.

No sólo los adolescentes deberían estar ocupados haciendo cosas constructivas, sino que desesperadamente necesitan estar conectados con sus familias en un plano personal. Todos los estudios que se tienen a disposición llegan a esta conclusión. Cuando los padres están íntimamente involucrados con sus hijos e hijas durante los años de la adolescencia, y cuando su relación lleva hacia una vida familiar activa, es menos probable que surja un comportamiento rebelde y destructivo. Los doctores Blake Bowden y Jennie Zeisz estudiaron a 527 adolescentes en el hospital Infantil de Cincinnati para llegar a saber qué características familiares y de estilo de vida estaban relacionadas con la salud mental y la adaptación. Sus hallazgos fueron muy significativos.

Los adolescentes cuyos padres cenaban con ellos cinco veces a la semana o más, eran los menos propensos a involucrarse en drogas, a estar deprimidos, o a meterse en problemas con la ley. Tenían una mayor probabilidad de que les fuera bien en los estudios y de estar rodeados de un círculo de amigos que los apoyaban. En contraste, los adolescentes menos adaptados comían con sus padres sólo tres días a la semana o menos. Lo que muestra el estudio de Bowden es que los niños se desempeñan mejor en la escuela y en la vida cuando pasan tiempo con sus padres, y específicamente cuando se reúnen con ellos casi todos los días para conversar e interactuar[15].

Éste es uno de los medios más eficaces para ayudar a su hijo adolescente a través de los peligrosos años de la adolescencia. Y sí, también da resultado con los niños de voluntad firme.

5. Use incentivos y privilegios para su conveniencia

Como señalé antes, uno de los errores más comunes de los padres de hijos rebeldes es dejarse llevar para enfrascarse en interminables batallas verbales que los dejan extenuados y sin ninguna ventaja estratégica. No someta a su hija a amenazas continuas y a acusaciones señalándola con el dedo y a críticas insultantes. Y lo que es más importante, no la regañe incesantemente. ¡Los adolescentes detestan ser regañados por mamá o papá! Cuando eso ocurre, por lo general se protegen haciéndose los sordos. Por lo tanto, la forma más rápida de cesar toda comunicación intergeneracional es siguiendo a un joven por toda la casa, repitiéndole los mismos mensajes monótonos de desaprobación con la precisión de un reloj cucú.

Entonces, ¿cuál es la respuesta apropiada para la dejadez, la desobediencia, el desafío y la irresponsabilidad? Esa pregunta nos lleva de vuelta a la amenaza, implicada a Beto, de que su padre le haría la vida imposible si él no cooperaba. No deje que la noticia se filtre, pero los recursos disponibles para implementar esa promesa son relativamente débiles. Puesto que no es sabio (y no da buen resultado) darle nalgadas a un adolescente, los padres sólo pueden manipular las circunstancias ambientales cuando se requiere de disciplina. Ellos tienen las llaves del automóvil de la familia (a menos que el adolescente tenga su propio automóvil, lo cual le quita a usted un valiosísimo elemento de negociación) y pueden permitir que su hijo adolescente lo use. Ellos son los que dan el permiso para que su hijo vaya a la playa, a las montañas, a la casa de algún amigo o a alguna fiesta. Controlan los fondos de la familia y pueden escoger compartirlos, prestarlos, repartirlos o simplemente no darlos. Pueden castigar a su hijo o hija adolescente y no dejarlo salir de la casa, o negarle el uso del teléfono, del aparato estereofónico, de la televisión o del vídeo por algún tiempo.

Es obvio que esos no son motivadores muy influyentes y que algunas veces son totalmente inadecuados para la situación. Después de haber apelado a la razón, a la cooperación y a la lealtad familiar, todo lo que queda son métodos relativamente ineficaces de castigo.

Solamente podemos vincular el comportamiento de nuestros hijos a las consecuencias deseables y no deseables, y esperar que la conexión sea suficiente para lograr la cooperación de nuestros jóvenes.

Si eso parece bastante débil, permítame reconocer lo que estoy queriendo decir: Hoy, en el peor de los casos, un muchacho o una muchacha de dieciséis años y de voluntad firme *puede* ganar un enfrentamiento con sus padres. La ley ha cambiado totalmente de posición, colocándose a favor de los adolescentes. Por ejemplo, los jóvenes pueden tener relaciones sexuales, concebir un hijo y, en muchos estados, abortar a un bebé sin el conocimiento de sus padres. Las drogas y el alcohol son fáciles de obtener. Son muy pocos los privilegios y los vicios de los adultos que se les pueden negar a un adolescente que tiene pasión por la independencia y la voluntad para pelear. Bajo ciertas circunstancias, en algunos estados, un adolescente de dieciséis años puede emanciparse legalmente y ser declarado libre de toda supervisión paterna-materna. Algunas veces, en casos de rebelión extrema, la reacción de usted en una crisis tiene que basarse en bravatas y en intimidación. No es suficiente, pero usted usa lo que está a su disposición.

Como dije antes, la cultura no está de su lado. A cada chispa de descontento adolescente se le echa leña hasta que llega a convertirse en una llama ardiente. La conquista del poder adquisitivo de los niños y los adolescentes se ha convertido en algo intenso, y los profesionales de la mercadotecnia van tras ellos casi desde el momento en que salen del vientre. A menudo, los adolescentes reciben dinero de manos de padres que se sienten culpables por descuidarlos mientras se dedican al ejercicio de sus carreras. De hecho, en 1998, los adolescentes gastaron una cifra récord de 141 mil millones de dólares, ¡un promedio de $4.548 cada uno![16] Además, muchos adolescentes tienen carta blanca en los centros comerciales, con tarjetas de crédito en la mano. Cuando le preguntaron a una muchacha adolescente si sus padres le confiaban una tarjeta de crédito, se rió en voz alta y dijo: «Todos los meses excedo el límite de mi tarjeta de crédito para comprar gasolina. Mis padres pagan la cuenta», y añadió que no estaba segura de cuál era su límite de crédito. Continuó diciendo que todos los meses gastaba varios cientos de dólares en gasolina, cigarrillos y comida, y sólo dejaba de hacerlo cuando le rechazaban la tarjeta de crédito. «Sé que no puedo manejar mi propia tarjeta de crédito. Ni siquiera puedo manejar mi propia cuenta corriente», concluyó[17].

Nuestra cultura ataca a los adolescentes con cualquier mensaje antisocial imaginable y apela a sus debilidades y a su falta de juicio adulto. Los padres deben pararse en la brecha. Si los padres están ausentes durante esta etapa crucial, los resultados pueden ser desastrosos. Basta con mirar el ejemplo de Eric Harris y Dylan Klebold, los dos jóvenes involucrados en la tragedia de la escuela *Columbine* en 1999. Al ser dejados solos durante horas por sus padres, se volcaron a la Internet y a los vídeos de juegos violentos, y finalmente llevaron su agresividad a los pasillos de su escuela secundaria asesinando a cualquiera que se le pusiera por delante. Al estar separados de sus padres, los adolescentes son más vulnerables a problemas emocionales serios, incluyendo el suicidio[18]. Creo que Patricia Hersch, autora del libro titulado *A Tribe Apart: A Journey into the Heart of American Adolescence [Una tribu aparte: Un viaje hacia el corazón de la adolescencia estadounidense]* es quien mejor expresa la necesidad de que los padres se involucren, al decir lo siguiente: «Cada uno de los muchachos y muchachas con los que hablé largo y tendido, al final me dijeron, sin que se les preguntara, que desearían tener a más personas adultas en sus vidas, especialmente a sus padres[19].

Así que, ¿cuál es la respuesta? Eso nos lleva de vuelta a la importancia de echar un fundamento de respeto para la autoridad paterna-materna durante los primeros años del desarrollo de un niño. Sin ese fundamento, sin un toque de intimidación en la percepción que tiene un niño de su madre o de su padre, el equilibrio de poder y de control se ha trasladado definitivamente hacia el lado del joven combatiente.

Como dijera Patricia Hersch, y a pesar de lo que se pueda percibir, los jóvenes quieren desesperadamente estar vinculados a sus padres durante los tumultuosos años de la adolescencia. En 1999, el *National Longitudinal Study on Adolescent Health [Estudio Nacional Longitudinal sobre la Salud de los Adolescentes]* encontró que los adolescentes que se sienten más vinculados y más cómodos con sus padres, maestros y otros adultos, son menos propensos a cometer actos de violencia, a usar drogas ilegales o a llegar a ser activos sexualmente[20].

Otra encuesta nacional sobre los adolescentes llevada a cabo por la *Fundación Horatio Alger* encontró que la mayoría de los adolescentes creían que el deterioro de la familia, junto con «los valores sociales y morales decadentes», era uno de los mayores problemas que enfrentaban. De hecho, opinaron que la familia era más importante para el éxito personal que hacer una gran contribución a la sociedad. Jennifer

Park, quien ayudó a preparar el informe de la encuesta, dijo: «La familia es muy importante. Esto es algo constante en verdad a lo largo de toda la generación»[21].

Permítame contarle una experiencia de mi propia vida, la cual mencioné en mi libro *Cómo criar a los varones*. Cuando tenía dieciséis años de edad, comencé a jugar algunos juegos que hicieron que mi madre empezara a alarmarse. Todavía no había cruzado la línea hacia la rebelión total, pero definitivamente estaba inclinándome en esa dirección. Durante esa época, mi padre era un ministro que viajaba continuamente, y mi mamá era la que estaba a cargo. Una noche, tuvimos una discusión sobre un baile al que quería ir, y ella puso objeciones. En forma abierta, la desafié aquella noche. En efecto, le dije que iba a ir, y era una lástima que no le gustara la idea. Mi madre se quedó muy callada, y yo me di vuelta hecho un torbellino para ir a mi dormitorio. Me detuve en el pasillo cuando la escuché levantar el teléfono y llamar a mi papá, quien estaba fuera de la ciudad. Ella le dijo simplemente: «Te necesito». Lo que sucedió en los siguientes días me sacudió de pies a cabeza. Mi papá canceló su cronograma de prédicas para los próximos cuatro años y puso nuestra casa a la venta. Luego aceptó un cargo pastoral a unos 1.127 kilómetros al sur. Antes de que me diera cuenta, me encontraba en un tren yendo hacia Texas y hacia una nueva casa en el valle del Río Grande. Eso le permitió a mi padre estar en casa conmigo durante mis dos últimos años de la secundaria. Durante ese tiempo, cazamos y pescamos juntos e hicimos un vínculo que duró toda la vida. Allí, en ese nuevo ambiente, hice nuevos amigos y superé el conflicto que había estado fabricándose con mi mamá. No fue sino hasta más tarde que entendí el precio que mis padres pagaron por hacer lo que era lo mejor para mí. Fue una mudanza muy costosa para ellos, tanto en lo personal como en lo profesional, pero me amaban lo suficiente como para sacrificarse en un período de importancia tan crucial en mi vida. En esencia, ellos me salvaron. Yo me estaba moviendo en la dirección equivocada, y ellos me jalaron en dirección opuesta del precipicio. Siempre estaré agradecido a estas buenas personas por lo que hicieron por mí.

Por supuesto que hay más que añadir a esta historia. Fue difícil hacer nuevos amigos en una escuela secundaria nueva al principio de mi penúltimo año de estudios. Me sentía solo y fuera de lugar en una ciudad que ni se percató de mi llegada. Mi madre percibió este sentimiento de estar sin amigos y, a su manera característica, sufría conmigo. Un día, después de haber estado en esa comunidad como unas dos semanas, me tomó de la mano y me colocó un pedazo de papel en la palma. Me miró a los ojos y me dijo: «Esto es para ti. No le digas a nadie. Sólo tómalo y úsalo para lo que quieras. No es mucho, pero quiero que te compres algo que te guste».

Desdoblé el papel, y resultó ser un billete de veinte dólares. Era un dinero que mis padres no tenían, considerando los gastos de la mudanza y el pequeño salario de mi padre. Pero sin importar qué, yo era su primera prioridad durante esos días tomentosos. Todos sabemos que el dinero no compra amigos, y veinte dólares (aun en aquellos días) no cambiaron mi vida en forma significativa. Sin embargo, mi madre usó ese método para decirme: «Siento lo que sientes; sé que es difícil ahora, pero soy tu amiga y quiero ayudarte». Todos los adolescentes atribulados deben ser lo suficientemente afortunados como para tener padres que los alienten, que oren por ellos y que sientan lo que ellos sienten, aun cuando estén en una etapa en la que es extremadamente difícil amarlos.

He estado sugiriendo que los padres estén dispuestos a tomar cualquier acción correctiva que se requiera durante los años de la adolescencia, pero que lo hagan sin rezongar, gemir, quejarse ni refunfuñar. ¡Deje que el amor sea su guía! Aun cuando a menudo no parezca así, su hijo o hija adolescente necesita desesperadamente ser amado y sentirse vinculado a usted. El enojo no es lo que motiva a los adolescentes. Es por eso que el padre, la madre o el maestro que puede encontrar el delicado equilibrio entre el amor y la disciplina firme es el que termina ganando el corazón de los adolescentes. El adulto que grita y amenaza pero que no ama, sólo está echándole combustible a la rebelión del adolescente.

Hay esperanza. Laurence Steinberg, profesor de psicología en la Universidad Temple, observó: «Los padres son tomados por sorpresa [por la adolescencia]. Descubren que los trucos que usaban en forma eficaz en la crianza de sus hijos e hijas durante la niñez dejaron de dar resultado». Sin embargo, él les aconseja a los padres que si aguantan, las cosas van a mejorar. «Yo tengo un hijo de catorce años», dijo Steinberg, «y cuando salimos de la fase de transición y pasamos a la mitad de la adolescencia, vimos un cambio dramático. De pronto, es nuestro mejor amigo de nuevo»[22].

Esto nos lleva a otra cosa importante que debemos entender en cuanto a la adolescencia y a los niños y niñas de voluntad firme que se encuentran allí.

6. Resista con la mano abierta

Otro error grave que cometen los padres de adolescentes mayores (los que tienen entre dieciséis y diecinueve años de edad) es rehusarse a concederles la independencia y madurez que ellos requieren. Nuestra inclinación como guardianes amorosos es sostener a nuestros hijos demasiado fuerte, a pesar de sus esfuerzos por liberarse. Tratamos de tomar todas sus decisiones, de mantenerlos cómodos y abrigados bajo nuestras alas, e incluso de evitar la posibilidad del fracaso. Y al hacer eso, forzamos a nuestros jóvenes adultos hacia uno de estos dos patrones: O aceptan pasivamente nuestra sobreprotección y permanecen siendo «niños» dependientes en su vida de adultos, o se levantan con gran ira para rechazar nuestra esclavitud e interferencia. Pierden en cualquiera de ambos casos. Por un lado, se vuelven lisiados emocionales que son incapaces de pensar en forma independiente, y por el otro, se convierten en adultos enojados y con muchos sentimientos de culpa que han cortado los lazos con la familia que necesitan. En efecto, los padres que se niegan a conceder la independencia apropiada a sus hijos adolescentes mayores están exponiéndose al desastre, no sólo para sus hijos, sino también para ellos.

Permítame decirlo con más fuerza: Creo que los padres estadounidenses no son muy buenos para dejar en libertad a sus hijos mayores. Esta observación quedó ilustrada enfáticamente en un libro escrito hace muchos años titulado: *What Really Happened to the Class of '65? [¿Qué fue lo que realmente le sucedió a la Promoción del '65?]*[23]. El relato del libro se inicia en la mitad de la década de los años sesenta cuando la revista *Time* seleccionó a la promoción de la Escuela Secundaria *Palisades* en el sur del estado de California como el centro para su tema de portada sobre «El Adolescente de Hoy». Claramente, los editores habían escogido lo mejor de la cosecha de estudiantes que se graduaban ese año para este informe. Esos muchachos vivían en uno de los distritos escolares más ricos de los Estados Unidos, con un ingreso promedio anual en 1965 de $42.000 por familia (lo que tal vez hoy en día sería un ingreso de más de $400.000). Entre los miembros de esa promoción se encontraban los hijos de muchas personas famosas, entre las que se incluía a James Arness, Herny Miller, Karl Malden, Betty Hutton, Sterling Hayden, e Irving Wallace[24]. Estos estudiantes eran parte de la generación más hermosa, más saludable, mejor educada y más próspera en la historia, y ellos lo sabían. No es de sorprenderse que la revista *Time* los percibiera como que se encontraban «en el umbral de una era dorada», al dejar la secundaria y dirigirse a la universidad[25]. Su futuro brillaba como el amanecer soleado de California en un día de verano.

Pero eso fue en 1965. Diez años más tarde, dos miembros de esa clase, Michael Meved y David Wallechinsky, sintieron interés en investigar lo que en realidad había pasado con los optimistas graduados de la Escuela Secundaria *Palisades*. ¿Habían alcanzado la anticipada promesa de gloria y logros? Fue un comentario fascinante (aunque profano y vulgar) sobre una generación de muchachos y muchachas consentidos, no sólo de *Pacific Palisades*, sino de todos los Estados Unidos. Se centró en los principales estereotipos que poblaban las escuelas secundarias de los Estados Unidos, entre los que se incluía a la hermosa animadora, al popular mariscal de campo, al intelectual, al holgazán, al tonto, al bombón, al que le gusta coquetear, al alumno de bajo rendimiento, y a la muchacha alocada (de quien se informa que hizo el amor con 425 muchachos antes de perder la cuenta). Uno por uno, se revelaron sus vidas privadas y sus historias personales[26].

Lo que resultó fue que, lejos de entrar en «una era dorada», la clase de 1965 se vio plagada por tragedias personales y de disturbios emocionales. De hecho, los estudiantes que se graduaron de las escuelas secundarias estadounidenses ese año tal vez sean la generación de muchachos y muchachas más inestable y perdida que jamás se haya producido en nuestro país. Unas pocas semanas después que ellos hubieran recibido sus diplomas, nuestras ciudades comenzaron a incendiarse durante el largo y caluroso verano de los conflictos raciales. Eso señaló el comienzo del caos por venir. Entraron a la universidad en una época cuando el uso de las drogas no era sólo predominante, sino casi universal para alumnos y maestros por igual. Los logros intelectuales fueron la primera pérdida en este clima caótico. La guerra de Vietnam muy pronto enardeció a los estudiantes universitarios hasta llegar a un nivel incendiario, generando enojo y desprecio hacia el gobierno, hacia el presidente, hacia las fuerzas militares, hacia los dos partidos políticos, y por cierto, hacia la forma de vida estadounidense. La hostilidad dio lugar a atentados, a disturbios, y a la quema de edificios que pertenecían a la clase dirigente.

Esta generación de estudiantes universitarios ya había sido testigo del horrible asesinato de su ídolo, John F. Kennedy, cuando apenas tenían dieciséis años de edad. Entonces, en un momento crítico de su período de pasión, perdieron a dos más de sus amados héroes: Robert

Kennedy y Martin Luther King, hijo. Esos asesinatos fueron seguidos por las guerras en las calles que le dieron énfasis a la Convención del Partido Demócrata en 1968 y por la matanza de estudiantes en la Universidad Estatal de Kent. Estas violentas convulsiones alcanzaron su culminación manifiesta inmediatamente después de la incursión militar del presidente Nixon en Camboya, lo que prácticamente cerró todas las universidades estadounidenses. A medida que nuestra población envejece, son cada vez menos las personas que vivieron esos tumultuosos días y que los recuerdan. Sin embargo, representaron una marca divisoria en la cultura occidental, separando lo que sucedió antes de lo que hemos conocido desde entonces.

Junto con la agitación social de aquella época se dio una súbita desintegración de los principios morales y éticos, como nunca antes ha ocurrido en la historia de la humanidad. De pronto, ya no había valores definidos. No había normas. No había absolutos. No había reglas. No había creencias tradicionales en las cuales apoyarse. Ni siquiera se podía confiar en alguien que tuviera más de treinta años de edad. Y algunos teólogos en estado de ansiosa alerta escogieron ese momento de confusión para anunciar la muerte de Dios. Era una época muy angustiante para ser joven: buscando a tientas y sin rumbo su identidad personal y un lugar donde estar. Ése era el ambiente social para los estudiantes que entraron a la universidad o que comenzaron a trabajar hacia fines de la década de 1960.

A la promoción de 1965 esa revolución cultural le explotó justo en la cara, y a partir de entonces, sus vidas han reflejado los cambios de los tiempos. Uno tras otro, todos probaron los ofrecimientos sórdidos y degradantes de una sociedad sin valores. Se hicieron adictos a la heroína, al LSD, a los barbitúricos y al alcohol. Experimentaron matrimonios rotos, fantasías sexuales y estilos de vida experimentales. Tuvieron hijos que no querían tener, los cuales no tuvieron la más mínima oportunidad de ser criados en forma apropiada. Para 1978, que fue el año en que escribí la primera edición de *Cómo criar a un niño de voluntad firme*, el 11% de los integrantes de la promoción de *Palisades* había pasado algún tiempo en la cárcel, y uno de ellos (el buen mozo más popular de la escuela) se había suicidado. Por lo menos dieciocho miembros de la promoción habían sido hospitalizados para recibir tratamiento psiquiátrico. Un ex profesor de la Escuela Secundaria Palisades calificó la década de 1965 a 1975 como «los años más tristes del siglo»[27]. Por supuesto que estoy de acuerdo con él.

El motivo que tengo para describir esta época deprimente con tanto detalle es para señalar los errores que se cometieron durante ese período. Desdichadamente, las condiciones que la produjeron todavía son evidentes hoy. Los errores acumulados por esos padres no sólo fueron propulsados por fuerzas sociales disruptivas, sino que también fueron causados por el fracaso paterno-materno en permitir que la promoción de 1965 creciera. Aunque la generación mayor ejerció muy poca influencia sobre sus hijos después de la graduación, ésta no logró emanciparlos. Un patrón asombrosamente constante se evidencia a través de todo el libro, en el que los padres y las madres se la pasan sacando a sus hijos de la cárcel, pagándoles las cuentas, haciendo que no les sea necesario trabajar, y alentándonos para que vuelvan a vivir en el hogar paterno. Les daban toneladas de consejos que sus hijos no pedían, como acompañamiento a los regalos materiales que aquellos les hacían, los cuales sus hijos ni merecían ni apreciaban. El resultado fue desastroso.

Permítame personalizar los problemas que tenemos delante de nosotros. ¿Cómo puede evitar cometer errores similares con su hijo, y especialmente con su hijo o hija de voluntad firme? Es una pregunta muy importante, porque cuanto más rebelde y frustrante sea su hijo, tanto más propenso estará usted a darle demasiado, a tolerar demasiado, a aconsejar demasiado y a rescatarlo demasiado. Estos errores garrafales se reducen a un error común, el que resulta de tener a sus hijos agarrados con demasiada fuerza cuando debe dejarlos ir. Al hacer eso, corre el riesgo de hacer de sus hijos que acaban de llegar a la edad adulta unos discapacitados emocionales. Esto es lo que hicieron los padres de los jóvenes de Palisades hacia finales de la década del sesenta. Pero usted lo puede hacer mejor.

He aquí la forma de no caer en el mismo patrón: Comience a preparar a su hijo o hija para su libertad final desde sus primeros años de vida, antes que se establezca una relación de dependencia. Desdichadamente, la inclinación natural de los padres es hacer lo contrario. Según Domeena Renshaw:

> Tal vez el niño se ensucie más si come solo; represente un mayor desorden si se viste solo; quede menos limpio cuando trata de bañarse solo; se vea menos perfecto cuando se peina solo; pero a menos que su madre aprenda a contenerse y le permita al niño llorar e intentarlo, ella estará exagerando con su hijo, y la independencia se retrasará[28].

Este proceso de conceder una independencia apropiada debe continuar a través de los años de la escuela primaria. Los padres deben permitirles a sus hijos ir al campamento de verano aun cuando podría ser más seguro tenerlos en casa. Deben dejarlos pasar la noche con sus amigos cuando los invitan. Los niños y las niñas deben tender su propia cama, cuidar a los animales y hacer sus tareas escolares. En resumen, el propósito de los padres debe ser aumentar la libertad y la responsabilidad año tras año, para que cuando el niño esté más allá del control de los adultos, ya no lo necesitará.

Cuando esta misión se maneja en forma apropiada, un estudiante del último año de la escuela secundaria debe estar ya bastante emancipado de la tutela paterna, aun cuando todavía viva con sus padres. Si puedo contar otro ejemplo personal, esto fue lo que sucedió durante el último año que viví en casa de mis padres. Cuando tenía diecisiete años de edad, mis padres pusieron a prueba mi independencia yéndose en un viaje de dos semanas y dejándome solo. Me prestaron el automóvil de la familia, y me dieron permiso para invitar a mis amigos (varones) a pasar las catorce noches en nuestro hogar. Recuerdo haberme sentido sorprendido por esta acción y por los riesgos obvios que estaban corriendo. Yo podría haber hecho catorce fiestas desenfrenadas, haber chocado el automóvil y destrozado la casa. Francamente, me preguntaba si habían sido sabios en darme semejante libertad. Me comporté con responsabilidad (aunque nuestra casa sufrió los efectos de ciertos juegos típicos de los adolescentes). Después de haber crecido y haberme casado, le pregunté a mi madre por qué ella había corrido esos riesgos, por qué me dejó sin supervisión por dos semanas. Ella sonrió y me respondió: «Porque sabía que en aproximadamente un año estarías dejándonos para asistir a la universidad, donde tendrías completa libertad sin que nadie te dijera cómo comportarte. Y quise exponerte a esa independencia mientras todavía estabas bajo mi influencia». Su sabiduría intuitiva se hizo evidente una vez más. Ella me estaba preparando para finalmente dejarme ir por completo, lo que a menudo causa que un joven que ha sido protegido en exceso se comporte neciamente al instante que escapa de la pesada mano de la autoridad.

Nuestro objetivo como padres, entonces, es no hacer nada por los muchachos que ellos mismos no puedan hacer y beneficiarse de ello. Admito la dificultad en implementar este método. Nuestro profundo amor por nuestros hijos e hijas nos hace muy vulnerables a sus necesidades. Inevitablemente, la vida les trae consigo dolor y sufrimiento a los pequeños, y sufrimos cuando ellos sufren. Cuando otros los ridiculizan o se ríen de ellos, cuando se sienten solos y rechazados, cuando fracasan ante algo importante, cuando lloran en medio de la noche, cuando el peligro físico amenaza su existencia; éstas son las pruebas que nos parecen insoportables a los que nos mantenemos al margen. Queremos levantarnos como un poderoso escudo para protegerlos de los dolores de la vida y sostenerlos con la fuerza y la seguridad de nuestros brazos. Y, sin embargo, hay momentos cuando debemos dejarlos que luchen. Los hijos no pueden crecer sin correr riesgos. Al principio, los niños pequeños no pueden comenzar a caminar sin caerse. Los estudiantes no pueden aprender sin enfrentar algunas penurias. Y finalmente, un adolescente no puede entrar a la primera etapa de su vida adulta hasta que lo liberemos de nuestra custodia protectora. Pero como he indicado, a los padres y las madres en el mundo occidental les resulta difícil dejar que sus hijos e hijas enfrenten y conquisten los desafíos rutinarios de la vida diaria. Esto fue lo normal para los miembros de la promoción de 1965, cuyos padres les impidieron resolver sus propios problemas al hacer el trabajo por ellos siempre. Estos mismos padres tampoco lograron proveer un fundamento moral y espiritual para ellos.

Permítame ofrecer tres pautas para nuestros esfuerzos en la crianza durante la etapa final de la niñez. La primera es simple: *Resista con la mano abierta*. Esto implica que todavía nos importa el resultado durante la primera parte de la etapa adulta de nuestros hijos, pero que no debemos agarrar a nuestros hijos con demasiada firmeza. Debemos sostenerlos sin apretarlos. Debemos orar por ellos, amarlos y aun darles consejos cuando nos lo piden. Pero la responsabilidad de tomar decisiones personales debe ser asumida por la siguiente generación, y ellos también deben aceptar las consecuencias de esas elecciones.

Otra frase que expresa un concepto similar es: *Manténgalos cerca y déjelos ir*. Esta sugerencia que consta de cinco palabras casi podría representar el tema de mi libro. Los padres deben estar muy involucrados en las vidas de sus pequeños hijos, brindándoles amor, protección y autoridad. Pero cuando esos niños llegan a los últimos años de su adolescencia y a los primeros años de la década entre los veinte y treinta años, la puerta de la jaula debe abrirse al mundo exterior. Ésa es la época más atemorizadora en la crianza de los hijos, particularmente para los padres cristianos que se preocupan tanto por el bienestar espiritual de su familia. Cuán difícil es esperar la respuesta a la pregunta: «¿Los preparé como es debido?». La tendencia es retener el control en un intento por evitar escuchar la respuesta indebida a esa pregunta de fundamental importancia. Sin embargo, nuestros hijos tienen más probabilidades de hacer las elecciones adecuadas cuando no tienen que rebelarse contra nuestra entrometida interferencia para ganar su independencia.

La tercera pauta fácilmente podría haber sido uno de los proverbios del rey Salomón, aunque no aparece en la Biblia. Dice así: *Si amas algo, ponlo en libertad. Si vuelve a ti, entonces es tuyo. Si no regresa, para empezar, nunca te perteneció.* Este pequeño aforismo contiene gran sabiduría. Me recuerda un día hace muchos años cuando un cachorro de coyote salvaje apareció trotando a la entrada de nuestra casa en California. Había venido de las montañas cercanas, perdiéndose en nuestra zona residencial. Me las ingenié para perseguirlo hasta llevarlo a nuestro jardín posterior, donde lo arrinconé. Después de quince o veinte minutos, logré ponerle un collar con una correa alrededor del cuello. Él peleó contra este dogal con todas sus fuerzas, saltando, tirando, mordiendo la correa y tratando de zafarse de su cadena. Al fin, completamente extenuado, se rindió a su servidumbre. Era mi prisionero, para deleite de los niños del vecindario. Mantuve al pequeño granuja durante todo un día, y consideré intentar hacer una mascota de él. Sin embargo, me puse en contacto con una autoridad en coyotes, quien me dijo que tenía muy pocas probabilidades de domar su veta salvaje. Es obvio que podría haberlo mantenido encadenado o enjaulado, pero en realidad nunca me habría pertenecido. Le pedí a un guardabosque que devolviera a esta criatura de orejas caídas a su territorio nativo en los cañones arriba de Los Ángeles. Verá, su amistad no significaba nada para mí a menos que lo pudiera poner en libertad y él se quedara conmigo por elección propia.

Mi argumento es que el amor exige libertad. Eso es cierto no sólo en las relaciones entre los animales y los seres humanos, sino también de todas las interacciones personales. Por ejemplo, la manera más rápida de destruir el amor romántico entre un esposo y su esposa es que uno de los cónyuges coloque una jaula de acero alrededor del otro. He visto a miles de mujeres tratando sin éxito de exigir amor y fidelidad de sus esposos. No da resultado. Remóntese a su experiencia de noviazgo antes de casarse. ¿Recuerda que cualquier relación estaba destinada al fracaso en el momento en que uno de los dos comenzaba a preocuparse en cuanto a perder al otro, llamándolo por teléfono seis u ocho veces por día y escondiéndose detrás de los árboles para ver con quién estaba compitiendo por la atención del ser amado? Este actuar inseguro devastará una relación amorosa perfectamente buena en cuestión de días. Lo repito: *El amor exige libertad.*

¿Por qué otra cosa nos dio Dios la elección de servirle o de rechazar su compañerismo? ¿Por qué les dio a Adán y a Eva la opción de comer el fruto prohibido en el huerto del Edén, en lugar de obligarlos a obedecer? ¿Por qué simplemente no hizo que los hombres y las mujeres fueran esclavos programados para adorar a sus pies? Las respuestas se encuentran en el significado del amor. Dios nos dio una libre elección porque no existe trascendencia en el amor que no conoce alternativas. La relación tiene validez sólo cuando venimos a Dios porque buscamos de todo corazón su compañía y la comunión con Él. Éste es el significado de Proverbios 8:17: «A los que aman, les correspondo, a los que me buscan, me doy a conocer«. Ése es el amor que sólo la libertad puede producir. No puede exigir, coaccionar, obligar ni programar contra nuestra voluntad. Sólo puede ser el producto del libre albedrío, un concepto que es honrado aun por el Todopoderoso.

La aplicación de esta perspectiva a los adolescentes mayores y a los que acaban de pasar los veinte años debe ser obvia. Llega un momento cuando nuestra tarea como padres queda en los libros, nuestra enseñanza se ha completado, y el momento de dejar en libertad ha llegado. Como hice con el pequeño coyote, debemos soltar la correa y quitarles el collar. Si nuestro hijo corre, que corra. Si se casa con la persona equivocada, que se case con la persona equivocada. Si toma drogas, que tome drogas. Si nuestros hijos van a la universidad equivocada, rechazan su fe, rehúsan trabajar, o malgastan sus recursos en alcohol y prostitutas, se les debe permitir hacer esas elecciones destructivas. Pero no es nuestra obligación pagarles las cuentas, mejorar las consecuencias ni apoyar su locura.

La adolescencia no es una época fácil en ninguna generación. En realidad, puede ser total y absolutamente aterradora. Pero la clave para sobrevivir a esta experiencia emocional es echar el fundamento apropiado y luego enfrentar esta etapa con valor. Aun la rebelión de los años de la adolescencia puede ser un factor saludable. Este conflicto contribuye al proceso por medio del cual una persona cambia de ser un niño o una niña dependiente a ser un adulto maduro, tomando su lugar como un igual con sus padres. Sin esta fricción, la relación podría continuar siendo una malsana tríada «mamá-papá-hijo» hasta bien entrada en la vida adulta, con serias consecuencias para la futura armonía matrimonial. Si las tensiones intergeneracionales no fueran parte del plan divino para el desarrollo humano, no sería tan universalmente frecuente, aun en los hogares donde el amor y la autoridad se han mantenido en adecuado equilibrio. Y recuerde que miles de millones de otros padres han caminado por el mismo sendero desde la niñez hasta la adolescencia y más allá. La mayoría de ellos ha sobrevivido. ¡Y usted también sobrevivirá!

7. Por sobre todo lo demás, presente a Jesucristo a sus hijos y luego ciméntelos profundamente en los principios de su fe. Ésta es la tarea #1.
Esta palabra de consejo es de relevancia a los padres y madres cristianos, tanto de niños de voluntad firme como de niños dóciles. Todo aquello que sea de valor depende de una responsabilidad fundamental: la de proveerles a sus hijos de una fe inamovible en Jesucristo. ¿Cómo puede cualquier otra cosa compararse en cuanto a su trascendencia a esta meta de mantener el círculo familiar intacto en la vida venidera? ¡Qué objetivo tan maravilloso por el cual trabajar!

Si la salvación de nuestros hijos es así de vital para nosotros, nuestra enseñanza espiritual debe comenzar aun antes que los niños entiendan de lo que esto se trata. Ellos deben crecer viendo a sus padres arrodillados delante de Dios, hablando con Él. A esa edad aprenderán con mucha rapidez y nunca olvidarán lo que han visto y escuchado. Aun si rechazan su fe más tarde, las semillas plantadas durante aquella época quedarán con ellos por el resto de sus vidas. Es por eso que se nos instruye a criarlos «según la disciplina e instrucción del Señor» (Efesios 6:4).

Una vez más, fui muy afortunado de tener padres que entendieron este principio. Cuando llegué a la edad adulta, ellos me contaron que traté de orar aun antes de haber aprendido a hablar. Los observaba hablar con Dios y trataba de imitar los sonidos que escuchaba. Cuando tenía tres años de edad, hice una decisión consciente de aceptar a Jesucristo. Puede que crea que sea imposible a esa edad, pero sucedió. Recuerdo la ocasión con claridad hoy. Estaba en un culto un domingo por la noche, sentado cerca de la parte de atrás de la iglesia con mi mamá. Mi papá era el pastor, e invitó a pasar adelante y a orar en el altar a aquellos que quisieran hacerlo. Quince o veinte personas pasaron adelante, y yo me uní a ellas en forma espontánea. Recuerdo haber llorado y haberle pedido a Jesús que perdonara mis pecados. Sé que esto suena raro, pero así es como ocurrió. Aun hoy me abruma pensar en ese acontecimiento. ¡Imagínese al Rey del universo, al Creador del cielo y de la tierra, preocupándose por un niño insignificante que apenas estaba saliendo de su primera infancia! Puede que no tenga sentido, pero sé que me encontré con Él en aquel altar.

Por supuesto, no todos los niños responderán tan temprano o en forma tan dramática, ni tienen que hacerlo. Algunos niños son más sensibles a las cosas espirituales que otros, y se les debe permitir avanzar a su propio paso. Pero en ningún sentido debemos como padres restar importancia o ser neutrales en cuanto a la preparación de nuestros hijos. Su mundo debe brillar con referencias a Jesús y a nuestra fe. Ése es el significado de Deuteronomio 6:6-9: «Grábate en el corazón estas palabras que hoy te mando. Incúlcaselas continuamente a tus hijos. Háblales de ellas cuando estés en tu casa y cuando vayas por el camino, cuando te acuestes y cuando te levantes. Átalas a tus manos como un signo; llévalas en tu frente como una marca; escríbelas en los postes de tu casa y en los portones de tus ciudades».

Creo que este mandamiento del Señor es uno de los pasajes más cruciales de toda la Biblia para los padres. Nos instruye a rodear a nuestros hijos con la enseñanza piadosa de la Palabra de Dios. Las referencias a las cosas espirituales no han de reservarse sólo para los domingos en la mañana o incluso para una oración a la hora de acostarse. Deben calar nuestra conversación y la estructura de nuestra vida. ¿Por qué? Porque nuestros hijos están observando todos nuestros movimientos durante esos primeros años. Quieren saber lo que es más importante para nosotros. Si esperamos inculcarles una fe que durará toda la vida, ellos deben ver y sentir nuestra pasión por Dios.

Como corolario a ese principio, debo recordarle que a los niños no se les escapa nada en cuanto a evaluar a sus padres. Si usted está convencido sólo a medias de sus creencias, ellos discernirán ese hecho con rapidez. Sus hijos incorporarán y exagerarán la envergadura de cualquier punto débil ético, de cualquier indecisión de su parte. Nos guste o no, estamos atrapados. La fe y la fidelidad de ellos por lo general es un reflejo de la nuestra. Como ya lo he dicho, nuestros hijos finalmente tomarán sus propias decisiones y marcarán el curso de sus vidas, pero esas decisiones estarán bajo la influencia del fundamento que nosotros hemos puesto.

Eso me lleva a otro punto muy importante, aun cuando es controversial. Creo firmemente en hacer que los niños conozcan el juicio y la ira de Dios desde que son pequeños. En ningún lugar de la Biblia se nos instruye que nos esquivemos los pasajes desagradables de las

Escrituras en nuestra enseñanza. La paga del pecado es muerte, y los niños tienen derecho a entender ese hecho.

Recuerdo que mi madre me leyó la historia de Sansón cuando yo tenía unos nueve años de edad. Después que este poderoso guerrero cayera en pecado, como recordará, los filisteos le sacaron los ojos y lo tuvieron como a un esclavo común y corriente. Algún tiempo después, Sansón se arrepintió delante de Dios, y fue perdonado. Incluso se le devolvió su formidable fuerza. Pero mi madre me señaló que Sansón nunca recobró la vista, y que jamás volvió a vivir en libertad otra vez. Él y sus enemigos murieron juntos cuando el templo les cayó encima.

«El pecado tiene terribles consecuencias», me dijo ella con seriedad. «Aun si te arrepientes y eres perdonado, todavía sufrirás por romper las leyes de Dios. Esas leyes están para protegerte. Si las desobedeces, pagarás el precio de tu desobediencia».

Luego me habló de la gravedad, una de las leyes físicas de Dios. «Si saltas de un edificio de diez pisos, puedes tener por seguro que te estrellarás al dar con el suelo. Es inevitable. También debes saber que las leyes morales de Dios son tan reales como sus leyes físicas. No las puedes romper sin estrellarte tarde o temprano».

Finalmente, me enseñó acerca del cielo y del infierno, y del gran día del juicio, cuando los que han sido cubiertos por la sangre de Jesús serán separados por toda la eternidad de aquellos que no lo han sido. Eso causó una impresión muy profunda en mí.

Muchos padres no estarían de acuerdo con la decisión de mi madre al explicarme la naturaleza del pecado y sus consecuencias. Algunos me han dicho: «Oh, a mí no me gustaría pintarles un cuadro tan negativo a mis hijos. Quiero que piensen en Dios como un Padre amoroso, no como un juez iracundo que los castiga». Al hacer eso, dejan de darles a sus hijos una parte de la verdad. Dios es tanto un Dios de amor como un Dios de juicio. Hay 116 pasajes en la Biblia en los cuales se nos dice: «teme a Dios». ¿Con qué autoridad eliminamos esas referencias al describirles a nuestros hijos quién es Dios?

Agradezco que mis padres y mi iglesia tuvieran el valor de enseñarme las advertencias que se encuentran en la Biblia. Esta conciencia del pecado y de sus consecuencias me ha mantenido siguiendo los principios morales en momentos cuando podría haber caído en pecado sexual. La fe bíblica fue un regulador, un control más allá del cual yo no estaba dispuesto a ir. Para ese entonces no les tenía miedo a mis padres. Podría haberlos engañado. Pero no podría haberme escapado de los ojos del Señor que lo ven todo. Yo sabía que algún día tendría que rendir cuentas ante Él, y ese hecho me dio la motivación adicional que necesitaba para tomar decisiones responsables.

No puedo exagerar la importancia de enseñar acerca de nuestra responsabilidad ante Dios, especialmente a los hijos de voluntad firme. Puesto que su tendencia es probar los límites y romper las reglas, van a necesitar de esta norma interna como una guía para su comportamiento. No todos la escucharán, pero algunos sí lo harán. Así que a medida que les enseñe a sus hijos acerca de esta verdad, tenga cuidado de equilibrarla con los temas del amor y la justicia. Hacer que la balanza se mueva en cualquiera de las dos direcciones es distorsionar la verdad y crear confusión en una esfera donde la comprensión tiene una importancia extrema.

PREGUNTAS Y RESPUESTAS

P: ¿Qué edad es la que presenta más desafíos en la crianza de un niño de voluntad firme?
R: Basándonos en nuestra encuesta a 35 mil padres, la edad más rebelde de la niñez es a los dieciocho años de edad. Esto es porque hacia el final de su adolescencia, un muchacho o una muchacha cree que ha «crecido» y por lo tanto se molesta ante cualquier cosa que incluso se asemeje al liderazgo o la autoridad paterna-materna. No hace ninguna diferencia que el joven todavía viva bajo el techo de los padres y que coma a su mesa. Los adolescentes tienen un deseo intenso de decir: «¡Déjame en paz!». La edad que se encuentra en el segundo lugar en esta escala es a los dieciséis años, y en tercer lugar, a los catorce. Estos hallazgos varían de una persona a otra, pero por lo general esas tres edades producen los mayores conflictos y resentimientos. Entonces, si el joven adulto se muda del hogar, las cosas mejoran con mucha rapidez.

P: Hablando en general, ¿qué clase de disciplina recomienda para un adolescente con el cual la vida es normalmente terrible?
R: Eso nos lleva de vuelta a lo que escribí en cuanto a hacer uso de la acción para lograr una acción, en vez de hacer uso del enojo para lograr

una acción. El enfoque de la acción ofrece una de los pocos medios disponibles para usar con los adolescentes muy obstinados. Cada vez que consiga que hagan lo que deben hacer sin enfurecerse, estará ganando el juego. Permítanme proveerle unos pocos ejemplos de cómo se puede lograr esto.

1. Me dijeron que mucho tiempo atrás en Rusia, se les negaba la licencia de conducir por años a aquellos adolescentes que habían sido declarados culpables de usar drogas. Aquí en los Estados Unidos, los legisladores del estado de Michigan recientemente aprobaron una ley que prohíbe a los estudiantes obtener su licencia de conducir si se descubre que éstos habían hecho alguna llamada, en son de broma, amenazando con hacer explotar alguna bomba[29]. Ambas tácticas han demostrado ser eficaces.

2. Cuando mi hija era adolescente, solía entrar a hurtadillas a mi baño y se llevaba mi hoja de afeitar, mi crema de afeitar, mi pasta de dientes y mi peine. Por supuesto que nunca los traía de vuelta. Entonces, después que ya se había ido a la escuela, yo descubriría que me algo faltaba. Allí estaba yo, con el cabello mojado o sin haberme lavado los dientes, tratando de localizar el artículo confiscado en su cuarto de baño. No era un asunto de gravedad, pero era irritante en ese momento. ¿Puede identificarse con eso?

   Le pedí a Danae una docena de veces que no hiciera esto, pero sin resultado. Entonces, una mañana fría, el fantasma (ése era yo) atacó sin ninguna advertencia. Escondí todas las cosas que ella necesitaba para «arreglarse» y luego me fui a la oficina. Mi esposa me dijo que nunca había escuchado tales lamentos y quejas como los que oyó ese día. Nuestra hija hurgaba desesperadamente en los cajones del baño buscando su cepillo de dientes, su peine y su secadora de pelo. Mi problema nunca más volvió a ocurrir.

3. Una familia que vivía en una casa con un calentador de agua pequeño estaba en continua frustración con los interminables baños de su hijo adolescente. Todos los que se bañaran después de él tenían que ducharse con agua fría. Una vez que cerraba con llave la puerta del baño, se quedaba allí hasta que el agua caliente se hubiera agotado. ¿La solución? Cuando él iba por la

mitad de su baño, papá cerró la válvula en el tanque y la corriente de agua caliente cesó. De pronto, el agua que salía por la ducha estaba completamente fría. El joven salió del baño en cuestión de segundos.

4. Una madre que criaba a sus hijos sola no podía lograr que su hija se levantara en las mañanas hasta que anunció una nueva regla: Se cortaría el agua caliente a las 6:30 a.m. en punto. La muchacha podía levantarse a tiempo o bañarse con agua helada todas las mañanas. Otra madre tenía problemas para hacer que su hijo de ocho años se levantara todas las mañanas. Entonces comenzó a echarle tazones llenos de canicas congeladas debajo de las mantas todas las mañanas. Las bolitas corrían hasta el centro de la cama, precisamente donde el muchacho estaba acostado. El niño somnoliento se levantó de inmediato.

5. En lugar de estar de pie en el estacionamiento y gritarles a los estudiantes que conducían a demasiada velocidad, ahora los oficiales escolares colocan enormes baches de concreto en las pistas que les hacen chirriar los dientes a los que no los toman en cuenta. Logran el objetivo con bastante eficacia.

6. Usted como padre o madre, tiene el automóvil que su hijo adolescente necesita, el dinero que él codicia, y la autoridad para conceder o quitar privilegios. Si se llega a tener fricciones en la convivencia diaria, estos elementos de negociación pueden usarse, a fin de lograr compromisos a vivir en forma responsable, a compartir los trabajos en el hogar, y a dejar en paz al hermanito menor. Este proceso de negociación también da resultado con niños pequeños. Me gusta el canje del «uno por uno» en lo que respecta al tiempo en que pueden mirar la televisión. Le permite a un niño mirar un minuto de televisión por cada minuto que haya pasado leyendo.

Las posibilidades son ilimitadas.

P: Mi hija de dieciséis años me está volviendo loca. Ella es irrespetuosa, bulliciosa y egoísta. Su cuarto parece un chiquero, y en la escuela no hace más esfuerzo que el estrictamente necesario para no desaprobar los cursos. Todo lo que le he enseñado, desde los buenos modales hasta su fe, parece habérsele salido por las orejas. ¿Qué es lo que mi esposo y yo debemos hacer ahora?

R: Voy a ofrecerle consejos obvios que tal vez no tengan sentido o que no parezcan relacionarse con el problema que ha descrito. Pero escúcheme, por favor. Lo más importante que puede hacer por su hija es simplemente ayudarla a pasar por esta etapa. Este concepto es un poquito confuso, así que permítame hacer un esfuerzo para explicarlo.

Imagínese que su hija está navegando en una canoa pequeña llamada *Pubertad* en el río llamado *Adolescencia*. Pronto llega a un tramo de aguas rápidas que zarandean su pequeña embarcación con violencia. Existe un peligro muy real que el bote se vuelque y se ahogue. Aun si sobrevive a los rápidos de hoy, parece inevitable que será arrasada por las corrientes que se arremolinan aguas abajo y caerá por las cataratas. Éste es el temor que albergan millones de padres que tienen a sus hijos rebotando a lo largo del turbulento río. Las cataratas son lo que más les preocupa a ellos.

En realidad, el viaje normal por el río es mucho más seguro de lo que se cree. En lugar que el agua se vuelva más violenta corriente abajo, finalmente hace la transición de los temibles rápidos a la calma una vez más. Lo que le estoy diciendo es que creo que su hija va a estar bien aunque ahora está dándose chapuzones, luchando y respirando con dificultad. Su botecito es más fuerte de lo que usted podría creer. Sí, unas cuantas personas caen por las cataratas, pero por lo general es debido al abuso de las drogas y a otros comportamientos adictivos. Pero aun algunos de esos muchachos pueden volver a subirse a la canoa y seguir remando por el río. La mayoría recuperará su equilibrio en unos pocos años. De hecho, ¡el mayor peligro de hundir un bote podría venir de los padres!

La filosofía que aplicáramos con nuestros hijos adolescentes (y usted puede probar con los suyos) puede llamarse la del «tira y afloja». Con esto quiero decir que tratamos de aflojar nuestro control sobre todo aquello que no tuviera trascendencia duradera, y lo apretamos sobre todo aquello que sí lo tenía. Todas las veces que nos era posible, decíamos que sí para apoyar a lo que a veces decíamos que no. Y lo que es más importante, tratamos de nunca estar demasiado apartados emocionalmente de nuestros hijos.

Simplemente no es prudente dar por perdido a un hijo, sin importar cuán necio, irritante, egoísta o loco parezca ser su comportamiento. Usted debe estar disponible, no sólo cuando su canoa se bambolea de manera precaria, sino también después cuando el río fluye en calma otra vez. Usted tiene lo que le queda de vida para reconstruir la relación que ahora está en peligro. No deje que el enojo se encone por demasiado tiempo. Dé el primer paso hacia la reconciliación. Y, finalmente, sea respetuosa, aun cuando sean necesarias las medidas de castigo o restricción.

Luego espere que lleguen las aguas calmas después que su hija haya pasado la barrera de los veinte años.

P: Deme una respuesta directa a esta pregunta: ¿Cómo puedo sobrevivir mejor los tumultuosos años de mis tres hijos adolescentes de voluntad firme?

R: Durante mucho tiempo he recomendado que los padres de hijos que están en medio de una experiencia adolescente tumultuosa deben mantener «un ejército de reserva». Permítame explicarlo: Un buen general nunca asignará todas sus tropas al combate al mismo tiempo. Él mantiene una fuerza de reserva que puede relevar a los extenuados soldados cuando éstos decaen en el frente. Quisiera que los padres de los hijos adolescentes implementaran la misma estrategia. En cambio, emplean cada gramo de energía y cada segundo de su tiempo a los asuntos de la vida, sin dejar reserva alguna para el desafío del siglo. Es un error clásico que puede ser desastroso para los padres de adolescentes de voluntad firme.

El problema comienza con un malentendido básico durante los años preescolares. Escucho decir a las madres: «No tengo planes de trabajar sino hasta que mis hijos estén en el jardín de infantes, entonces conseguiré un empleo». Parecen creer que las pesadas demandas que están sobre ellas desaparecerán por arte de magia cuando sus pequeños asistan a la escuela. En realidad, los años de la adolescencia generarán tanta presión sobre ellas, tal como lo hicieron los años de la época preescolar. Un adolescente pone una casa de cabeza... tanto de manera literal como figurada. La rebelión típica de esos años no sólo es una experiencia extremadamente estresante, sino que llevarlos en automóvil, supervisarlos, preparar las comidas y la limpieza que se requieren para apoyar a un adolescente pueden ser extenuantes. Alguien dentro de la familia debe contar con una reserva de energía para enfrentar esos nuevos desafíos. Las mamás por lo general son las candidatas preferidas. Recuerde también que la menopausia y la crisis de la mediana edad de un hombre están programadas para coincidir con la adolescencia de los hijos, ¡lo cual hace una combinación terrible! Una madre sabia es aquella que no agota toda su energía en una época cuando tantas cosas están sucediendo en el hogar.

Sé que es mucho más fácil hablar acerca de mantener un horario más liviano que implementarlo de manera eficaz. Tampoco es práctico recomendar que todas las madres no busquen un empleo formal durante esta época. Millones de mujeres tienen que trabajar por razones económicas, incluyendo el número cada vez más elevado de padres y madres que crían a sus hijos solos en el mundo. Otros escogen continuar con sus carreras. Ésa es una decisión que debe ser tomada por una mujer y su esposo, y no es mi intención decirles lo que deben hacer.

Pero las decisiones tienen consecuencias inevitables. En este caso, hay fuerzas biofísicas actuando que deben tomarse en cuenta. Si, por ejemplo, el 80% de la energía que dispone una mujer en un día dado se gasta en vestirse, conducir a su trabajo, cumplir con sus ocho o diez horas de trabajo, y pasar por el supermercado en el camino de regreso al hogar, sólo queda 20% para todo lo demás. Ocuparse de la familia, cocinar, limpiar la cocina, la relación con su esposo y participar en todas las demás actividades personales deben cumplirse con esa reducida reserva. No es de sorprenderse que sus baterías estén agotadas para el final del día. Los fines de semanas deben ser de descanso, pero por lo regular no lo son. Por lo tanto, avanza con paso lento y pesado a lo largo de los años rumbo al agotamiento total.

Esto es lo que quiero decir: Una mujer en esta situación ha enviado a todas sus tropas al frente del combate. No tiene reservas de las que pueda echar mano. Bajo esas condiciones debilitadas, las tensiones rutinarias de criar un hijo adolescente pueden ser abrumadoras. Permítame decirlo otra vez: Criar hijos adolescentes llenos de energía es una experiencia emocionante y gratificante, pero también es una experiencia frustrante. Los altibajos radicales de los adolescentes afectan nuestro estado de ánimo. Los ruidos, los desórdenes, las quejas, las peleas, la rivalidad entre hermanos, las llegadas a casa más tarde de la hora asignada, las preocupaciones, los choques en automóvil, los exámenes reprobados, los novios que los han dejado plantados, las malas amistades, el teléfono siempre ocupado, la mancha de pizza en la alfombra, la camisa nueva rota, la rebelión, los portazos, las palabras de maldad, las lágrimas son suficientes para enloquecer a una madre que está descansada. ¿Pero qué puede decirse de una mujer que continúa con su carrera y que ya ha dado todo de sí en la oficina, y luego llega a este caos en la casa? Cualquier crisis inesperada y hasta una irritación mínima pueden desatar un torrente de emociones. No hay reservas a las cuales recurrir. En pocas palabras, los padres de hijos adolescentes deben guardar algo de su energía para lidiar con todas esas cosas que causan irritación.

Le corresponde a usted poder o no aceptar e implementar algo de este consejo. A mí me corresponde ofrecerlo, y esto es lo mejor que puedo hacer. Para ayudarla a sobrevivir a los turbulentos años de la adolescencia, debe:

1. Simplificar su horario.
2. Descansar lo suficiente.
3. Comer comidas nutritivas.
4. Mantenerse de rodillas.

Cuando la fatiga lleva a los adultos a comportarse como adolescentes de mal genio, cualquier cosa puede pasar en el hogar.

P: Mi hijo tiene ahora dieciséis años de edad. Quisiéramos haberle inculcado antes muchos de los principios de los que usted habla. Deja sus ropas tiradas por toda la casa, se niega a ayudar con las tareas rutinarias, y por lo general les hace la vida insoportable a todos. ¿Hay alguna esperanza para darle forma a su voluntad a esta edad más bien tardía?

R: Si existe algún enfoque que logre cambiar las baterías medio descargadas de su hijo que lo motive a vivir dentro de las reglas, es probable que éste involucre un programa de «incentivo y falta de incentivo» de alguna clase. Los siguientes tres pasos podrían ser útiles para iniciar dicho sistema:

1. Decida lo que tiene importancia para su joven hijo, para que lo use como un motivador. Dos horas conduciendo el automóvil de la familia para salir en una cita en la noche vale todo el oro del mundo para un adolescente de dieciséis años que acaba de obtener su licencia de conducir. (Éste podría ser el incentivo más caro de la historia si el joven conductor no es muy bueno detrás del volante de un automóvil). La asignación semanal de dinero que le da es otro recurso de inspiración de fácil disponibilidad. Hoy en día los adolescentes tienen una gran necesidad de dinero contante y sonante. Una salida rutinaria con la joven de sus sueños le podría costar veinte dólares

o más, en algunos casos, mucho más. Y puede que aun otro incentivo sea alguna prenda de vestir que está a la moda y que por lo regular no estaría dentro del presupuesto de su hijo o hija adolescente. Ofrecerle un medio para obtener tales lujos es una alternativa feliz a las súplicas, los llantos, los ruegos, las quejas y las molestias que de otra forma podrían darse. Mamá dice: «Claro, puedes comprarte el suéter para esquiar, pero tendrás que ganártelo». Una vez que se ha llegado a un acuerdo en cuanto a un motivador aceptable, se puede implementar el segundo paso.

2. Formalice el acuerdo. Un contrato es una forma excelente de decidirse por alguna meta en común. Una vez que el acuerdo ha sido escrito, el padre o la madre y el hijo adolescente lo firman. El contrato puede incluir un sistema de puntuación que hace posible que su hijo adolescente llegue a la meta en un período de tiempo razonable. Si no pueden ponerse de acuerdo en cuanto a las puntuaciones, podrían permitir que alguien de afuera realizara el arbitraje, y que su decisión sea la que se cumpla. Examinemos un ejemplo de un acuerdo en el cual Mario quiere un reproductor de discos compactos, pero su cumpleaños no es sino hasta dentro de diez meses y él no tiene ni un centavo. El aparato cuesta aproximadamente $150. Su padre está de acuerdo en comprar el aparato si Mario gana diez mil puntos en las próximas seis a diez semanas realizando diversas tareas. Muchas de estas oportunidades se han bosquejado por anticipado, pero la lista puede alargarse a medida que otras posibilidades se hacen evidentes.

a. Por hacer su cama y arreglar su dormitorio
cada mañana...50 puntos
b. Por cada hora de estudio.................................150 puntos
c. Por cada hora de limpiar la casa o de trabajar
en el jardín ....300 puntos
d. Por estar a tiempo para el desayuno y la cena ....40 puntos
e. Por cuidar a sus hermanitos (sin conflictos)......150 puntos
por hora
f. Por lavar el automóvil todas las semanas..........250 puntos
g. Por levantarse. el sábado a las 8:00 a.m. ....100 puntos

Si bien los principios son casi universalmente eficaces, el método variará. Con un poquito de imaginación, puede crear una lista de tareas y de puntuaciones que den resultado para su familia. Es importante tomar nota que los puntos pueden ganarse por cooperar y perderse por resistirse a hacerlo. El comportamiento desagradable e irrazonable se sanciona con una multa de cincuenta puntos o más. (Sin embargo, las multas deben ser impuestas con justicia y en forma esporádica, o el sistema completo se desmoronará). También se pueden otorgar puntos extra por comportamiento que es particularmente encomiable.

3. Finalmente, establezca un método para proveer recompensas inmediatas. Recuerde que la reafirmación con prontitud logra los mejores resultados. Esto es necesario para mantener el interés de los adolescentes a medida que avanzan hacia la meta final. Se puede elaborar un gráfico tipo termómetro con la escala de puntos anotada en un costado. En la parte superior se encuentra la marca de los diez mil puntos, junto a la foto de un reproductor de discos compactos o algún otro premio. Todas las noches, se suman los puntos totales de ese día, y la parte roja del termómetro se extiende hacia arriba. El progreso continuo y a corto plazo le podría hacer ganar a Mario un bono de alguna clase, tal vez un disco compacto de su músico favorito o algún privilegio especial. Si él cambia de parecer en cuanto a lo que desea comprar, los puntos pueden desviarse hacia otra compra. Por ejemplo, cinco mil puntos es el 50% de diez mil y eso significaría setenta y cinco dólares hacia otra compra. Sin embargo, no le dé a su hijo la recompensa si no se la gana. Eso eliminaría el uso futuro de reafirmaciones. De igual forma, no niegue o posponga la meta una vez que ésta se ha alcanzado.

El sistema descrito líneas arriba no es algo fijo. Debe adaptarse según la edad y la madurez del adolescente. Un joven podría sentirse insultado por algún enfoque que a otro le gustaría muchísimo. Use su imaginación y establezca los detalles junto con su hijo. Esta sugerencia no va a dar buen resultado con todos los adolescentes, pero algunos la encontrarán emocionante. Le deseo muy buena suerte.

CÓMO TRATAR AL NIÑO CON TADH

AHORA LLEGAMOS A UN TEMA DE MUCHA importancia para los padres de niños de voluntad firme que sucede que también tienen una condición que se llama trastorno por déficit de atención e hiperactividad, o TDAH. Es casi seguro que cualquier problema físico que aumenta el nivel de actividad o reduce el nivel de dominio propio de un pequeño creará problemas en el manejo de éste. Es peor cuando ese niño también tiene la tendencia de resistirse a la autoridad paterna. Es probable que la conjunción de esas características haga la vida difícil, y en algunos casos muy estresante para la madre, el padre los hermanos y el maestro.

Se ha documentado clínicamente esta conexión entre la hiperactividad y el desafío. El doctor Bill Maier, psicólogo en Enfoque a la Familia, indicó que entre 40 y 60% de niños con TDAH pueden sufrir de una afección conocida con el nombre de trastorno de desafío y oposición, o TDO, el cual se manifiesta con un patrón de discusiones constantes con los adultos; de frecuentes arrebatos en los que se pierde el control; de rehusarse a cumplir órdenes; de molestar a los demás en forma deliberada; y de muestras de ira, de resentimiento, de malicia, y de deseos de venganza recurrentes[1]. Ciertamente, el TDO y el TDAH juntos forman un cóctel volátil.

Dada esta interpretación, el TDAH es una afección que debe considerarse con mucho cuidado cuando deliberamos sobre el niño de voluntad firme. Gracias a Dios, ya se han realizado muchas investigaciones al respecto. Se han publicado muchos libros sobre el TDAH en los últimos años; éstos han sido escritos por investigadores y clínicos que han pasado su vida profesional trabajando con los niños afectados, y a favor de ellos. Por lo tanto, no es necesario que trate este tema con gran detalle, puesto que hay otras fuentes tan fácilmente disponibles. En vez de ello, voy a brindar una visión general del TDAH y a tratar algunos de los asuntos relacionados a la disciplina que normalmente se encuentran en un niño de voluntad firme e hiperactivo.

Primero, permítame hablar sobre la controversia que rodea al TDAH. Los presentadores en los programas de entrevistas, los columnistas no especializados y muchos padres tienen opiniones muy definidas en cuanto a este trastorno, y algunos de los que alzan su voz con más fuerza están simplemente equivocados. La cultura carente de información nos diría hoy que el TDAH es un diagnóstico que está de moda, que no tiene base científica y que el problema desaparecería si los padres simplemente supieran disciplinar mejor a sus hijos. No es verdad. Por cierto que muchos padres necesitan aprender mejores maneras de manejar a sus hijos, pero ése es otro asunto. El TDAH es un trastorno físico y emocional, no es algo que se les ocurrió a los agresivos profesionales de la medicina, que lo ven aparecer por todos lados. Puede que se le diagnostique en exceso porque no hay pruebas de laboratorio simples que confirmen esa afección; sin embargo, no existe evidencia que indique que los padres y sus doctores están dándoles «drogas» innecesarias a sus niños en forma rutinaria o que un gran número de maestros quiera que sus alumnos tomen medicinas porque carecen de las habilidades para controlarlos en el salón de clase. Si bien puede que se den algunos abusos, esas generalizaciones son injustas e imprecisas.

Le puedo decir a partir de mi experiencia personal que cuando un niño tiene ese trastorno y éste es pronunciado, ciertamente no tiene que ser inventado por alguien. He visto a niños y niñas con TDAH, incluso niños en edad preescolar, que marchaban a toda velocidad y sin timón. No se podían quedar quietos por más de unos segundos y parecían estar impulsados frenéticamente desde adentro. Recuerdo a una niñita de dos años cuyos padres la trajeron para que la viera en el hospital infantil. Esta niñita estaba prácticamente subiéndoseme por los hombros y la cabeza tan sólo segundos después de haber entrado a mi consultorio. En los rostros de sus padres se veía el cansancio y la frustración, quienes estaban extenuados de correr tras este pequeño dínamo desde la mañana hasta la noche. Tan solo intente decirles a los padres extenuados, como es el caso de este matrimonio, que la condición de su hijo o hija es imaginaria. Muy pronto sabrá lo que opinan acerca de su hipótesis errada.

Con eso, ofreceré una base para los padres que sospechan que su hijo de voluntad firme sufre de TDAH. Pero primero vamos a repasar una historia sobre este problema y que fue un amplio tema de portada en la revista *Time* en 1994, la cual sigue siendo exacta hoy*.

Hace 15 años, nadie había escuchado del trastorno por déficit de atención e hiperactividad. Hoy en día, es el trastorno del comportamiento más común en los niños en los Estados Unidos, el tema de miles de estudios y simposios y un asunto que ha causado gran controversia. Los expertos en TDAH dicen que afecta a unos 3.5 millones de niños, o sea, hasta 5% de los niños menores de dieciocho años. Su diagnóstico es de dos a tres veces más común en los varones que en las niñas. Este trastorno ha reemplazado a lo que comúnmente se le llamaba «hiperactividad», e incluye una colección más amplia de síntomas. El TDAH tiene tres características principales: una distracción extrema, una impulsividad casi temeraria, y en algunos, pero no en todos los casos, una hiperactividad que impulsa a los niños a sacudir las rodillas, a zapatear con los pies y que hace que sentarse quietos sea casi imposible.

Para los niños que tienen el TDAH, el tictac de un reloj o cualquier cosa que se vea a través de una ventana puede distraerlos al punto de no escuchar la voz del maestro en absoluto, aunque un proyecto que los intrigue los puede absorber por horas. Estos niños actúan antes de pensar; sueltan respuestas en clase. Hacen enojar a sus compañeros por su incapacidad para esperar su turno o para jugar siguiendo las reglas. Estos son niños que nadie quiere en una fiesta de cumpleaños.

Para los niños que son hiperactivos, el patrón es inconfundible, dice el doctor Bruce Roseman, neurólogo pediatra con varias oficinas en la zona de la ciudad de Nueva York, quien también padece de TDAH. «Se le pregunta a la madre: "¿Qué clase de personalidad tenía este niño de bebé? ¿Era activo, alerta? ¿Tenía cólicos?". Ella responderá: "¡No paraba de llorar: buaa, bua, buaa!". Se le pregunta, además: "¿Cuándo comenzó a caminar?". Una madre me dijo: "¿Caminar?". Mi hijo no caminó. Obtuvo su licencia de piloto al año de edad. Sus pies nunca han vuelto a tocar el suelo desde entonces". Otra pregunta: "Señora Smith, ¿qué me puede decir de la terrible etapa de los dos años de edad?". Ella comenzará a llorar y dirá: "¿Se refiere a la terrible etapa de los dos, tres, cuatro, la espantosa etapa de los cinco, la horrorosa

---

etapa de los seis, la espantosa etapa de los ocho, la etapa del divorcio de los nueve, y la etapa del «me quiero morir» de los diez?"».

No hay duda de que TDAH puede afectar las vidas de las personas. Los niños con ese trastorno con frecuencia tienen pocos amigos. Puede que vecinos y familiares les hagan el vacío a sus padres, culpándolos de no poder controlar a sus hijos. «Personas que ni siquiera conocía han criticado mis habilidades como madre», dice la madre de un niño hiperactivo en Nueva Jersey. «Cuando se está en lugares públicos, siempre hay que estar en guardia. Cada vez que escucho llorar a un niño, me doy vuelta para ver si fue por culpa de Jorge».

La escuela puede ser una experiencia desastrosa para estos niños. Como se les reprende y se les deja de prestar atención con frecuencia, pierden todo sentido de amor propio y se atrasan aun más en sus estudios. Más de una cuarta parte de ellos tiene que repetir un año escolar; una tercera parte no logra graduarse de la secundaria. Los niños que sufren de TDAH son propensos a tener accidentes, dice el neurólogo Roseman. «Éstos son los niños que se verán en la sala de emergencias este verano. Condujeron sus bicicletas y se metieron a la pista sin mirar antes. Saltaron de la azotea y se olvidaron de que era alto».

Pero las heridas psicológicas a menudo son mayores. La mitad y hasta dos terceras partes de estos niños son hostiles y desafiantes para cuando tienen entre cinco y siete años de edad, dice el doctor Russell Barkley, autor de *Taking Charge of ADHD [Tomando control del TDAH]*. Entre los diez y doce años, corren el riesgo de desarrollar lo que los psicólogos llaman un «trastorno de conducta», mienten, roban, huyen del hogar y finalmente se meten en problemas con la ley. Cuando llegan a la edad adulta, dice Barkley, entre 25 y 30% de ellos experimentarán problemas de abuso de sustancias químicas, principalmente con depresivos como la marihuana y el alcohol. Un estudio sobre los niños varones hiperactivos encontró que 40% de ellos habían sido arrestados por lo menos una vez para cuando tenían dieciocho años, y éstos eran muchachos que habían sido tratados con medicamentos estimulantes; el promedio era de 20% para los que habían sido tratados con el medicamento además de otras medidas, una tasa todavía muy elevada.

Es un artículo de fe entre los investigadores del TDAH que las intervenciones adecuadas pueden prevenir esos resultados tan espantosos. «Si se logra tener un impacto sobre estos niños, se puede cambiar su destino de la cárcel a la Escuela de Leyes de la Universidad de Harvard», dice la psicóloga Judith Swanson de la Universidad de California en Irvine...

Ya sea que el TDAH sea un trastorno del cerebro o simplemente un tipo de personalidad, el grado en que éste represente un impedimento dependerá no sólo de la severidad de sus características, sino también del medio ambiente de aquel que lo padezca. La escuela, el centro de trabajo o el ambiente en el hogar pueden hacer que la situación sea totalmente diferente. Las lecciones que se aprenden del TDAH son hechos que saltan a la vista. No todos los niños aprenden de la misma forma. Ni todos los adultos pueden encajar en la misma clase de trabajo. Desdichadamente, la sociedad en los Estados Unidos parece haber evolucionado en un sistema del tipo «una medida para todos». Las escuelas pueden parecer fábricas: coloque a los niños en la cadena de montaje, enchufe los componentes apropiados y mándelos al mundo. Se supone que todos irán a la universidad; casi no existe otro camino para el éxito. En otros tiempos y en otros lugares han habido alternativas: el aprendizaje de oficios, la colonización en tierras nuevas, el inicio de un negocio en la puerta del garaje de la casa, el hacerse a la mar. En una sociedad conformista, se hace necesario que algunas personas reciban medicamentos para que encajen.

Sin duda alguna, una epidemia del trastorno por déficit de atención e hiperactividad es una advertencia para nosotros. Los niños necesitan ser supervisados de manera individual. Muchos necesitan de una estructura más sólida de la que puede brindar el hogar promedio caótico. Necesitan de un enfoque a la disciplina que sea más consecuente y escuelas que diseñen y adapten su enseñanza a los estilos de aprendizaje individuales de estos niños. Los adultos también podrían usar una sociedad que sea más flexible en cuanto a sus expectativas y más tolerante con las diferencias. Pero más que nada, todos necesitamos aminorar la marcha. Y prestar atención[2].

Este artículo nos provee de una comprensión básica del TDAH en términos gráficos. Suena bastante escalofriante, ¿no es verdad? Sin embargo, antes de concluir que el trastorno condenará a su hijo a una vida de desdicha y de fracaso, tengo noticias mucho más positivas para usted. Tres de mis colegas escribieron un libro excelente, titulado *Why A.D.H.D. Doesn't Mean Disaster* [Por qué el TDAH no es sinónimo de desastre], publicado en el año 2004[3]. Se trata del doctor Walt Larimore, vicepresidente de ayuda médica en Enfoque a la Familia; la señora Diane Passno, una de las presidentas ejecutivas de Enfoque a la Familia; y el doctor Dennis Swanberg, ministro, orador y un humorista muy querido. Tanto el doctor Swanberg como su hijo padecen de un trastorno por déficit de atención e hiperactividad severo. Diane tiene una hija brillante, Danielle, quien se graduó de la Universidad Darmouth con un título en ingeniería. Fue la alumna con las mejores calificaciones en su promoción de la secundaria y quien pronunció el discurso de despedida en su ceremonia de graduación, la reina de la fiesta estudiantil al comienzo del año académico, una campeona atlética a nivel estatal, y una muchacha maravillosa. Y sí, también tiene el TDAH.

Estos autores están muy capacitados para decirnos cómo llevar una vida exitosa con este trastorno y explicarnos por qué en realidad puede ser una ventaja. Ofrecerá aliento a todos los padres con hijos afectados por el TDAH, y que son destructores e impacientes, que arrasan con todo a su paso, y que tienen un gran empuje.

La siguiente cita marca la pauta para el libro. Fue escrita por el doctor Paul Elliot, quien dijo:

> En mi opinión, la estructura del cerebro de una persona que tiene el trastorno por déficit de atención (TDA) no es en realidad anormal. De hecho, creo que a partir de ella se podría lograr un muy buen caso no sólo de normalidad, sino que bien podría llegar a ser una estructura cerebral superior, aunque se trataría de una minoría. Sin embargo, los talentos de una persona con TDA no son los que nuestra sociedad premia en su actual estado de desarrollo. En otras palabras, los problemas de la persona con TDA son causados en la misma medida por la forma en que hemos organizado nuestra sociedad, nuestro sistema educativo, y nuestros métodos comerciales, así como también por otros factores relacionados más directamente con el déficit de la atención en sí[4].

La señora Passno planteó su tesis:

> Muchos padres necesitan una nueva perspectiva en cuanto a sus hijos que han sido diagnosticados con el trastorno por déficit de atención e hiperactividad. El TDAH es una palabra de moda para nuestra generación de padres e hijos. Lo último que un padre quiere que le digan es que su retoñito tiene un pronóstico que podría limitar sus oportunidades, particularmente cuando apenas está comenzando. El estereotipo dentro del cual el TDAH ha colocado a estos niños es simplemente terrible. Y a la mayoría de los padres les falta o la comprensión o la confianza para desafiar los conceptos convencionales al respecto.

Colocar a los niños dentro de un estereotipo es algo engañoso y peligroso. Puede causarle un daño imperceptible al entendimiento del niño de lo que él es y de lo que puede lograr en la vida. Ya en el preescolar, lo que la mayoría de los niños hacen cuando se les dice que están destinados al fracaso es comenzar a vivir de acuerdo a esa expectativa. Se convierten en los clásicos niños de poco rendimiento.

[Nosotros] tenemos un pececito que quizá nos sobrevivirá a todos en nuestra familia. Este pececito que nos costó veintinueve centavos ha estado en un recipiente en el aparador de la cocina durante los últimos seis años, nadando en pequeños círculos. Un día, trasladé al Sargento Pimienta a un tanque enorme, que era seis veces más grande que sus antiguos dominios. Durante los primeros varios días, él continuó nadando en los mismos círculos pequeños del tamaño de su antigua pecera. No entendía que su mundo se había agrandado. De la misma forma, un niño que se convierte en «ese niño con TDAH que hace enloquecer a todo el mundo» tal vez nunca entienda lo que puede lograr con sus dones únicos. Y si nunca se le ha dado permiso para hacer algo diferente, lo más probable es que nunca hará nada diferente[5].

Dennis Swanberg, quien tiene un doctorado, contribuyó en esta materia, expresando su perspectiva como una persona que ha aprendido a lidiar en forma muy exitosa con su propio TDAH y el de su hijo. Él escribió:

Este libro ha sido una de mis más grandes pasiones por años. Ha sido un privilegio, primero desde el púlpito, y más tarde como orador público con mi propio programa de televisión, vencer las barreras que el TDAH representa y encontrar sus beneficios. Ninguno de estos resultados estaba siquiera en la pantalla de mi radar cuando era joven y luchaba con simplemente superar otro día en la escuela. Pero si yo lo pude lograr, cualquiera también puede lograrlo. Espero alentar a aquellos de ustedes que están pasando por circunstancias similares criando a un niño como el que era yo.

Aun así, nuestro propósito principal para escribir este libro es para alentarlo y ayudarlo a considerar que el trastorno por déficit de atención e hiperactividad puede ser un *dividendo* más que un trastorno o una discapacidad mental. Puede volverse una bendición en lugar de una maldición, una ventaja en lugar de una desventaja. Es cierto que siempre habrá desafíos y frustraciones relacionados con algo fuera de lo común como el TDAH. Pero para cuando haya terminado de leer este libro, esperamos y oramos que, sin importar si usted mismo padece del TDAH, o es el padre o la madre de un hijo con TDAH, verá su futuro desde una nueva perspectiva llena de esperanza[6].

Creo que captará el sabor del libro y por qué espero que aquellos de ustedes que tienen un hijo afectado con este trastorno lo lean. Está lleno de muchas historias exitosas acerca de niños y padres que superaron el trastorno por déficit de atención e hiperactividad.

Dedicaremos lo que queda de este capítulo a un formato de preguntas y respuestas. Compartiré el estrado con mi amigo, el doctor Walt Larimore.

PREGUNTAS Y RESPUESTAS

■ ■ ■ ■

P: Sé que no puedo diagnosticar a mi propio hijo, pero sería útil si usted hiciera una lista de las clases de comportamiento que deberíamos buscar en él. ¿Cuáles son las características típicas de alguien con el TDAH?
R: Dobson: Los psiquiatras Edward M. Hallowell y John J. Ratey son los autores de un excelente libro titulado *Driven to Distraction*. [Impulsado a la distracción][7]. En él ofrecen una lista de veinte síntomas que a menudo se ven en una persona con TDAH. Éstos se encuentran dentro de los criterios que usan los doctores para hacer diagnósticos.

1. Un sentido de rendimiento por debajo de la capacidad, de no alcanzar las metas de uno (sin importar cuánto se haya logrado)
2. Dificultad para organizarse

3. Una falta de decisión crónica o problemas para comenzar algo

4. Muchos proyectos que se realizan al mismo tiempo, problemas para seguir adelante

5. La tendencia a decir lo que se le viene a la mente sin necesariamente considerar lo oportuno o lo apropiado del comentario

6. Una búsqueda continua de mayor estimulación

7. Una tendencia a aburrirse con facilidad

8. Se distrae con facilidad, problemas para concentrarse o focalizar la atención, tendencia a no escuchar o perderse en medio de una página o de una conversación, a menudo aunada a una incapacidad de centrarse algunas veces

9. A menudo creativo, intuitivo, muy inteligente

10. Problema para ir por los canales establecidos, para seguir el procedimiento apropiado

11. Impaciente, bajo nivel de tolerancia para la frustración

12. Impulsivo, ya sea verbalmente o en acción, así como también impulsivo para gastar dinero, cambiar de planes, promulgar nuevos proyectos o planes para una carrera, y cosas por el estilo

13. Tendencia a preocuparse sin necesidad, sin fin; tendencia a escudriñar en el horizonte buscando algo por qué preocuparse alternándolo con la falta de atención o la indiferencia hacia los peligros reales

14. Un sentido del desastre inminente, de inseguridad, alternados con correr altos riesgos

15. Depresión, especialmente cuando se desconecta de un proyecto

16. Inquietud

17. Tendencia hacia un comportamiento adictivo

18. Problemas crónicos con el amor propio

19. Introspección errónea

20. Historial familiar de TDA, de enfermedad maníaco-depresiva, de depresión, de abuso de sustancias químicas, o de otros trastornos de control de impulsos o de temperamento

P: ¿Desaparece el TDAH cuando los niños crecen? Si no es así, ¿cuáles son las implicaciones para los años de la vida adulta?

R: Dobson: Solíamos creer que el problema normalmente desaparecía cuando llegaba la pubertad. Eso fue lo que me enseñaron en mis estudios de posgrado. Ahora se sabe que el TDAH es una afección que dura toda la vida para dos terceras partes de las personas afectadas, influyendo sobre su comportamiento desde la cuna hasta la sepultura. Para algunos, puede que los síntomas disminuyan con el tiempo, pero no para la mayoría. Algunos adultos que padecen del TDAH aprenden a ser menos desorganizados e impulsivos a medida que envejecen. Canalizan su energía hacia actividades deportivas o hacia profesiones en las cuales se desempeñan muy bien. Otros tienen problemas para decidirse por una carrera o para mantener un empleo. Seguir adelante sigue siendo un problema ya que saltan de una tarea a otra. No son aptos en absoluto para los trabajos de oficina, tales como cargos de llevar la contabilidad u otros asuntos que demandan atención a los detalles, largas horas de estar sentados, y la capacidad para atender varias cosas a la vez.

Otra característica del TDAH en los adolescentes y los adultos es la sed por las actividades de alto riesgo. Aun de niños, son propensos a los accidentes, y sus padres van a llegar a conocerse bien con el personal de la sala de emergencias de su localidad. A medida que van creciendo, dentro de sus actividades favoritas se encuentran escalar rocas, saltar a grandes alturas con cuerdas elásticas, participar en carreras automovilísticas, andar en motocicleta, ir en balsa en aguas rápidas, y cosas por el estilo. A los adultos que tienen TDAH a veces se les llama «adictos a la adrenalina» porque son adictos a la euforia que les produce la ráfaga de adrenalina pura que se relaciona con el comportamiento peligroso. Otros son más susceptibles al uso de las drogas, al alcoholismo, y a otros comportamientos adictivos. Un estudio reveló que aproximadamente 40% de ellos habrán sido arrestados por la policía para cuando llegan a los dieciocho años de edad[8].

Algunos de los que tienen TDAH también corren un riesgo mayor de tener conflictos matrimoniales. Puede ser muy irritante para un cónyuge compulsivo y muy ordenado vivir con una persona que es muy desordenada, alguien cuya vida es un caos y que se olvida de pagar las cuentas, de llevar a arreglar el automóvil, o de llevar registros para el pago de los impuestos a la renta. Una pareja así puede necesitar asesoría profesional para aprender a trabajar juntos y sacar provecho de los puntos fuertes de ambos.

P: ¿Es muy común el TDAH?
R: Larimore: Lo que sabemos en cuanto a la incidencia del trastorno es lo siguiente. La publicación *Journal of the American Medical Association* [Revista de la Sociedad Médica de los Estados Unidos, JAMA por sus siglas en inglés] indicó que el TDAH «se encuentra entre los trastornos de desarrollo neurológico más comunes entre los niños»[9]. *La British Medical Journal* [Revista Médica Británica] estima que aproximadamente 7% de los niños de edad escolar tienen TDAH, y que son más los varones afectados que las niñas en una proporción de tres a uno[10]. Un estudio realizado en 1995 en el estado de Virginia en los Estados Unidos, reveló que entre el 8 y el 10% de los niños escolares más pequeños estaban tomando medicamentos para el TDAH[11]. Los varones tenían el doble de posibilidades de tener TDAH y de padecer de alguna incapacidad para el aprendizaje. Los porcentajes de diagnósticos de TDAH son dos veces mayores entre los niños de raza caucásica que entre los niños latinos y afroamericanos[12].

P: ¿Es diferente el cerebro de las personas que tienen TDAH?
R: Larimore: Aunque se desconoce la causa que produce el TDAH, las teorías abundan. Algunos creen que se relaciona con sutiles diferencias en la estructura del cerebro. Las exploraciones ultrasónicas al cerebro revelan una serie de cambios sutiles en el cerebro de las personas diagnosticadas con TDAH. De hecho, uno de los antiguos nombres para el TDAH era «trastorno cerebral mínimo».

Otros dicen que se relaciona con los pasajes de las neuronas, los neurotransmisores o la química del cerebro, particularmente con anormalidades en cuanto a la sustancia química producida por el cerebro llamada dopamina. E incluso otros investigadores creen que el TDAH se relaciona con el suministro de sangre al cerebro o al sistema eléctrico del mismo. Las investigaciones recientes han planteado la pregunta de que si la frecuente exposición temprana de los niños muy pequeños a los estímulos electrónicos rápidos (tales como la televisión y las computadoras) podrían contribuir a este problema.

En su libro titulado *Ritalin Nation: Rapid-Fire Culture and the Transformation of Human Consciousness* [La nación del Ritalin: La cultura del fuego graneado y la transformación de la conciencia humana]. El doctor Richard DeGrandpre presenta la teoría de lo que él llamó «fenómeno de adicción sensorial»[13]. El doctor DeGrandpre cree que la exposición temprana al bombardeo sensorial electrónico, especialmente en una época cuando el cerebro apenas comienza a formar conexiones y sinapsis, puede dar como resultado efectos biológicos o neurológicos, entre los que se incluye, entre otros, el TDAH.

El doctor DeGrandpre cree que estos efectos pueden exagerarse ante la ausencia de la estructura proporcionada por los padres. Él señala que la gente en las naciones occidentales vive en un mundo increíblemente estimulante; hay constantes estímulos que aun un niño muy pequeño experimenta. No sé si podemos deshacernos de todas esas cosas, pero podemos alentar a los padres a que provean un medio ambiente estructurado para que los niños puedan aprender a manejar y tal vez limitar estos estímulos.

Una fuente de información que tal vez apoye la teoría del doctor DeGrandpre es la experiencia de los Amish, quienes generalmente renuncian a las comodidades modernas, tales como las computadoras y la televisión. El TDAH parece ser algo muy raro entre estos niños y niñas que están protegidos de esta estimulación. Los investigadores han informado que en un total de doscientos niños y niñas Amish que fueron estudiados y comparados con niños y niñas que no lo eran, los síntomas del TDAH eran poco comunes[14].

P: ¿Qué me puede decir de los medicamentos estimulantes?
R: Larimore: Muchos padres nos llaman por teléfono o nos escriben a Enfoque a la Familia para preguntarnos sobre los medicamentos para el TDAH. Han escuchado las polémicas y les preocupa que pudiera ser una mala decisión comenzar a darle medicamentos a un niño. Por otro lado, a muchos les preocupa que pueda que también sea dañino no recetar estos medicamentos. Ellos preguntan: «¿Qué debemos hacer?».

Sin duda, el uso de medicamentos recetados tanto para niños como para adultos puede tener mucho éxito como un tratamiento para el TDAH a corto plazo. Prácticamente, hay toneladas de evidencia que apoyan la seguridad y la eficacia de usar medicamentos, aunque ninguno de esos estudios se ha prolongado por más de dos años. De acuerdo a esos estudios, entre 70 y 95% de los pacientes con TDAH se benefician de un uso apropiado de medicamentos[15]. Pareciera que estos medicamentos reducen de forma extraordinaria el comportamiento negativo, mejoran el desempeño escolar, y aun elevan la puntuación de las pruebas para medir el coeficiente intelectual. Estos medicamentos parecen ser igualmente eficaces tanto para los varones como para las niñas.

Los medicamentos recetados con mayor frecuencia son Ritalin, Concerta, Strattera, Dexedrín, y Adderall. En la mayoría de los casos, estas sustancias tienen un efecto marcadamente positivo, por lo menos a corto plazo[16].

P: Hay muchas opciones. ¿Cuál es la mejor?
R: Larimore: El tratamiento de TDAH debe ser individualizado y ajustarse a las necesidades de cada niño y de cada familia. Así que, si bien no existe un tratamiento que sea el «mejor», hay varias opciones excelentes. Aprender más en cuanto a ellas puede ayudarle a trabajar con el médico de su hijo para escoger entre estas opciones.

Un problema con algunos de los medicamentos más antiguos para el TDAH era que sus efectos no duraban más de unas pocas horas en el mejor de los casos. Esto significaba que se debía administrar dosis adicionales en la escuela o después por la tarde una vez que el niño llegaba al hogar. Lo que es aun peor, cuando pasaban los efectos de estos medicamentos de poca duración, algunas veces ocurría un efecto de rebote, en el que los síntomas y el comportamiento del niño empeoraban. Esto no sólo creaba dificultades en la escuela, sino que también hacía que el niño se avergonzara y lo llevara a no cumplir con las reglas.

Entre las otras secuelas de los medicamentos estimulantes se incluían la ansiedad, el nerviosismo, las palpitaciones (pulsaciones irregulares), la sudoración y el insomnio (dificultad para dormirse). Entre los efectos secundarios menos comunes se incluían la irritabilidad, los cambios de humor, la depresión, el retraimiento, las alucinaciones y la pérdida de espontaneidad. Las amigas de una de mis jóvenes paciente le dijeron: «Carla, por favor, no tomes tu medicamento antes de venir a nuestra fiesta. ¡No vas a ser divertida!».

Pero tengo buenas noticias. Ahora están disponibles nuevos medicamentos que resuelven este problema para muchos pacientes. Todo medicamento tiene secuelas desagradables y sólo debe administrarse según las indicaciones y según lo aprobado. Por ejemplo, el Ritalin tiene una serie de posibles efectos secundarios. A algunos pacientes les puede disminuir el apetito y causarles insomnio. Sin embargo, para la gran mayoría de pacientes con TDAH, los tratamientos usando los medicamentos más modernos son notablemente eficaces y seguros.

Sin embargo, permítame ofrecerle una palabra de advertencia. El principal peligro del abuso de drogas estimulantes es para los amigos de su hijo o sus compañeros de clase que no tienen TDAH y que quieren usar el estimulante para ponerse eufóricos. En un estudio, a 16% de los niños con TDAH les habían pedido que vendieran, regalaran o canjearan su medicamento[17]. Ante estos porcentajes realmente alarmantes, el problema del abuso en el uso del Ritalin parece estar empeorando.

Así que, para proteger a los amigos de su hijo que padece del TDAH, supervise cuidadosamente el uso que ellos hacen de los medicamentos estimulantes.

P: Mi hijo de seis años de edad no sólo es hiperactivo, sino que también se orina en la cama. ¿Puede ofrecerme algún consejo para lidiar con ese problema recurrente?
R: Dobson: Su hijo probablemente sufre de enuresis, que por lo general ocurre en niños con un desarrollo inmaduro. Es más común en niños y niñas con TDAH. Cada niño tiene su propio cronograma de madurez, y algunos de ellos no están apurados. Sin embargo, la enuresis puede causarle a los niños mayores angustia, tanto emocional como social. Así que, es sabio conquistar este problema en los primeros años de la niñez, en la medida de lo posible.

Ha habido algunos cambios prometedores en años recientes. En abril de 1999, investigadores japoneses produjeron una alarma electrónica que es eficaz para impedir que un niño moje la cama. La máquina, que fue inventada por un neurólogo y un fabricante de teléfonos, mide las ondas cerebrales del niño y vigila la vejiga. Cuando un niño tiene que orinar, suena la alarma y le dice al niño que es hora de ir al baño[18].

Una alarma da buen resultado con los niños porque por lo general mojan la cama durante el sueño muy profundo, lo cual hace que les sea difícil aprender a controlarse de noche por sus propios medios. La mente de ellos no responde a la señal o al reflejo que por lo general despierta a los de sueño ligero. La alarma es lo suficientemente fuerte como para despertar a la mayoría de los niños con sueño pesado para que vayan al baño.

Consulte con su médico de la familia o con su urólogo para decidir el mejor tipo de tratamiento para su hijo. Hay una variedad de opciones disponibles para usted, incluyendo un medicamento llamado Desmopressin, que ayuda a regular la producción de orina.

P: No estoy seguro si mi hijo tiene TDAH, pero es hiperactivo y enloquece a todos. Simplemente no encaja con sus compañeros.

Parece que los otros niños siempre lo dejan de lado cuando juegan, y tiene problemas para hacer amigos. No puede o no quiere mantener una conversación sostenida con otros niños, y por lo general termina actuando tontamente y alejando a esos niños. ¿Cree que esto es TDAH? ¿Me puede dar algún consejo para hacer que él encaje mejor con el grupo?

R: Dobson: Hay muchos trastornos que podrían ser la causa de las características que describe. El TDAH es sólo uno de ellos. Otro es el síndrome de Asperger, que es un problema neurológico relacionado con el autismo. Y también hay otro que es el síndrome de Rett, y otro que es el síndrome de Tourette. En algunos casos no hay un diagnóstico definido. En otros, simplemente la personalidad única de un niño en particular sin ninguna anormalidad puede irritar a otros niños y provocar el rechazo y el ridículo.

Ahora sabemos que el éxito de una persona en la vida, junto con su felicidad personal, depende grandemente de su inteligencia emocional: su capacidad para funcionar bien en un grupo y desarrollar relaciones fuertes. El psicólogo Willard Hartup de la Universidad de Minnesota dijo: «Los niños a los que por lo general no les gusta nadie, que son agresivos y problemáticos, que no pueden mantener relaciones de amistad estrecha con otros niños y que no pueden hacerse de un lugar en la cultura de sus compañeros, están en grave riesgo en los años por delante». Obviamente, la intervención es necesaria para estos jóvenes y puede ser muy beneficiosa[19].

Una vez más, permítame enfatizar que es extremadamente importante que los padres reconozcan la complejidad de los niños y busquen ayuda profesional cuando sea necesario. Hoy en día, la asistencia para un niño con necesidades especializadas se encuentra disponible en la mayoría de las ciudades, pero usted, en su calidad de padre o madre, la debe buscar. Los centros de desarrollo infantil de las universidades podrían ser un buen lugar para comenzar.

P: ¿Se hereda el TDAH?

R: Larimore: Cada vez existe más evidencia proveniente de los estudios médicos que indica que los factores genéticos juegan un papel en el TDAH. En 1992, Jacquelyn Gillis y su equipo, quienes en ese entonces trabajaban en la Universidad de Colorado, informaron que el riesgo de TDAH para un niño cuyo hermano gemelo idéntico tenía el trastorno era de once a dieciocho veces mayor que el riesgo para un niño que no fuera hermano gemelo de algún niño con TDAH. Mostró que entre 55 y 92% de los hijos gemelos idénticos de las personas con TDAH finalmente desarrollan la afección[20].

Un estudio de gran envergadura realizado en Noruega con 526 gemelos idénticos (que heredan exactamente los mismos genes) y 389 gemelos bivitelinos (que genéticamente no son más parecidos que los hermanos nacidos con años de diferencia) encontró que estos niños tenían hasta casi el 80% de posibilidades de heredar el TDAH. Los investigadores concluyeron que hasta el 80% de las diferencias en cuanto a atención, hiperactividad e impulsividad entre las personas con TDAH y aquellas sin el trastorno pueden explicarse por factores genéticos[21].

¿Qué quiere decir esto con relación a su familia? Simplemente que si uno de los padres, o ambos, tienen TDAH, es más probable que sus hijos también lo tengan. Si ése es el caso, tratar con un hijo afectado con el trastorno le puede hacer recordar a mamá o papá algunos acontecimientos dolorosos de su propia niñez o adolescencia. Más aun, los hermanos no afectados pueden tener más probabilidades de tener hijos propios con TDAH. Éstas son sólo algunas de las razones por las que muchos terapeutas recomiendan orientación para toda la familia.

P: ¿Cuáles son algunas de las formas en que el TDAH afecta a la familia?
R: El TDAH no es un problema que afecta solamente a la persona que lo padece. El tiempo y el esfuerzo que se requieren para lidiar con el TDAH pueden trastornar a toda la familia de una manera significativa.

En la mayoría de las familias, la madre es la que corre el mayor riesgo emocional, relacional y espiritual al cuidar de un hijo con TDAH. Aunque estos niños pueden ser muy amorosos, también pueden volverse contra sus madres en un segundo. Pueden maltratar verbal o emocionalmente a sus padres, lo cual puede herirlos profundamente. Estos niños pueden ser maravillosos un día y terribles al siguiente, o pueden cambiar de una hora a otra.

Las madres de los hijos con TDAH tienen que abandonar con rapidez la ilusión de que sus hogares estarán perfectamente ordenados o que cada hora de comida será una experiencia familiar llena de gozo. Los padres de los niños con TDAH tienen que aprender que no son perfectos y que tal vez necesiten ayuda. No sólo pueden ser rechazados y heridos por su hijo, sino que puede que ellos mismos tengan que enfrentar el rechazo, la hostilidad y la animosidad de otros niños, adultos o vecinos.

El niño con TDAH a menudo es físicamente agresivo y debe enseñársele a convertir la agresión física en expresión verbal (¡una habilidad que algunos adultos también necesitan aprender!). Puede que el niño maltrate verbalmente. Una vez más, aprender a enseñarle a su hijo a transformar este comportamiento dañino en comportamiento constructivo es esencial. Los padres de los niños con TDAH aprenden con mucha rapidez que no pueden forzar o coaccionar a sus hijos a ser como los niños «normales»; muchos de ellos nunca se van a adherir a ese ideal. Han sido «ensamblados» de manera diferente, y sus padres deben aprender una gran variedad de habilidades relacionadas con la crianza para lidiar con estos niños singulares, enseñarles, prepararlos y disciplinarlos en forma creativa.

No olvidemos a los hermanos. Ellos también tienen que vivir con el niño con TDAH, y él puede hacerles la vida muy desdichada a sus hermanos no afectados. Los estudios médicos están comenzado a señalar que los hermanos también pueden correr el riesgo de desarrollar problemas emocionales. El niño con TDAH puede maltratar de manera crónica a sus hermanos; puede acosarlos e intimidarlos, maltratarlos verbal o físicamente, y pueden ser duros, exigentes y detestables.

Además, si los hermanos no reciben la atención y el tiempo que necesitan y merecen, debido al tiempo y al esfuerzo que se debe emplear en el niño con TDAH, puede que se sientan dejados de lado, rechazados y que no los aman. Estos sentimientos pueden llevar a una gama de problemas de comportamiento, en especial en la adolescencia. Por lo tanto, muchos profesionales médicos especialistas en el TDAH recomiendan que los hermanos sean parte de la terapia familiar. La buena noticia es que las habilidades que estos hermanos adquieren les serán de ayuda para toda su vida.

P: ¿Qué me dice sobre enseñarles a los hijos con TDAH en el hogar en lugar de enviarlos a la escuela?
R: Larimore: Para muchos niños con problemas de aprendizaje, la enseñanza en el hogar puede ser una alternativa educativa, especialmente para los padres que están dedicados a hacer esto y que están dispuestos a hacer todo lo que sea necesario. He hablado con muchos doctores que tratan a pacientes con TDAH quienes me han relatado algunos ejemplos

alentadores de niños a los les ha ido mucho mejor cuando pasaron a un ambiente de enseñanza en el hogar.

P: Nosotros tenemos un hijo de cinco años de edad que ha sido diagnosticado con TDAH. Él es realmente muy difícil de manejar, y no tengo idea de cómo tratarlo. Sé que tiene un problema neurológico, así que no me siento bien en cuanto a obligarlo a obedecer como hacemos con nuestros otros hijos. Es un problema muy grande para nosotros. ¿Qué nos sugiere?

R: Dobson: Entiendo su dilema, pero les insto a que disciplinen a su hijo. Todo pequeño necesita la seguridad de los límites definidos, y el niño con TDAH no es la excepción. Un niño así debe ser responsable de su comportamiento, aunque el enfoque puede ser un poco diferente. Por ejemplo, a la mayoría de los niños se les puede exigir que se sienten en una silla por cuestiones de disciplina, mientras que algunos niños muy hiperactivos no serían capaces de permanecer sentados así. De manera similar, el castigo corporal a veces no surte efecto con un pedacito de gente eléctrico altamente alborotado. Al igual que con todos los aspectos relacionados con la crianza de los hijos, las medidas disciplinarias para el niño afectado con el TDAH deben ser adaptadas a las características y necesidades únicas de éste.

P: ¿Cómo, entonces, debo disciplinar a mi hijo con TDAH?
R: Dobson: Permítame ofrecerle algunas pautas sobre cómo enseñar y guiar a su pequeño. Las siguientes 18 sugerencias se incluyeron en un excelente libro escrito por la doctora Domeena Renshaw, titulado *The Hyperactive Child* [El niño hiperactivo][22]. Lamentablemente, su libro está ahora agotado, pero su consejo sigue siendo válido.

1. Sea consecuente con las reglas y la disciplina.
2. Mantenga su voz baja y hable lentamente. El enojo es normal. El enojo puede ser controlado. El enojo no quiere decir que no ama a un hijo.
3. Esfuércese por mantener sus emociones calmadas preparándose para el alboroto que se viene. Reconozca y responda a cualquier comportamiento positivo, aunque éste sea muy pequeño. Si busca cosas buenas, encontrará algunas.
4. Evite el enfoque incesantemente negativo: «Para», «No hagas eso», «No».

5. Separe el comportamiento que a usted no le gusta, de la persona del niño, que a usted le gusta. Por ejemplo: «Tú me gustas. No me gusta que entres con los zapatos llenos de barro en la casa».

6. Tenga una rutina bien clara para este niño. Elabore un horario para despertarse, comer, jugar, mirar televisión, estudiar, hacer las tareas del hogar, y acostarse. Sígalo en forma flexible cuando él lo interrumpa. Lentamente, la estructura que ha desarrollado para su hijo le brindará tranquilidad hasta que él desarrolle su propia estructura.

7. Demuestre las tareas nuevas o difíciles usando la acción y acompañándolas de explicaciones cortas, claras y en voz baja. Repita la demostración hasta que el niño la haya aprendido. Esto utiliza las percepciones audiovisuales y sensoriales para reforzar el aprendizaje. Los rastros en la memoria de un niño hiperactivo toman más tiempo para formarse. Sea paciente y repita.

8. Designe una habitación aparte o una parte de una habitación que sea la propia área especial del niño. Evite los colores brillantes o los dibujos complicados en la decoración. La simplicidad, los colores sólidos, el mínimo desorden, y una mesa de trabajo frente a una pared desnuda y alejada de todas las distracciones ayudarán a la concentración. Un niño hiperactivo todavía no puede eliminar la estimulación excesiva por sí mismo.

9. Haga una sola cosa a la vez: Dele un juguete de una caja que esté cerrada; quite todas las otras cosas de la mesa cuando él está coloreando dibujos; apague la radio o el televisor cuando él está haciendo sus tareas escolares. Los estímulos múltiples le impiden concentrarse en su tarea principal.

10. Dele responsabilidad, lo cual es esencial para su crecimiento. La tarea debe estar dentro de sus capacidades, aunque puede que la misión requiera de mucha supervisión. No se debe olvidar la aceptación y el reconocimiento de sus esfuerzos (aunque éstos sean imperfectos).

11. Interprete las señales de advertencia que emite antes de explotar. Intervenga en forma calmada para evitar las explosiones distrayéndolo o hablando calmadamente acerca del conflicto con él. Es útil sacarlo de la zona de combate y llevarlo al santuario de su habitación por unos cuantos minutos.

12. Limite el número de sus compañeros de juego a uno, o máximo dos a la vez, debido a que él se alborota con mucha facilidad. Su hogar es el lugar más apropiado porque allí usted puede brindar estructura y supervisión. Explíquele las reglas al compañero de juego, y en forma breve explíquele al padre o la madre de éste las razones que tiene para ello.

13. No le tenga lástima a este niño, no se burle de él, no se deje asustar por él, ni lo consienta demasiado. Él tiene una afección especial del sistema nervioso que se puede manejar.

14. Sepa el nombre y la dosis del medicamento del niño. Déselo en forma regular. Observe y recuerde los efectos para informarle a su doctor.

15. Hable francamente con su doctor sobre cualquier temor que tenga acerca del uso de medicamentos.

16. Guarde bajo llave todos los medicamentos para evitar el mal uso accidental de éstos.

17. Siempre supervise cuando el niño toma el medicamento, aun si llega a ser una rutina a lo largo de un período que tome años. La responsabilidad sigue siendo de los padres. Se puede colocar la dosis de un día en un lugar habitual y revisarla en forma rutinaria a medida que el niño crece y adquiere mayor independencia.

18. Coméntele al maestro de su hijo las «ayudas» que le han resultado exitosas. El bosquejo de la forma de ayudar a su hijo hiperactivo es tan importante para el maestro, como lo son la dieta y la insulina para un niño diabético.

P: ¿Qué otra cosa puede recomendarles a los padres?
R: Larimore: Aprendan todo lo posible sobre este trastorno. El manejo exitoso del TDAH involucra una gama de opciones, y usted debe familiarizarse con todas. Éstas comienzan con el diagnóstico.

Las personas que viven con el TDAH, por lo general se sienten muy aliviadas cuando saben que tienen una afección identificable y tratable. Se sienten bien (así como también sus padres) al saber que no han hecho nada malo. Esta afección no es causada; las personas nacen con ella. Es parte de su diseño y estructura. Lo mejor de todo es que Dios puede usar y usa el TDAH en su plan particular para sus vidas.

Una organización que puede ser de ayuda es CHADD (siglas en inglés para Niños y adultos con el trastorno por déficit de atención e hiperactividad). Cuenta con una cantidad excepcional de información confiable y basada en la evidencia a disposición, y puede identificar algunos grupos de apoyo para los padres. Sin embargo, permítame advertirle algo. Si los grupos de apoyo para los padres no se organizan en forma cuidadosa, pueden convertirse en sesiones de «quejas y lamentos». Eso no ayuda y a veces es desalentador. Todos necesitamos de alguien que escuche nuestras quejas ocasionalmente, pero debe haber algún tipo de dirección en el grupo. Alguien debe decir: «Está bien, ahora que hemos escuchado las quejas de todos, ¿qué podemos hacer en cuanto a ellas?». He sabido de padres que llegaron a su hogar después de una sesión en un grupo sin dirección, y reaccionaron en forma negativa con sus hijos debido a lo que habían comentado en el grupo de apoyo. Eso no es de ayuda ni para el padre ni para el hijo.

En segundo lugar, comprométase a darle a su hijo un amor incondicional. El tratamiento más importante para los niños con TDAH es el afecto y la afirmación abundantes. Con frecuencia se les acusa a estos niños de no tratar, de ser haraganes, de no ser niños buenos. Los maestros se enojan con ellos. Algunos compañeros de clase se disgustan con ellos porque a menudo no marchan bien en la escuela, y comienzan a tratarlos en forma irrespetuosa. Acompaño en el sentimiento a estos pequeños.

Enfrentémoslo, estos niños con TDAH no siempre hacen que nos sintamos o que nos veamos bien. Para mí, el amor es estar comprometido a hacer lo que este niño en particular necesita, sin importar las circunstancias. A menudo estos niños tienen necesidades más grandes que las de los niños que no están afectados.

Muchas veces se sienten como que son personas de segunda clase. En mi consultorio he tenido a niños que me han dicho: «Hay algo que está mal en mí». He tenido niños con TDAH que me han dicho: «Dios se equivocó cuando me formó a mí. Es por eso que estoy aquí».

Parte de amar a estos niños especiales es ayudarlos a descubrir los grandes dones que Dios les ha dado, mostrarles que Dios no se equivocó cuando los hizo.

Simplemente, los niños no tienen que caber todos en el mismo molde, ni siquiera en la escuela. Lo que los padres necesitan hacer para muchos de estos pequeños es restarle énfasis a la parte académica. Puesto en palabras sencillas, para muchos niños con TDAH, hay cosas que son más importantes que la parte académica, como ser amados y aceptados por sus familiares y amigos, tal y como Dios los hizo. Su hijo necesita entender que Dios tiene un lugar para él y que le ha dado un don especial, y que él tiene habilidades especializadas. Necesita saber que va a trabajar con él para descubrir y desarrollar esos dones y habilidades especiales, y que usted se muere por ver lo que Dios hará con él. Esto puede ser muchísimo más importante para su hijo con TDAH que preocuparse demasiado porque él no está yendo tan bien en el salón de clases como los demás niños.

Amar a estos niños en forma incondicional *no* significa esperar que se esfuercen, que hagan lo mejor que *puedan* hacer. Esto quiere decir que se debe dirigir y motivar a estos niños para que superen los desafíos y logren aquellas cosas para cuya realización han sido dotados de manera singular.

La observación importante que se le ha de hacer a su hijo es que un diagnóstico de TDAH no es una desventaja. Él está en las mismas condiciones que algunas personas famosas quienes, que a lo mejor no las diagnosticaron de manera oficial con este trastorno, padecieron los síntomas y los comportamientos notablemente parecidos a los de aquellos con TDAH: Albert Einsten, Tom Cruise, Henry Winkler (¡el Fonz!), John Lennon, Winston Churchill, Henry Ford, Stephen Hawking, Alexander Graham Bell, los presidentes de los Estados Unidos Woodrwow Wilson, John F. Kennedy y Dwight D. Einsenhower, los generales estadounidenses George Patton y Wiliam Westmoreland... y la lista continúa. ¡Qué grupo tan notable para formar parte de él!

Una palabra final
de aliento

Es hora de cerrar esta agradable incursión en la vida de los niños de voluntad firme y de aquellos que tienen la responsabilidad de criarlos. Voy a concluir expresando algunos pensamientos que salen de lo profundo de mi corazón.

Son muchas las emociones maravillosas que acompañan al estimulante privilegio de traer a un bebé al mundo y luego observar a ese pequeño travieso comenzar a crecer, aprender y desarrollarse. Recuerdo muy bien a nuestro hijo y a nuestra hija cuando dieron sus primeros pasos, cuando dijeron su primera palabra, cuando montaron en su primer triciclo, cuando oraron por primera vez, y a medida que avanzaban rápidamente a través de los muchos otros acontecimientos importantes de la niñez. El primer día de clases en el preescolar fue una mañana de mucha emoción para mí cuando coloqué a nuestra preciosa niñita en los escalones del autobús escolar, di unos pasos atrás para tomarle una fotografía, y observé mientras ella y los demás niños se alejaban lentamente en el autobús por nuestra calle. Luego me sequé una lágrima mientras caminaba de vuelta a casa. Nuestra bebé estaba creciendo.

Habría muchas otras experiencias gozosas y agridulces a lo largo del camino, a medida que Shirley y yo nos dábamos cuenta de lo asombrosamente cortos que son los años de la crianza. Aun cuando nuestros hijos estaban en la escuela primaria, ya estábamos empezando a temer el día cuando nuestra responsabilidad de criarlos se habría acabado. En forma predecible, en lo que pareció sólo un instante en el tiempo, una fría ráfaga de cambio sopló por nuestra casa, dejando un nido vacío al que nos costó un poco acostumbrarnos.

Sí, ser mamá o papá es una de las experiencias más maravillosas de la vida, y siento compasión por las parejas infértiles a quienes se les ha negado el privilegio de la procreación. Pero a los hombres y las mujeres que se les ha concedido ese precioso don saben que junto con él viene una medida de dolor y de aflicción. Los niños a menudo luchan con una variedad de problemas de aprendizaje, de discapacidades físicas, de accidentes, de enfermedades y de dificultades sociales. Luego llegan los tumultuosos años de la adolescencia cuando, para algunos adolescentes más que para otros, cada día puede ser un desafío. Todos estos puntos de tensión son exacerbados cuando un niño tiene un temperamento obstinado y una tendencia a inquietarse, a discutir y a desobedecer. Los padres que crían a un pequeño así algunas veces sienten como si vivieran cada día en un campo de batalla.

Es por esos padres y madres frustrados, desalentados y confundidos que he escrito este libro. Principalmente, lo que he querido es poner un brazo alrededor de esos papás y mamás que sienten como que son un absoluto fracaso en esta la tarea que tiene la mayor importancia en la vida. Ellos (tal vez *usted*) querían ser la madre o el padre perfecto, y realizar esa tarea con mayor éxito que ninguna otra persona. En cambio, ahora parece como si cada buena intención hubiese sido malinterpretada, como si hubiese ofendido a los demás y como si todos hubiesen mostrado resistencia ante ella. ¿Es ésa su situación el día de hoy?

Algunas veces usted se encuentra pensado: *Amo a este niño más que a nada en el mundo, ¿pero, será que en realidad no me gusta mucho? No nos podemos llevar bien por más de diez minutos sin tener un conflicto por cosas relativamente insignificantes. ¿Por qué me hace enojar tanto este niño, cuando lo que más quiero es amor y armonía? ¿Por qué nuestra relación es tan poco satisfactoria y tan agitada? ¿Qué fue lo que hice para echar a perder algo que comenzó con tantas promesas y esperanzas? No sólo le he fallado a mi hijo, también le he fallado a Dios.*

Hablemos acerca de esos sentimientos por unos momentos, los cuales son muy comunes en uno u otro momento de la vida de casi todos los padres amorosos. Criar a los hijos puede ser una propuesta que puede inducir mucha culpa. Los bebés llegan a nuestra vida cuando somos jóvenes e inmaduros, y no hay manuales de instrucciones para guiar nuestros primeros pasos vacilantes. No hay una etiqueta del fabricante en la muñeca de un recién nacido que diga: «Se requiere de un poco de ensamblaje». Así que nos llevamos a estos diminutos seres humanos a casa, sin saber todavía quiénes son, y luego procedemos a andar a tropezones lo mejor que podemos. Como consecuencia de ello, muchas de las decisiones que tomamos día a día a favor de ellos son el resultado de puras conjeturas, mientras esperamos contra todo pronóstico que estemos haciendo lo adecuado. Nuestra propia incompetencia también se interpone en el camino. Nos cansamos y nos frustramos y nos volvemos egoístas, lo cual a veces afecta nuestro juicio. En esos momentos, reaccionamos sin pensar y nos damos cuenta a la siguiente mañana que hemos manejado mal las cosas.

En pocas palabras, los niños son tan abrumadoramente complejos que es imposible criarlos sin tantas meteduras de pata y errores. Después de unos veinte años de cursos de capacitación en el trabajo, comenzamos a darnos cuenta de lo que es criar a los hijos. Para entonces ha llegado el momento de dejarlos ir y hacer como que ya no nos importa.

A estas dificultades se añaden nuestros propios problemas personales, los cuales pueden incluir conflictos matrimoniales o divorcio, enfermedades físicas, presiones financieras y las otras preocupaciones de la vida. Nuestras necesidades no satisfechas, tales como las que experimentan los padres y las madres que crían a sus hijos solos, también nos pueden llevar al comportamiento que más tarde parecerá terriblemente insensato. ¿Le parezco aquí como alguien que se queja? Espero que no. Simplemente estoy tratando de expresar las dificultades que experimentan los padres de los niños de voluntad firme cuando comienzan a creer que han estropeado el trabajo. (Los padres de los niños dóciles tal vez no entiendan completamente esta reacción emocional, aunque por lo general existe suficiente tensión en la crianza de los niños como para que todo el mundo se vea afectado).

A pesar de estos momentos desalentadores, soy un firme convencido de que tener y criar hijos es algo que vale todo lo que nos cuesta. Junto con las dificultades vienen los gozos y las recompensas más grandes que la vida tiene para ofrecer. ¿Cómo podría ser verdad esto? ¿Cómo puede ser que las mismas cosas que nos causan ansiedad y frustración sean la fuente de tal felicidad y sentimiento de realización? He aquí una contradicción obvia que merece consideración.

El escritor cristiano C. S. Lewis trató de expresar el dolor palpable que experimentó cuando perdió a su esposa que murió de cáncer. Él no habría quedado tan devastado por su muerte, dijo, si no se hubiese permitido a sí mismo amarla con todo su corazón. En la película *Tierra de Sombras,* basada en ese período de la vida de C. S. Lewis, él se preguntó si acaso hubiera sido mejor nunca haber amado y así haber evitado el riesgo de perder a la mujer que adoraba. Por cierto que hubiera sido más seguro vivir en una fortaleza, protegiéndose de las desilusiones y del dolor al permanecer apartado emocionalmente e indiferente. Lewis consideró estas respuestas al dolor y concluyó que, al final, el amor bien vale el riesgo. Esto es lo que escribió:

> Llegar a amar es ser vulnerable. Ame cualquier cosa, y ciertamente le partirán y posiblemente le romperán el corazón. Si quiere asegurarse de mantenerlo intacto, no debe entregarle su corazón a nadie, ni siquiera a un animal. Envuélvalo cuidadosamente con pasatiempos y con pequeños lujos ... guárdelo y asegúrelo bajo llave en la urna o en el ataúd de su egoísmo. Pero en esa urna, segura, oscura, inmóvil y sin aire, su corazón cambiará. Nadie lo romperá; se hará inquebrantable, impenetrable, irredimible... ¡El único lugar fuera del cielo donde usted puede estar perfectamente a salvo de todos los peligros del amor es el infierno![1]

A continuación C. S. Lewis concluyó: «Amamos para saber que no estamos solos».

¿No habla elocuentemente este profundo pensamiento acerca del dolor relacionado con ser padres y madres? Sin duda me habla a mí. Tener y criar hijos se reduce a esto. Amar a los que les hemos dado la vida *es* un asunto riesgoso, pero también trae mucho gozo y felicidad. Es un recorrido noble, aun cuando a menudo hay pruebas y lágrimas relacionadas con el desafío. Como padres y madres se nos ha dado el privilegio de tomar la materia prima que compone a un ser humano completamente nuevo y luego darle forma día a día para que llegue a ser una persona madura, disciplinada, productiva y temerosa de Dios que un día vivirá en la eternidad. Hacer ese trabajo bien, a pesar de sus contratiempos y desilusiones, es uno de los logros más grandes de la vida.

Hoy quiero ofrecerles esperanza a esos papás y mamás que se sienten desmoralizados en esta etapa de su recorrido. Primero, debe reconocer que los niños de voluntad firme *no* son un lastre, y nunca debe permitirse a sí mismo sentirse maltratado o engañado por haber tenido un niño de éstos. NO compare a su hijo con los hijos e hijas «perfectos» de sus parientes o amigos. Con el tiempo, ellos también tendrán sus problemas. Hay que admitir que un niño tenaz e inflexible es más difícil de criar y a veces puede empujar a sus padres hasta el límite. Pero esa seguridad en sí mismo y esa determinación tan maravillosas serán una ventaja cuando su hijo crezca. Ese temperamento irritante fue un don de Dios, y Él no se equivoca.

Usted también debe reconocer que estos niños a menudo poseen una cierta fuerza de carácter que les va a ayudar a atrapar las oportunidades que se les presenten en el camino. Cuando se deciden a alcanzar algo, tienen muchas probabilidades de permanecer firmes en su determinación hasta alcanzar la meta. También son menos susceptibles a la presión de sus compañeros, tal vez no durante los primeros años de su adolescencia, pero sí a medida que la madurez comienza a mostrarse en sus vidas. Vale la pena que repita lo que dije antes. Aunque por lo regular discuten, pelean y se quejan a lo largo de los años que están en el hogar, la mayoría de ellos cambian completamente cuando llegan a la juventud y cumplen con los deseos más profundos de sus padres. Mejores tiempos los esperan a la vuelta de la esquina.

Sin embargo, la realización de ese potencial parece depender de la provisión de un ambiente en el hogar que haya sido estructurado temprano, guiado por padres y madres amorosos y justos, y que claramente son más firmes y sabios que sus hijos. Los que sean razonablemente eficaces en darle forma a la voluntad sin quebrantar el espíritu apreciarán a la persona en la que su hijo finalmente se convertirá.

Eso es lo que encontramos cuando hicimos la encuesta a 35 mil padres y madres. Más del 85% de los adultos que habían sido niños o niñas de voluntad firme y que se habían rebelado en forma significativa durante sus años de la adolescencia, regresaron a lo que se les había enseñado, en forma total o por lo menos en parte. Sólo el 15% fueron tan obstinados que rechazaron los valores fundamentales de su familia para cuando tenían alrededor de veinticinco años de edad. Estos descubrimientos nos dicen que probablemente también esté haciendo un trabajo con sus hijos que sea mejor del que cree. Los años futuros confirmarán que la culpa que acechaba sus pensamientos y que había invadido sus sueños era injustificada y autoimpuesta.

En pocas palabras, el niño que hoy puede exasperarlo, probablemente, como un árbol, está creciendo pequeños brotes verdes, aunque lo único que ve ahora son las ramitas desnudas de invierno. Por supuesto que tomará tiempo para que él o ella florezca, pero la primavera está en camino. Confíe en mí en cuanto a este asunto.

Para mí siempre es alentador recibir noticias de padres y madres que han vivido a través de las tensiones de la crianza, y han descubierto que los principios de la buena crianza son válidos. Dan resultado porque han venido del Creador de los niños. La madre de una niña de voluntad muy firme me envió una carta hace algunos años, después de haber concluido, con demasiada prisa, que mi consejo *no* daba resultado y que con seguridad, yo no entendía a pequeños testarudos como la de ella. Esto es lo que me escribió:

> *Estimado doctor Dobson:*
> *Después de haber comprado su libro:* Cómo criar a un niño de voluntad firme, *debo decirle que me sentí desilusionada. El principio fue alentador, pero luego el resto fue dedicado a las técnicas generales de crianza infantil. Yo pensé que todo el libro trataba acerca del niño de voluntad firme. ¿Está seguro de que sabe lo que es uno de esos niños? Casi todos los niños tienen voluntad firme, pero no todos son de «voluntad firme».*
>
> *Nuestra tercera (y última) hija es «de voluntad firme». Ahora tiene un año y nueve meses, y ha habido ocasiones en las cuales pensé que era anormal. Si hubiera sido mi primera hija, no habría habido más niños en nuestra familia. Tuvo cólicos día y noche durante seis meses, y luego dejamos de llamarlo así. Era simplemente desdichada todo el tiempo. Comenzó a caminar cuando tenía ocho meses y se convirtió en una acosadora despiadada de sus hermanas. Les tiraba del cabello, las mordía, las pellizcaba y las empujaba con todas sus fuerzas. Le arrancó a su hermana un mechón de cabello largo y negro.*

Esta madre continuó describiendo las características de su tiránica hija, las cuales he escuchado miles de veces. Entonces concluyó su carta aconsejándome a que le diera más énfasis a la importancia del castigo corporal para esta clase de niños.

Le escribí una amable carta en respuesta a la suya y le dije que entendía su frustración. Intenté alentarla y ofrecerle esperanza para el futuro. Cinco años más tarde, me volvió a escribir:

Estimado doctor Dobson:
Debí haberle escrito esta carta hace mucho tiempo, ¡pero gracias! Muchas gracias por una respuesta comprensiva a lo que probablemente no fuera una carta muy agradable de una madre desalentada. Gracias por sus comentarios positivos, los primeros que recibí en mucho tiempo.

Tal vez le interese que lo ponga al día sobre nuestra pequeña Sandra Andrea. En la época en que le escribí, era un perfecto «10» en lo que se refiere a voluntad firme. El término «difícil» apenas si raspa la superficie de las palabras que describen su infancia. Como padres cristianos, tratamos cada método bíblico que podíamos encontrar para lidiar con ella. Yo había decidido que ella era anormal. Algo tan inofensivo como ofrecerle jugo en la mañana (lo que le gustaba mucho) en el vaso indebido la llevaba a treinta minutos de rabietas, ¡y esto era antes que pudiera hablar! Las cenas familiares eran una pesadilla.

Antes de cumplir los dos años, Sandra Andrea por lo general maltrataba a sus hermanas mayores, de cuatro, ocho y doce años de edad, haciendo incluso llorar muchas veces a su hermana de doce años. Unas nalgadas de parte mía no la disuadían en absoluto. Un día, mientras oraba, el Señor me mostró claramente que debía permitir que sus hermanas le respondieran, algo a lo que me oponía estrictamente (y todavía me opongo). Sin embargo, en este caso, todo lo que puedo decir es que dio buen resultado. Con cuidado y en forma clara les dije a mis tres hijas (con Sandra Andrea sobre mis rodillas) lo que debían hacer la próxima vez que fueran atacadas por su hermanita más pequeña: le debían dar una buena palmada en la parte superior de su piernita regordeta, cerca de su pañal. Sandra captó el mensaje, y en dos días cesaron los ataques.

Nunca fue fácil disciplinar a nuestra hija menor, pero perseveramos con la ayuda de Dios... Cuando le debíamos dar unas nalgadas, podíamos esperar hasta una hora de rabietas. Hubiera sido tan fácil desistir y pasar por alto su mal comportamiento, pero estoy convencida que sin el castigo, nuestra Sandra se hubiera convertido en el mejor de los casos en el mismísimo demonio, y en el peor de los casos, en una enferma mental. Dígales a sus oyentes que la disciplina sí da buen resultado, cuando se lleva a cabo de acuerdo con la Palabra de Dios.

Hoy, Sandra es una preciosa niña de siete años y un gozo para la familia. Todavía es bastante voluntariosa, ¡pero ahora está dentro de los límites normales! Ella es muy inteligente y tiene una naturaleza dulce, creativa y comprensiva que es poco común en alguien tan joven como ella. Sé que el Señor tiene grandes planes para ella. Ya le ha pedido a Jesús que entre en su vida y sabe acudir a Él cuando tiene una necesidad (por ejemplo, un temor por causa de alguna pesadilla, etc.).

En conclusión, aunque todavía creo que usted no explotó el tema al máximo en su libro, ciertamente la disciplina aplicada con amor es la clave. ¡Unida a la perseverancia!

Gracias y que la bendición constante de Dios sea sobre usted, sobre su hogar y sobre su ministerio, a través de Jesucristo nuestro Señor.

En su amor,
Sra. W. W.

Una vez más le escribí a esta madre y concluí mi carta con estas palabras.

Muchas gracias también a usted, señora W., por su primera carta y por esta otra en la que me pone al día. Fue algo muy especial volver a recibir noticias suyas. Es obvio que está yendo por el buen camino con Sandra Andrea. Manténgase firme durante los desafíos de la adolescencia que todavía tiene por delante.

James Dobson

Si la señora W. lee esta edición revisada y corregida de *Cómo criar a un niño de voluntad firme,* quiero que sepa que estaba pensando en ella cuando me dispuse a volverla a escribir. Me gustaría preguntarle si esta segunda vez me acerqué más al blanco. Me parece que es una mamá a la que me gustaría conocer.

Repasemos una vez más los conceptos importantes que he presentado, enfocándonos principalmente en los principios programados para producir un resultado positivo en los años por venir.

1. No debe culparse a sí mismo por el temperamento con el que nació su hijo. Simplemente es un pequeño difícil de manejar, y su tarea es ir paso a paso, a su mismo ritmo.

2. Debido a su inclinación a probar los límites y a sacarnos de quicio, su hijo de voluntad firme corre un mayor peligro. La máxima diligencia y sabiduría serán necesarias por su parte para lidiar con él. Tiene que ser más fuerte que él, pero sin enojarse ni ser opresivo.

3. Si no logra entender el ansia de poder e independencia de su hijo, puede extenuar sus recursos y quedarse atascado en el sentimiento de culpa. Eso no beneficiará a nadie.

4. Para los padres que recién han comenzado, háganse cargo de su bebé ahora mismo, sostenga con firmeza las riendas de la autoridad, y rápidamente comience a formar en él una actitud de respeto y de obediencia. Necesitará cada gramo de respeto que pueda conseguir en los próximos años. Una vez que haya establecido su derecho a guiar, comience a soltar las riendas en forma sistemática, año tras año.

5. No se deje llevar por el pánico, aun durante los tormentosos años de la adolescencia. No duran para siempre. El sol volverá a brillar, tal vez produciendo un hermoso arco iris sobre su espíritu. *Va a superar esta etapa.*

6. No permita que su hijo se aleje demasiado de usted emocionalmente. Permanezca cerca. No lo dé por perdido, aun cuando sienta un terrible impulso de hacerlo. Su hijo lo necesita ahora más que nunca.

7. Dele tiempo a ese hijo para que se encuentre a sí mismo, aun cuando pareciera que no está en la búsqueda.

8. Lo más importante, lo insto a que mantenga a su hijo en ferviente oración delante del Señor día tras día tras día. Comience cada mañana con una oración pidiendo sabiduría y guía. Estoy convencido de que no existe ninguna otra fuente verdadera de confianza para la crianza de los hijos. No hay suficiente conocimiento en los libros, ni en los míos ni en los de ninguna otra persona, para contrarrestar el mal que rodea a nuestros hijos hoy. Debemos inundarlos de ferviente oración cuando estamos en nuestro lugar de oración a solas, pronunciando palabras similares a éstas:

«Señor, tú conoces mi insuficiencia. Conoces mis debilidades, no sólo en la crianza de mis hijos, sino en cada esfera de mi vida. Estoy haciendo lo mejor que puedo para criar a mis hijos en forma apropiada, pero tal vez eso no sea suficiente. Así como proveíste los panes y los peces para alimentar a cinco mil personas hambrientas, toma ahora mi pequeño esfuerzo y úsalo para bendecir a mi familia. Arregla las cosas que hago mal. Satisface las necesidades que no he satisfecho. Compensa mis meteduras de pata y mis errores. Envuelve a mis hijos con tus maravillosos brazos, y acércalos a ti. Y ponte allí cuando ellos estén frente a las grandes encrucijadas entre el bien y el mal. Todo lo que les puedo dar es lo mejor que puedo hacer, y voy a continuar haciéndolo. Te los entrego a ti ahora y vuelvo a consagrarme a la tarea que has colocado delante de mí. El resultado descansa confiadamente en tus manos».

He encontrado que Dios es un Padre amoroso y fiel que escucha y responde a ese clamor del corazón. Vuélvase a Él pidiéndole consuelo cuando haya llegado al límite de sus fuerzas. Dios estará allí para consolarlo y obrar dentro del alma de su amado hijo.

Bueno, comenzamos esta deliberación doce capítulos atrás con la historia de nuestro perro Siggie y sus tendencias revolucionarias. Terminémosla con una actualización de dicha historia. Ya hace mucho que Siggie murió, pero todavía lo extrañamos. Es difícil explicar como un viejo e inútil perro pudo haber sido tan amado por su familia, aunque estoy seguro que otras personas amantes de los perros entenderán nuestro sentimiento. De alguna forma estábamos preparados para la partida de Siggie, después que el veterinario nos dijera que tenía una fisura en el corazón que le producía pérdida de sangre, y que su condición era progresiva, pero el momento de crisis nos llegó sin advertencia alguna.

Yo me estaba cepillando los dientes temprano una mañana cuando escuché el gemido agudo de Siggie. Gritaba como un bebé, y mi esposa corrió para ayudarlo.

«Jim, ven enseguida», me dijo ella. «¡A Siggie le está dando un ataque al corazón!» Corrí a la sala de estar, con el cepillo de dientes todavía en la mano. Siggie estaba tendido justo junto a su cama, y parecía estar experimentado mucho dolor. Estaba agazapado sobre sus patas;

los ojos extraviados y vidriosos. Yo me agaché y lo acaricié con suavidad y me di cuenta de que era probable que se estuviera muriendo. No estaba seguro de lo que podía hacer por un perro que estaba experimentado un ataque al corazón, puesto que los paramédicos son un poco quisquillosos en cuanto a prestarles servicios a los animales. Sin duda que no le iba a hacer resucitación cardiopulmonar. Recogí a Siggie y con cuidado lo coloqué en su cama, y él se dio vuelta sobre un costado y se quedó completamente inmóvil. Sus patas estaban juntas y rígidas, parecía que el fin había llegado.

Volví a mi estudio para llamar por teléfono al veterinario, pero Shirley me llamó otra vez. Ella había mirado al inmóvil perro con más cuidado y descubrió la naturaleza de su problema. (¿Está listo para oír esto?) Hay unas pequeñas garras o especie de uñas en los costados de las patas de un perro, y de alguna manera, ¡Siggie se las había arreglado para que se engancharan entre sí! Shirley las desenganchó y el longevo perro lo celebró corriendo por todos lados como si fuera un cachorro otra vez.

Cuando llegue a viejo y me ponga a recordar los deleites de ser padre, las Navidades y los viajes de campamento y las voces chillonas de dos niños bulliciosos en nuestra casa, también recordaré a un pequeño y testarudo perro salchicha llamado Sigmund Freud y a su afable sucesora canina, llamada Mindy, quienes contribuyeron de una manera tan importante a nuestra familia a lo largo de esos días felices. Uno de esos animales era tan terco como una mula; el otro sólo quería hacer todas las cosas bien. Pero nosotros los amamos a ambos, y lo mismo fue con nuestros hijos. Uno de ellos era de voluntad firme y el otro era dócil (pero solapado a veces). Ahora son adultos, y los dos son seres humanos fantásticos que aman a sus padres (especialmente a mí) y que están profundamente consagrados a Jesucristo. No se puede pedir más que eso.

«Nada me produce más alegría que oír
que mis hijos practican la verdad».
(3 JUAN 4)

NOTAS

CAPÍTULO 1

[1] Jon Meacham, *Franklin and Wiston: An Intimate Portarit of an Epic Friendship [Franklin y Wiston: Retrato íntimo de una amistad épica],* (Nueva York: Random House, 2003), 15.

CAPÍTULO 2

[1] Henry Wadsworth Longfellow, «There Was a Little Girl» [«Había una niñita»], *Random Memories* (Boston: Houghton Mifflin, 1922), 15

CAPÍTULO 3

[1] John Caldwell Holt, *Escape from Childhood: The Needs and Rights of Children* [Escape de la niñez: Las necesidades y los derechos de los niños] (Nueva York: Penguin Books, 1974).

[2] Jim Stingley, «Advocating Children's Liberation» [«Abogando por la liberación de los niños»], *Los Angeles Times* (julio 28 de 1974).

[3] Raymond Corsini and Genevieve Painter, «A Marvelous New Way to Make Your Child Behave» [«Una nueva y maravillosa manera de hacer que su niño se comporte»], *Revista Family Circle* (abril, 1975): 26.

[4] Sitio en la red, denominado «Disciplina Positiva», del Departamento de Salud de la Universidad Estatal de Oklahoma: http://www.health.state.ok.us/program/mchecd/posdisc.html

[5] L. S. Kabada, «Discipline Debate: Parents, Parenting Experts Divided over Dealing with Children's Behavior» [«Debate sobre la disciplina: Padres y expertos en la crianza infantil divididos en cuanto a cómo lidiar con el comportamiento de los niños»], *Chicago Tribune* (junio 27 de 1999): CN 7.

[6] Stella Chess and Alexander Thomas, *Know Your Child: An Authoritative Guide for Today's Parents [Conozca a su niño: Una guía autoritaria para los padres de hoy],* (Nueva York: Basic Books, 1987).

[7] *Ibíd.*

[8] *Ibíd.*

[9] *Ibíd.*

[10] *Ibíd.*

[11] *Ibíd.*

[12] *Ibíd.*

[13] T. J. Bouchard, L. L. Heston, E. D. Eckert, M. Keyes, y S. Resnick, «The Minnesota Study of Twins Reared Apart: Project Description and Sample Results in the Developmental Domain» [«El estudio de la Universidad de Minnesota sobre gemelos criados por separado: Descripción del proyecto y resultados de la muestra en el campo del desarrollo»] (1981).

[14] *Ibíd.*

[15] M. McGue y D. T. Lykken, «Genetic Infuence on Risk of Divorce» [La influencia genética sobre el riesgo de divorcio], Revista *Psychological Science* 3 (1992): 368-373.

[16] *Ibíd.*

[17] James C. Dobson, Estudio interno a 35 mil padres: publicado primero en *Tener hijos no es para cobardes* (Editorial Vida, Miami, FL, 1991).

[18] Dobson, *Tener hijos no es para cobardes.*

[19] Según fue citado en el discurso de despedida del General Douglas MacArthur, West Point (mayo 12 de 1962).

CAPÍTULO 4

1. James C. Dobson, *Atrévete a disciplinar, Nueva Edición* (Editorial Vida, Miami, FL. 1993).
2. B. Spock y S. J. Parker, *El cuidado de su hijo del Dr. Spock,* (Nueva York: Pocket Books, 1998).
3. Lisa Whelchel, *Creative Correction [Corrección Creativa]* (Wheaton, IL: Tyndale House Publishers, 2000).
4. Susanna Wesley, «The Journal of John Wesley: The Mother of the Wesleys» [«El Diario de John Wesley: La madre de los Wesley»] http://www.ccel.org/w/wesley/journal/htm/vi.ix.xx.htm
5. Thomas Gordon, *Parenting Effectiveness Training: The Proven Program for Raising Responsible Children [Capacitación para la eficiencia en la crianza infantil: El programa demostrado para criar a niños responsables],* (Nueva York: Three Rivers Press, 2000).

CAPÍTULO 5

1. Ronald Kotulak, «Babies Learn to Reason Earlier Than Thought, Researcher Finds» [«Los bebés aprenden a razonar antes que a pensar, hallazgos del investigador»], *Chicago Tribune* (enero 7 de 1999): N 4.
2. Martha Sherrill, «Mrs. Clinton's Two Weeks out of Time: The Vigil for Her Father, Taking a Toll Both Public and Private» [Las dos semanas fuera de tiempo de la señora Clinton: La vigilia por su padre, lo que tuvo un efecto tanto público como privado»], *The Washington Post* (abril 3 de 1993): C 1.
3. James C. Dobson, *Cómo criar a los varones* (Editorial Unilit, Miami, FL.).

CAPÍTULO 6

1. «Parents May Worsen Terrible Two's» [«Puede que los padres empeoren la terrible etapa de los dos años»], *Revista Fort Worth Star Telegram* (abril 7 de 1999): 5.
2. Spock y Parker, *El cuidado de su hijo del Dr. Spock.*
3. Benjamin Spock, «How Not to Bring a Bratty Child» [«Cómo no criar a un hijo mimado»], *Redbook* (febrero, 1974): 29-31.
4. *Ibíd.*
5. *Ibíd.*

CAPÍTULO 7

1. *American Psychological Association Monitor [El Monitor de la Asociación de los Estados Unidos de Psicología] 7,* no. 4 (1976).
2. T. Berry Brazelton, *Toddlers and Parents: A Declaration of Independence* [Los pequeños y sus padres: Una declaración de independencia], (Nueva York: Delacorte Press, 1974), 101-110.
3. *Ibíd.*
4. Sitio en la red, denominado «Disciplina Positiva», del Departamento de Salud de la Universidad Estatal de Oklahoma
5. Luther Woodward, *Your Child from Two to Five [Su niño de los dos a los cinco años],* editor: Morton Edwards (Nueva York: Permabooks, 1955), 95, 96.
6. *Ibíd.*
7. *Ibíd.*
8. *Ibíd.*
9. Dobson, *Atrévete a disciplinar, Nueva Edición.*
10. Reimpreso con permiso de *United Press International.*
11. H. T. Harbin y D. J. Madden, «Battered Parents: A New Syndrome» [«Padres aporreados: Un nuevo síndrome»], Revista *American Journal of Psychiatry* 136 (1979): 1288-1291.

Notas

CAPÍTULO 8

[1] Autor desconocido. El poema, «Behind in His Reading» [«Atrasado en su lectura»] me fue enviado por Freda Carver, una ex bibliotecaria en *Enfoque a la Familia*.

[2] Patrice O'Shaughnessy junto con Michael S. C. Claffey, Russ Buettner, Robert Gearty, Anemona Hartocollis, y Barbara Ross, «Child's Doomed Life» [«La vida condenada del niño»], *New York Daily News* (noviembre 26 de 1995): 5.

[3] *Ibíd.*

[4] *Ibíd.*

[5] *Ibíd.*

[6] L. G. Russek y G. E. Schwartz, «Perceptions of Parental Caring Predict Health Status in Midlife: A 35-Year Follow-Up of the Harvard Mastery of Stress Study» [«Las percepciones que se tienen del cuidado paterno-materno predicen la condición de la salud en la madurez: Un seguimiento de 35 años al estudio del dominio de la tensión de Harvard»], *Revista Psychosomatic Medicine* 59, no. 2 (1997): 144-149.

[7] *Ibíd.*

[8] *Ibíd.*

[9] *Ibíd.*

[10] Scott M. Montgomery, Mel J. Bartley, y Richard G. Wilkinson, «Family Conflict and Slow Growth» [«El conflicto familiar y el crecimiento lento»], *Publicación Archives of Disease in Childhood* [Archivos de enfermedades de la niñez] 77 (1997): 326-330.

[11] *Ibíd.*

[12] *Ibíd.*

[13] Dobson, *Atrévete a disciplinar, Nueva Edición*.

[14] Den A. Trumbull y S. Dubose Ravenel, «To Spank or Not to Spank» [«Dar nalgadas o no dar nalgadas»], Revista *Physician*.

[15] *Ibíd.*

[16] *Ibíd.*

[17] Memorándum interno (enero 28 de 1982). Conversación telefónica con el Miembro de la Asamblea Legislativa por el estado de California, John Vasconcellos, citando recomendaciones contenidas en el informe de la comisión sobre el control criminal y la violencia.

[18] Ben Sherwood, «Even Spanking is Outlawed: Once Stern Sweden Leads Way in Children's Rights» [«Incluso dar nalgadas está prohibido por la ley: La una vez severa Suecia marca el camino en los derechos infantiles»], *Los Angeles Times* (agosto 11 de 1985): A 2.

[19] Kathleen Engman, «Corporal Punishment v. Child Abuse: Society Struggles to Define "Reasonable Force"» [«El castigo corporal contra el abuso infantil: La sociedad lucha por definir lo que es la "Fuerza Razonable"»], *The Ottawa Citizen* (diciembre 30 de 1996): C 8.

CAPÍTULO 9

[1] Margueritte y Willard Beecher, *Parents on the Run: A Commonsense Book for Today's Parents* [Padres dominados: Un libro con sentido común para los padres de hoy], (Nueva York: Crown Publishers, Inc. 1955), 6-8.

[2] Dobson, *Tener hijos no es para cobardes*.

[3] Oficina de Censos de los Estados Unidos, «Census 2000 Summary» [«Resumen del Censo del año 2000»]. http://factifinder.census.gov/servlet/QTTable_bm=y&ego_id=01000US&qr_name=DEC_2000_SF1_U_QTP10&-ds_name=DEC_2000_SF1_U&-lang=en&_sse=on

CAPÍTULO 10

[1] El informe Nielsen, 2000.

[2] Paquete de difusión de MTV (1993).

[3] *Associated Press* (febrero 2 de 2004): «El informe Nielsen estima que 143.6 millones de personas miraron por lo menos parte del partido».

[4] D. Donahue, «Struggling to Raise Good Kids in Toxic Times: Is Innocence Evaporating in an Open-Door Society?» [«Luchando por criar niños buenos en tiempos tóxicos: ¿Se está evaporando la inocencia en una sociedad de puertas abiertas?»], *USA Today* (octubre 1 de 1998): D 1.

[5] *Ibíd.*

[6] Ellen Edwards, «Plugged-In Generation: More than Ever, Kids Are at Home with Media» [«Una generación enchufada: Hoy más que nunca, los niños están en casa con los medios de comunicación»], *Washington Post* (noviembre 18 de 1999): A 1.

[7] David Bauder, «Survey: It May Not Be Punishment to Send Children to Their Rooms» [«Estudio: Puede que no sea un castigo enviar a los niños a sus habitaciones»], *Associated Press* (junio 26 de 1997).

[8] Dobson, *Cómo criar a los varones.*

[9] Urie Bronfenbrenner, «The Social Ecology of Human Develpment,» *Brain and Intelligence: The Ecology of Child Development,* [«La ecología social del desarrollo humano», el cerebro y la inteligencia: La ecología del desarrollo infantil], editor: Frederick Richardson (Hyattsville,Md.: National Educational Press, 1973).

[10] K. Bosworth, D. L. Espelage y T. R. Simon, «Factors Associated with Bullying Behavior in Middle School Students» («Factores relacionados con el comportamiento intimidante entre los estudiantes de los dos primeros años de la secundaria»), *Revista Educational Research 41*, no. 2 (1999): 137-153.

[11] Maria Bartini y Anthony Pellegrini, «Donimance in Early Adolescent Boys: Affiliative and Aggressive Demenions and Possible Functions» [«El dominio entre los varones que se encuentran en la primera etapa de la adolescencia: Dimensiones de afiliación y de agresividad y posibles funciones»], *Publicación Trimestral Merrill-Palmer* (2001).

[12] Shannon Brownlee, Roberta Hotinski, Bellamy Pailthorp, Erin Ragan, y Kathleen Wong, «Inisde the Teen Brain» [«Dentro del cerebro adolescente»], *Revista US News & World Report* (agosto 9 de 1999): 44.

[13] *Ibíd.*

[14] *Ibíd.*

[15] B. S. Bowden y J. M. Zeisz, «Supper's On! Adolscent Adjustment and Frequency of Family Mealtimes» [«¡La cena servida! El ajuste adolescente y la frecuencia con que las familias comparten la mesa juntos»], documento presentado en la 105ta. Reunión Anual de la *American Psychological Association* [Asociación de los Estados Unidos de Psicología], Chicago (1997).

[16] Daisy Yu, «A Consumer Underclass: Scorned Teens» [Una clase marginada de consumidor: Los adolescentes desdeñados»], *Los Angeles Times* (marzo 18 de 2001).

[17] *Ibíd.*

[18] James Brooke, «Terror in Littleton: The Overview: 2 Students in Colorado School Said to Gun Down as Many as 23 and Kill Thmeselves in a Siege,» [«Terror en Littleton: El panorama general: Se dice que dos estudiantes en una escuela de Colorado dispararon e hirieron a 23 personas y se suicidaron en el sitio»], *The New York Times* (abril 21 de 1999): A 6.

[19] Patricia Hersch, *A Tribe Apart: A Journey into the Heart of American Adolescence* [Una tribu aparte: Un viaje hacia el corazón de la adolescencia de los Estados Unidos], (Nueva York: Ballantine Books, 1999).

[20] M. D. Resnick, P. S. Bearman, R. W. Blum, K. E. Bauman, K. M. Harris, J. Jones, J. Tabor, T. Beuhring, R. Sieving, M. Shew, M. Ireland, L. H. Bearinger, y J. R. Udry, «Protecting Adolescent from Harm: Finding from the National Longitudinal Study on Adolescent Health» [«Protegiendo al adolescente del daño: Hallazgos del estudio nacional longitudinal sobre la salud de los adolescentes»], *Journal of the American Medical Association* (Revista de la Sociedad Médica Estadounidense) *278*; «New Analyses of National Data Reveal Risk, Protective Factors for Youth Violence and Other Risks,

Leading Researches Report at Capitol Hill Breifing» [«Nuevos análisis a los datos nacionales revelan los riesgos y los factores protectores para la violencia juvenil u otros riesgos, llevando a los investigadores a compartir sus informes en la reunión de información del Congreso de los EE.UU.»], *Publicación PR Newswire* (junio 3 de 1999).

²¹ Andrea Billups, «The State of Our Nation's Youth: Most Teenagers Rate Parents Number 1: Poll Shows Fear of Violence, Worry over Decline of Families» [«El estado de la juventud de nuestra nación: La mayoría de los adolescentes colocan a sus padres en el primer lugar: Encuesta muestra el temor a la violencia, y la preocupación por el deterioro de las familias»], *The Washington Times* (agosto 11 de 1999): A 6.

²² Barbara Kantrowitz y Pat Wingert junto con Anne Underwood, «How Well Do You Know Your Kid?» [«¿Qué tan bien conoce usted a su hijo?»], *Revista Newsweek* (mayo 10 de 1999): 36.

²³ Michael Medved y David Wallechinsky, *What Really Happened to the Class of '65? [«¿Qué sucedió realmente a la promoción del '65?»]* (New York: Random House, Inc., 1976).

²⁴ *Ibíd.*

²⁵ *Ibíd.*

²⁶ *Ibíd.*

²⁷ *Ibíd.*

²⁸ Domeena C. Renshaw, *The Hyperactive Child* [El niño hiperactivo] (Chicago: Nelson-Hall Publishers, 1974).

²⁹ Deborah Davis Locker, «Bomb Threats Shake Hartland District: Schools Boost Security, Add Cameras after Six Warning Notes Are Left» [«Amenazas de bomba sacuden al distrito de Hartland: Las escuelas aumentan la seguridad y añaden cámaras luego que se dejaron seis notas de advertencia»], *The Detroit News* (noviembre 5 de 2002): C 5.

CAPÍTULO 11

¹ Dennis Swanberg, Diane Passno, y Walt Larimore, *Why A.D.H.D. Doesn't Mean Disaster* [Por qué el TDAH no es sinónimo de desastre] (Wheaton, IL: Tyndale House Publishers, 2004): Russell A. Barkley, conferencia en línea sobre el «Trastorno por déficit de atención e hiperactividad», Centro Médico de la Universidad de Massachusetts, Worcester, Mass.

² Claudia Wallis, «Life in Overdrive» Doctors Say Huge Numbers of Kids and Adults Have Attention Deficit Disorden: Is It for Real?» [«La vida a toda marcha» Los doctores dicen que enormes cantidades de niños y adultos sufren del trastorno por déficit de atención: ¿Será en serio?), *Time* (julio 18 de 1994): 42.

³ Swanberg, Passno, y Larimore, *Por qué el TDAH no es sinónimo de desastre.*

⁴ *Ibíd.*

⁵ *Ibíd.*

⁶ *Ibíd.*

⁷ Edward Hallowell y John Ratey, *Driven to Distraction: Recognizing and Coping with Attention Deficit Disorder from Childhood through Adulthood* [Impulsado a la distracción: Cómo reconocer y lidiar con el trastorno por déficit de atención desde la infancia hasta la vida adulta], (Nueva York: Simon & Schuster, 1995), 73-76.

⁸ Wallis, *«Life in Overdrive»* [«La vida a toda marcha»], 42.

⁹ L. Goldman, M. Genel, R. Bezman, y P. Slanetz, «Diagnosis and Treatment of Atttention-Deficit/Hypeactivity Disorder in Children and Adolescents» [«Diagnóstico y tratamiento del trastorno por déficit de atención e hiperactividad en niños y adolescentes»], *Journal of the American Medical Association* [Revista de la Sociedad Médica De los Estados Unidos] (abril 1998): 1100-1107.

¹⁰ J. P. Guevara y M. T. Stein, *«Evidence Based Management of Attention Deficil Hiperactivity Disorder»* [«Manejo del trastorno por déficit de atención e hiperactividad basado en la evidencia»], *British Medical Journal* [Revista Médica Británica] (noviembre 2001): 1232-1235.

[11] G. B. LeFever, K. V. Dawson, y A. L. Morrow, «The Extent of Drug Theraphy for Attention Deficit-Hyperactivity Disorder among Children in Public Schools» [«El alcance de la terapia con medicamentos para el trastorno por déficit de atención e hiperactividad entre los niños en las escuelas públicas»], *American Journal of Publich Health* [Revista de los Estados Unidos de Salud Pública] (septiembre 1999): 1359-1364.

[12] Informe sobre los centros para el control y prevención de enfermedades (mayo 2002), http://www.cdc.gov/nchs/releases/02news/attendefic.htm

[13] R. J. DeGrandpre, *Ritalin Nation: Rapid-Fire Culture and the Transformation of Human Consciousness* [La Nación del Ritalin: La cultura del fuego graneado y la transformación de la conciencia humana], (Nueva York: W. W. Norton & Company, 2000).

[14] D. Papolos y J. Papolos, *The Bipolar Child* [El niño bipolar] (Nueva York: Broadway Books, 1999), capítulo 6.

[15] S. Pliszka, «The Use of Psychostimulants in the Pediatric Patient» [«El uso de psicoestimulantes en el paciente pediátrico»], *revista Pediatric Clinic of North America* (octubre 1998): 1087, citando a J. Elia, B. G. Borcherding, J. L. Rapoport, y C. S. Keysor, «Methylphenidate and Dextroamphetamine Treatments of Hyperactivity: Are There True Nonresponders?» [«Tratamientos con Metilfenidato y dextroanfetamina para la hiperactividad: ¿Existen quienes verdaderamente no responden a éstos?»] *Revista Psychiatry Reaserch* (febrero 1991): 141-155.

[16] «Medication for Children with Attentional Disorders». [«Medicación para niños y niñas con trastornos de atención»]. El comité para niños con discapacidades y el comité sobre drogas de la academia de los Estados Unidos de Pediatría, revista *Pediatrics* (agosto 1996): 301-304.

[17] C. J. Musser, P. A. Ahmann, F. W. Theyer, P. Mundt, S. K. Broste, y N. Mueller-Rizner, «Stimulant Use and the Potential for Abuse in Wisconsin As Reported by School Administrators and Longitudinally Followed Children», [El uso de estimulantes y el potencial para abuso de éstos en Wisconsin, según lo informado por los administradores de las escuelas y los niños a los que se les ha hecho un seguimiento longitudinal]. *Journal of Developmental Behavior Pediatrics* [Revista de Pediatría sobre el Comportamiento del Desarrollo] (junio 1998): 187-192.

[18] Mari Yamaguchi, «Japan Develops Gadget to Alert Bed-Wetting Children» [«Japón desarrolla un artefacto para alertar a los niños que mojan la cama»], *Associated Press* (abril 20, 1999).

[19] Willard Hartup, http://www.personal.psu.edu/faculty/j/g/jgp4/research/clippings/rroom.htm

[20] J. J. Gillis, J. W. Gilger, B. F. Pennington, y J. C. DeFries, «Attention Deficit Disorder in Reading Disabled Twins: Evidence for a Genetic Etiology» («El trastorno por déficit de atención en gemelos con discapacidad para la lectura»), *Journal of Abnormal Child Psychology* [Revista de la Psicología del Niño Anormal] (junio 1992): 303-315.

[21] H. Gjone, J. Stevenson, y J. M. Sundet, «Genetic Influence on Parent-Reported Attention-Related Problems in a Norwegian General Population Twin Sample» [«La influencia genética sobre problemas informados por los padres y relacionados con la atención en una muestra de población general noruega»] *Journal of the American Academy of Child and Adolescent Psychiatry* [Revista de la Academiad de los Estados Unidos de Psiquiatría del Niño y el Adolescente] (mayo 1996): 588-596.

[22] Renshaw, *The Hyperactive Child* [El niño hiperactivo], 118-120.

CAPÍTULO 12

[1] C. S. Lewis, *Los cuatro amores*, Editorial Caribe, Miami, FL, 1977.

Ya sea que haya recibido *Cómo criar a un niño de voluntad firme* *—Nueva Edición* como regalo, lo haya pedido prestado a algún amigo o lo haya comprado usted mismo, nos alegra que lo haya leído. El doctor James Dobson, autor de este libro, fundó Enfoque a la Familia en 1977 para tratar los muchos desafíos y necesidades que enfrentan las familias en el mundo de hoy.

Si este libro le ha sido de ayuda y quisiera recibir más información sobre la crianza infantil o sobre otros asuntos relacionados con la familia, Enfoque a la Familia está a su disposición para ayudarle.

www.family.org
1-800-232-6459

Visite

www.christianbookguides.com
donde encontrará una guía para tratar acerca de
Cómo criar a un niño de voluntad firme – Nueva Edición.